C. Vanasse

Introduction à l'histoire de l'Antiquité

Pierre Cabanes

Introduction à l'histoire de l'Antiquité

ARMAND COLIN

Collection Cursus, série « Histoire »

© Armand Colin Éditeur, Paris, 1992
ISBN 2-200-33089-8

Armand Colin Éditeur, 103, boulevard Saint-Michel — 75240 Paris Cedex 05

A Bruno,
sans la collaboration de qui ce livre ne serait pas ce qu'il est.

Avant-propos

L'étude de l'Antiquité a retenu longtemps l'attention de ceux qui nous ont précédés et qui y puisaient, des *exempla* médiévaux au *De viris illustribus,* les bons et les mauvais modèles dont l'histoire, comme le voyait déjà Plutarque au début du IIe siècle apr. J.-C., est fort heureusement peuplée ; nos pères étaient nourris à l'école de Rome, souvent plus qu'à celle de la Grèce. Ainsi, dans la première moitié du XVIIe siècle, les Jésuites du collège de Clermont — actuel lycée Louis-le-Grand — divisaient les élèves de leurs classes en deux camps, Romains et Carthaginois, disposés de chaque côté de l'allée centrale ; et chaque camp avait une hiérarchie qui rappelait celle de la légion romaine. Un changement s'est réalisé dans le contenu de l'enseignement secondaire, en France comme ailleurs, sur une génération : les langues anciennes ont vu leur place reculer grandement et l'Antiquité est devenue un monde peu fréquenté, dont on retient trop souvent de belles légendes, des contes tirés des poèmes homériques et de la mythologie grecque ou romaine, tant et si bien que l'étudiant, désireux aujourd'hui de se spécialiser en histoire, ou simplement de connaître ce que le monde a vécu avant notre ère, va presque entièrement à la découverte d'un monde ignoré. Il n'a rencontré l'Antiquité qu'au tout début de sa scolarité au collège, puisque, durant son année de sixième, il est censé avoir parcouru l'histoire du monde depuis les premiers hommes préhistoriques jusqu'à la chute de l'Empire romain d'Occident ! Quelques promotions ont bénéficié d'un retour à l'Antiquité en classe de seconde, à la recherche des fondements de notre civilisation, de l'héritage antique, notions bien délicates et souvent demeurées très floues ; mais c'était encore trop ! L'élève actuel, avec un peu de chance, se souviendra de quelques noms : Périclès, Alexandre, Auguste, perdus dans la nuit des temps.

Est-ce à regretter ? L'Antiquité est une terre privilégiée : désormais espace neutre, elle fut jadis un terrain sacré. Et c'est de cette tension que naît la fécondité des meilleurs travaux qui lui sont consacrés. En outre, l'oubli des Grecs et des Romains a l'avantage de faire cesser l'hypocrisie qui voulait que nous en descendions en ligne directe. Enfin, une autre évolution est notable : prenant ses distances par rapport à la seule narration des faits historiques, l'histoire ancienne avance et gagne peu à peu sa spécificité comme Histoire ; tout en étant nourrie de culture classique, elle s'ouvre désormais plus volontiers par exemple à une dimension d'anthropologie historique, d'abord dans le domaine religieux, avec les travaux pionniers de Louis Gernet et de Jean-Pierre Vernant, puis en histoire politique avec Christian Meier.

Il s'agit bien, dans ce livre, d'introduire à l'étude de l'Antiquité, de son histoire ; le lecteur aborde un domaine nouveau pour lui, mais un domaine qui peut être captivant si la rencontre se réalise dans de bonnes conditions ; cet

ouvrage se propose de faciliter un premier contact, en présentant successivement :
   – l'originalité de l'histoire de l'Antiquité,
   – les fondements documentaires de l'histoire ancienne,
   – les grandes étapes de l'Antiquité : la protohistoire et l'époque archaïque ; le monde grec classique et hellénistique ; le monde romain.
   Ce livre aura rempli sa mission si le lecteur, parvenu au terme de sa lecture, éprouve le désir d'aller plus loin, de creuser davantage dans le passé gréco-latin, de poursuivre son enquête avec une documentation plus complète.

1 L'originalité de l'histoire de l'Antiquité

COMMENT L'ABORDER ? UNE SCIENCE EN MOUVEMENT

Les écueils à éviter

Entrer dans une période ancienne, c'est pénétrer dans un monde inconnu. Pour nous, Occidentaux, le voyage en Inde, en Chine ou au Japon provoque un dépaysement complet en nous plaçant dans une civilisation où tout est si différent. Plonger dans l'Antiquité gréco-latine nous laisse peut-être davantage en pays de connaissance : les paysages, d'abord, ont peu changé et la familiarité d'Albert Camus ou d'Ismaïl Kadaré avec le monde d'Hélène, de Sisyphe ou des héros d'Eschyle témoigne peut-être de ce que l'écrivain algérois appelait la « culture méditerranéenne » dans une présentation de sa revue *Rivages* ; en même temps, les formes architecturales, la sculpture nous sont familières tant elles ont marqué notre civilisation ; avec elles, les monuments de Washington eux-mêmes nous sont moins étrangers. Bien des récits de l'épopée troyenne font partie intégrante de la culture occidentale. Nous nous sentons dans un monde moins étrange, moins étranger assurément et la tentation est grande d'assimiler l'Antiquité dans notre ensemble culturel, au risque de la déformer. Mais un univers peut nous apparaître sensiblement proche tout en étant intellectuellement lointain.

Il peut être bon de rappeler, ici, cette déclaration du grand antiquisant allemand U. von Wilamowitz Moellendorf, dans une conférence prononcée à Oxford en 1908 : « Nous savons que les fantômes ne peuvent s'exprimer sans avoir bu du sang ; et les esprits que nous évoquons exigent le sang de nos cœurs. Nous le leur offrons volontiers, mais si, dès lors, ils répondent à nos questions, il faut nous souvenir que quelque chose de nous les a pénétrés, quelque chose qui leur est étranger et doit être écarté, au nom de la vérité. » Wilamowitz nous engage donc à refaire, à notre tour, le geste d'Ulysse : au chant XI de L'*Odyssée*, avant de consulter Tirésias, au Nekyomanteion, Ulysse offre un sacrifice sanglant selon les indications de Circé et voit sortir de la terre les âmes de ses compagnons disparus. Tenons pour admis que les historiens croient aux fantômes et qu'ils ont, d'une manière ou d'une autre, l'esprit hanté par l'Antiquité qu'ils connaissent. C'est indispensable. Que l'être froid, vidé, du fantôme ne puisse assimiler le sang qu'il boit n'est pas pour nous surprendre. Mais ce que Wilamowitz cherche aussi à prévenir, c'est le risque que nous oubliions le sang que nous avons versé. Cet oubli est une forme d'« acte manqué », comme si, par besoin de tranquillité, les accents familiers de ces voix du silence nous paraissaient venir de l'Antiquité elle-même et non pas de notre offrande. Cet apport de l'historien est inévitable et même nécessaire s'il est fait avec lucidité.

C'est le même danger que souligne Jean-Pierre Vernant, dans son essai *Mythe et religion en Grèce ancienne*, Paris, 1990, lorsqu'il montre, à propos d'A.-J. Festugière, « ce qu'en bon monothéiste il croit pouvoir projeter de sa propre conscience chrétienne sur les rites des Anciens » (p. 8). L'immortalité de l'homme est défendue par le christianisme, mais, avant l'apparition de cette nouvelle religion, quel au-delà les Anciens imaginaient-ils ? Dans « le tombeau des Harpies », à Xanthos, aujourd'hui conservé au *British Museum*, et qui date de la première moitié du Vᵉ siècle, des femmes, au corps très expressif, peut-être des sirènes, enlèvent dans le creux affectueux de leurs bras les morts ou les âmes des morts représentées en enfants ; cet espoir d'une survie des morts dans l'au-delà, jusqu'où va-t-il ? Les sirènes de Xanthos sont-elles les précurseurs des anges, si souvent représentés dans les jugements derniers de nos églises médiévales ? N'est-ce pas là une transposition bien aventureuse ? Il n'est pas satisfaisant, non plus, de considérer, comme on le voit souvent chez les pères de l'Eglise, les philosophes grecs, Platon et Aristote, comme des précurseurs du christianisme ; celui-ci s'est nourri longtemps de la pensée aristotélicienne, c'est vrai, mais Aristote n'est en rien une propédeutique au message évangélique. Cette pensée a sa valeur en soi ; elle doit être considérée pour elle-même, comme une étape de la réflexion humaine, mais une étape autonome et distincte des messages qui ont pu suivre dans le temps et en d'autres lieux, notamment de la révélation chrétienne.

Par ailleurs, il n'est pas difficile de retrouver dans le fonctionnement des institutions de la cité athénienne bien des éléments qui leur donnent un aspect de modernité. Il en ressort l'impression d'être dans notre monde, mais tout le substrat est différent : la démocratie athénienne concerne, au maximum, quarante-cinq mille citoyens à l'époque de Périclès, largement nourris par l'empire et par le travail d'une foule d'esclaves et de barbares.

Il est donc nécessaire d'accepter que l'Antiquité constitue, pour nous, un monde nouveau, une civilisation exotique et abolie, dans laquelle nos modes de pensée ne s'appliquent pas nécessairement. C'est là une démarche plus honnête que d'essayer de susciter l'intérêt en affirmant le caractère très moderne de l'Antiquité. (Sur le problème de la « modernité » de l'Antiquité, voir « Vingt ans de recherches sur l'archaïsme et la modernité des sociétés antiques », *REA*, t. 86, 1-4 ; ainsi que *L'Antiquité est-elle moderne ?* Actes du colloque du Mans, La Découverte, Paris, 1991.)

Dès lors comment rendre visible la pensée des Anciens ? Comme le rappelle François Hartog, dans un article consacré à « La méthode de Paul Veyne », *Annales ESC*, 1978, p. 328, sans concepts, on ne voit rien, au sens propre, et on fait de l'histoire narrative. Le travail de l'historien est justement de trouver la spécificité de son terrain d'étude, c'est-à-dire à la fois ce qui est général et particulier : rendre l'individu intelligible. Ainsi l'histoire peut-elle échapper à la tyrannie du particulier que dénonce Aristote dans le chapitre IX de *La Poétique* : « La poésie est plus philosophique et plus noble que l'histoire : la poésie traite plutôt du général, l'histoire du particulier. » Mais il faut se garder de négliger un élément : le travail de l'œil de l'historien ne peut se faire qu'avec des concepts dont on sait la qualité dans les circonstances actuelles, et dont on ne peut dire s'ils sont opératoires pour des périodes aussi éloignées.

Le problème est posé, par exemple, dans le remarquable ouvrage d'Aline Rousselle, *Croire et guérir*, Paris, 1990 ; elle s'intéresse à la période de transition du paganisme au christianisme, en Gaule, aux IIIe et IVe siècles, et en particulier au passage des sources miraculeuses au saint guérisseur, autour de la figure emblématique de saint Martin. Partant du principe qu'il y a une guérison, elle distingue trois cas : — une guérison par évolution naturelle d'une maladie dont les symptômes se confondent, dans les limites des connaissances antiques, avec ceux d'une maladie incurable ; — les maladies psychosomatiques où l'affection est réelle, par exemple un ulcère à l'estomac ; — enfin, les maladies à symptôme hystérique, au sens freudien du terme, sans affection réelle. Reconnaissant qu'il est impossible de distinguer les deux derniers cas à partir des sources dont nous disposons et sans examen médical, Aline Rousselle pose bien le problème de la validité du concept d'hystérie (op. cit., p. 17-18) à l'époque où il fut inventé (mais sans l'apport théorique et clinique de Freud). En outre, Aline Rousselle étend le cadre de son étude au problème du lien entre le malade et le saint guérisseur, et utilise le concept lacanien d'« hystérie » : l'adresse du malade à celui qui, supposé connaître le mal caché, est réputé pouvoir le guérir. Aline Rousselle tente alors habilement une périodisation, une étude chronologique de l'adresse du malade au saint guérisseur, dans l'Antiquité tardive.

Un autre exemple fera mieux saisir cette difficulté de comprendre l'Antiquité à partir de notions actuelles : on s'est efforcé, à juste titre, d'écrire une histoire de la vie privée, en commençant dès l'Antiquité ; mais, finalement, le résultat aboutit à la description du cadre de la vie des Anciens, d'aspects intéressants de leur vie matérielle ; la vie intérieure, pourtant, nous échappe. Jean-Pierre Vernant, essayant de définir « la sphère du privé », dans *L'Individu, la mort, l'amour, soi-même et l'autre en Grèce ancienne*, Paris, 1989, p. 211-232, note avec raison : « Il n'y a pas, dans la Grèce classique et hellénistique, de confessions ni de journaux intimes — la chose est impensable —, mais comme l'observait G. Misch et le confirme A. Momigliano, la caractérisation de l'individu dans l'autobiographie grecque ignore l'« intimité du moi » ; poursuivant son analyse, Jean-Pierre Vernant définit ce qui relève du commun, du public, et ce qui relève du particulier, du propre : « Le commun embrasse toutes les activités, toutes les pratiques qui doivent être partagées, c'est-à-dire qui ne doivent être le privilège exclusif de personne, ni individu ni groupe nobiliaire, et auxquelles il faut prendre part pour être citoyen ; le privé, c'est ce qui n'a pas à être partagé et ne concerne que chacun. » La sphère du privé est certainement plus large à Athènes qu'à Sparte, où éducation et repas sont du domaine du commun. Mais l'apparition de l'individu moderne s'opère seulement aux IIIe-IVe siècles de notre ère, comme l'a bien souligné Peter Brown, dans *La Société et le sacré dans l'Antiquité tardive*, trad. fr., 1985 ; l'individu se définit « par ses pensées les plus intimes, ses imaginations secrètes, ses rêves nocturnes, ses pulsions pleines de péchés, la présence constante, obsédante, dans son for intérieur, de toutes les formes de tentation », mais « ces hommes n'étaient pas des renonçants. Dans leur quête de Dieu, de soi, de Dieu en soi, ils gardaient les yeux sur terre ». Il faut donc admettre cette limite dans notre quête de l'homme de l'Antiquité, qu'on ne parvient pas à atteindre avec la même efficacité que l'homme moderne.

Pour saisir l'ordre matériel du monde antique, le travail de l'œil de l'historien moderne est à la fois plus aisé et moins sujet à critique. On s'étonne parfois que le sens commun ne donne pas plus de force à ces concordances nécessaires.

Ainsi l'historien est-il surpris, quand il voit un archéologue, comme Anthony Snodgrass, dans *La Grèce archaïque*, Paris, 1986, écrire à propos de l'Attique : « Je parvins à la conclusion qu'en l'espace de deux générations de trente ans, entre 780 et 720 avant notre ère, la population avait pu être multipliée par un coefficient sept environ », cela à partir de l'étude des sépultures datées. Comment imaginer un tel *baby boom* en plein VIIIe siècle av. J.-C., alors que le taux de natalité ne varie guère dans une société où les femmes ont autant d'enfants qu'elles peuvent en avoir et que le taux de mortalité ne saurait changer profondément dans une période qui ne connaît pas de progrès de l'hygiène ou de la médecine extraordinaires ? On ne voit pas non plus en Attique, durant cette période, de mouvements migratoires importants. Une telle progression est à peine imaginable au XXe siècle, même dans des pays à très forte natalité, comme l'Albanie qui a multiplié sa population par trois en quarante-cinq ans, depuis la fin de la Seconde Guerre mondiale, ou l'Algérie qui a vu sa population doubler en une génération ; l'admettre pour le VIIIe siècle est déraisonnable et l'auteur en a conscience, mais un peu tard, dans la préface de l'édition française.

Dans le cas de l'étude de la guerre, les succès sont très inégaux : ainsi, d'un côté, Victor Davis Hanson, dans *Le Modèle occidental de la guerre*, Paris, 1990, p. 89, a raison de souligner que la guerre dans l'Antiquité ne peut être comprise que remise dans les conditions de vie de l'époque : il va jusqu'à entraîner une cohorte d'étudiants dans la vallée de San Joaquin, avec une panoplie d'armes en métal et en bois qui pèse au moins trente kilogrammes et constate la rapidité de leur épuisement. En revanche, certains archéologues britanniques, qui ont eu à jouer un rôle de conseiller militaire dans la péninsule balkanique au cours de la Seconde Guerre mondiale, sont prêts à expliquer telle bataille du IIIe siècle avant notre ère en la comparant aux mouvements des blindés et de l'infanterie italienne, allemande, grecque ou yougoslave.

Un chantier toujours ouvert

● *Un monde neuf.* Si nous renonçons à comprendre l'Antiquité à travers nos prismes déformants — et la démarche n'est pas facile —, alors elle doit nous apparaître comme un monde neuf à découvrir. Qu'elle soit utilisée, ici ou là, comme élément de l'instruction civique du bon démocrate, tant mieux ou tant pis, parce qu'ailleurs on pourrait y trouver aussi des éléments moins satisfaisants dans cette voie démonstrative et que la démocratie athénienne n'est pas la démocratie éternelle. Prenons-la comme un tout, sans appréciations morales, comme un champ de recherches qui est étonnamment neuf et riche de promesses.

● *Un monde vivant.* Il serait, en effet, tout à fait inexact de croire que l'Antiquité est maintenant parfaitement connue, qu'elle n'a plus rien à livrer. Il n'existe pas de version définitivement établie de l'histoire antique, pas de « vulgate » qu'il suffirait de consulter pour connaître parfaitement les mondes grec et romain. Il s'agit, bien plutôt, d'entrer dans un vaste chantier, en permanente évolution, grâce aux apports sans cesse nouveaux de l'archéologie, de l'épigraphie, de la numismatique, etc. ; sans doute la tradition littéraire a-t-elle été davantage étudiée, mais elle doit être constamment confrontée aux informations livrées par ces autres sources de documentation. L'Antiquité est un monde vivant, un monde qui bouge, qui livre peu à peu des bribes ou des pans d'informations nouvelles et l'historien s'efforce de les associer aux sources plus anciennement connues pour avancer dans la connaissance de ce passé lointain (cf. encadré p. 143).

• *C'est un monde qu'il convient de traiter avec beaucoup d'humilité,* tant notre savoir est faible, limité, édifié à partir d'une documentation fragmentaire, trop souvent lacunaire. L'historien de l'Antiquité doit fréquemment admettre son ignorance sur des points importants de la vie des Anciens : si la documentation est relativement abondante pour la cité d'Athènes aux Ve et IVe siècles av. J.-C., il n'en est plus de même pour les siècles suivants, et l'histoire athénienne au IIIe siècle sort de l'oubli actuellement grâce à des trouvailles d'inscriptions ; c'est davantage encore le cas pour les régions de Grèce plus éloignées, elles n'apparaissent bien souvent dans la tradition littéraire qu'à l'occasion d'une guerre à laquelle prennent part les armées athéniennes ; le reste du temps, c'est le silence complet, seules les fouilles archéologiques peuvent faire parler des sites qui témoignent d'une civilisation intéressante ; que dire trop souvent de la Gaule préromaine, des Etrusques dont l'écriture n'est pas encore déchiffrée complètement et de tant d'autres populations dont la langue, purement orale, n'a laissé que peu de traces dans la toponymie et dans l'onomastique ? Que dire aussi des multitudes qui ont vécu dans l'esclavage ou dans des formes de dépendance collective ? De-ci de-là quelques-unes apparaissent grâce à une décision d'affranchissement gravée sur le mur d'un sanctuaire. Mais cette pauvreté de la documentation ne doit pas entraîner la déception devant le manque d'information ; elle doit, au contraire, stimuler la curiosité, aiguiser l'esprit d'observation méthodique pour extraire le maximum de chaque apport antique. C'est de cette quête permanente et tenace que peut naître une meilleure connaissance de l'Antiquité.

L'EXTENSION DU DOMAINE CONSIDÉRÉ

Dans le temps

L'histoire commence avec l'écriture, mais celle-ci n'est pas mise au point et utilisée partout en même temps ; font partie de l'histoire de l'Antiquité les grands Empires égyptien, babylonien, assyrien, hittite, en remontant jusqu'au IVe millénaire avant notre ère. Notre projet, ici, est plus modeste et on peut le regretter, car les civilisations égyptienne, mésopotamienne et anatolienne sont très riches, tant dans le domaine artistique que dans celui de l'organisation des collectivités humaines. Leur approche est rendue difficile par l'emploi de langues que seuls des spécialistes peuvent déchiffrer, mais la splendeur des musées du Caire, de Bagdad, d'Ankara rappelle le développement très précoce de civilisations, sur certains points très avancés, civilisations auxquelles le monde crétois, puis mycénien et grec, a fréquemment fait des emprunts. On se limitera, ici, à l'Antiquité gréco-romaine, de l'archaïsme grec (IXe-VIIIe siècle) jusqu'à la disparition de l'Empire romain d'Occident (en 476), mais en veillant bien à mettre en évidence les permanences, les continuités. Il n'existe pas de rupture brutale entre l'époque mycénienne et l'archaïsme, à travers les Ages obscurs (XIIe-IXe siècle) : le déchiffrement du Linéaire B en 1952 par Michael Ventris et John Chadwick a bien montré que cette écriture utilisée dans les palais des XIVe-XIIIe siècles était déjà du grec. On ne peut, non plus, imaginer de cassure complète entre la basse Antiquité et le haut Moyen Age, d'autant que la disparition de l'Empire romain ne concerne que l'Occident en 476, mais que l'Orient conserve l'Empire romain établi à Constantinople, durant encore près d'un millénaire ; la rupture dans la péninsule balkanique est marquée bien davantage par la conquête ottomane aux XIVe-XVe siècles.

A l'intérieur même de cette grande période qui va du IXe siècle av. J.-C. au Ve siècle apr. J.-C., les distinctions usuelles entre période classique (Ve-IVe siècle) et période hellénistique, puis entre période républicaine et Empire, ne doivent pas être perçues comme de brutales ruptures dans la vie des contemporains. Elles sont surtout des étapes commodes pour l'exposé de l'historien, et Démosthène, par exemple, n'a pas senti qu'il vivait une transformation radicale dans la vie de la cité athénienne et du monde grec ; certes, on pourrait dire qu'il est mort de la victoire des Macédoniens sur les coalisés de la guerre lamiaque, en 322 ; mais il avait perçu la bataille de Chéronée, en 338, comme une défaite temporaire des cités grecques face à Philippe II de Macédoine et il espérait que le redressement entrepris par le gouvernement de Lycurgue pourrait conduire Athènes au succès. C'est *a posteriori* et tardivement que les historiens du monde grec ont décidé de séparer époque classique et période hellénistique, à partir de Droysen ; il est alors trop simple de décréter brusquement le déclin ou la mort de la cité grecque ; celle-ci, en réalité, continue son chemin jusque sous l'Empire romain, sans aucune rupture. Le Romain qui a connu les tentatives de gouvernement militaire de la première moitié du Ier siècle av. J.-C., puis le régime césarien et la lutte entre Antoine et Octave, n'a pas vu dans la bataille d'Actium, en 31 av. J.-C., un changement radical dans l'histoire du bassin méditerranéen progressivement soumis à l'autorité romaine ; la stabilité du pouvoir d'Octave-Auguste jusqu'en 14 apr. J.-C. a été considérée comme une bonne période dans la vie de ce domaine romain, mais celle-ci ne paraît pas établie définitivement.

La seule rupture nette perçue par les Anciens était celle qui existait entre le temps présent, celui où ils vivaient et le temps des origines plus ou moins mythiques de leurs cités, comme l'était la guerre de Troie pour les Grecs et comme l'épopée de Virgile a essayé de reconstruire les débuts de Rome. Dans son article « Aspects mythiques de la mémoire », associé au recueil *Mythe et pensée chez les Grecs*, Paris, 1965, Jean-Pierre Vernant met en évidence trois caractères spécifiques de cette mémoire des origines : c'est essentiellement une mémoire orale, dont la responsabilité est confiée aux aèdes qui ont, comme les dieux, par le don de l'inspiration, une expérience immédiate du passé ; c'est une mémoire qui est rythmée par des cycles, des généalogies, une succession de « races » et non par une chronologie qui serait le propre d'un temps unique, d'une durée homogène, en un mot, d'un temps historique tel que nous le concevons aujourd'hui ; enfin la vision des temps anciens a une vertu purificatrice, elle procure l'apaisement aux temps présents, l'âge de fer, par le contact direct qu'elle crée avec le passé mythique, l'âge d'or.

Dans l'espace

• *L'extension du domaine considéré varie beaucoup suivant les périodes* : au début de l'Antiquité grecque, le monde marqué par l'hellénisme se restreint à peu près à l'extrémité de la péninsule balkanique et au pourtour de la mer Egée, mais le VIIIe siècle voit débuter un vaste mouvement de colonisation qui conduit les Grecs sur les rivages méditerranéens, de l'Espagne à la mer Noire (ou Pont-Euxin), de Marseille à Cyrène. Plus tard, entre 334 et 324, Alexandre le Grand donne une nouvelle dimension au monde hellénistique en absorbant tout l'empire des Achéménides, jusqu'aux rives de l'Indus, c'est-à-dire en conquérant la Turquie actuelle, la Syrie, le Liban, Israël, l'Egypte et la Cyrénaïque, l'Irak, l'Iran, l'Afghanistan jusqu'au Pakistan. La pénétration de la culture grecque s'étend bien au-delà de ses limites traditionnelles et marque, à des degrés divers, des régions aussi lointaines que le nord de l'Afghanistan et de l'Inde, comme le révèlent les fouilles archéologiques françaises menées sur le site d'Aï-Khanoum, au nord de l'Hindoukouch, sur les bords de l'Amou-Daria. Dans le nord-ouest de l'Inde, l'art dit du Gandhara témoigne de l'influence de l'art grec sur l'art indien, encore au Ier siècle de notre ère : les emprunts faits à l'art alexandrin sont perceptibles tant dans les thèmes de la sculpture, comme l'Athéna casquée du musée de Lahore ou le cheval de Troie sur un relief de Charsada, que dans le style des représentations, par exemple la pureté de l'ovale du visage, la régularité des traits et le drapé du vêtement. De la même façon, Rome a des débuts très modestes et un rôle restreint dans l'espace ; elle n'est qu'une bourgade du Latium, par moments dominée par les voisins puissants que sont les Etrusques ; ce n'est que très progressivement qu'elle parvient à conquérir la péninsule italienne ; il faut attendre le IIIe siècle av. J.-C. pour voir la Grande Grèce tomber aux mains des Romains ; Syracuse conserve une certaine autonomie jusqu'en 212 et au fameux siège illustré par les machines mises au point par Archimède. Au IIe siècle av. J.-C., Rome entreprend la conquête du monde grec balkanique puis de l'Asie Mineure, avant de construire son Empire durant le Ier siècle av. J.-C. et le Haut-Empire, en dominant tout le monde méditerranéen mais aussi les pays qui bordent le Rhin et le Danube, fleuves qui sont même franchis en plusieurs points : Champs décumates, Dacie, tout comme la Manche avec l'occupation de la Bretagne.

• *Dans les deux mondes, grec et romain, le passage de la civilisation à la barbarie ne se fait pas le long d'une frontière précise ou rectiligne* ; des marges, ou zones de contacts, sont fréquentées par les Romains comme par leurs voisins barbares et c'est bien souvent dans ces zones que les observations les plus intéressantes peuvent être faites, sur le cheminement de l'hellénisation ou de la romanisation, avec, en retour, des apports du monde indigène dans tous les domaines, économiques, artistiques, religieux, etc. On peut développer brièvement deux exemples de la difficulté de percevoir ce que pouvait être une frontière dans le monde antique :
– la situation de l'Epire est exemplaire de cette difficulté ; longtemps, les descriptions de la Grèce font commencer celle-ci à Ambracie à l'ouest tandis qu'elle se termine à l'embouchure du Pénée à l'est, laissant en dehors l'Epire comme la Macédoine. La région située immédiatement au nord d'Ambracie, la Thesprôtie, est le pays où l'on va consulter l'oracle des morts sur les rives de

l'Achéron ; plus au nord encore vont s'établir, selon la légende, les survivants de Troie ; ils ont échappé au royaume des morts et se fixent en bordure du monde des vivants, à la limite de l'au-delà ; entre les barbares illyriens et les Grecs, les Epirotes sont établis dans une sorte de *no man's land*, qui n'appartient ni aux uns ni aux autres (cf. sur ce thème, Pierre Cabanes, « Les habitants des régions situées au nord-ouest de la Grèce antique étaient-ils des étrangers aux yeux des gens de Grèce centrale et méridionale ? », *L'Etranger dans le monde grec*, sous la direction de Raoul Lonis, Nancy, 1987, p. 89-111) ;

– Edward Luttwak, *La Grande Stratégie de l'Empire romain*, trad. fr. 1987, p. 54-55, s'intéressant au mur d'Hadrien, écrit : « On ne peut prétendre que les Romains étaient illogiques et timorés et pourtant les défenses qu'ils construisirent ont souvent été considérées comme aussi inutiles que démoralisantes » ; il a bien montré que ces défenses n'étaient pas conçues pour assurer une protection totale contre des attaques de grande envergure, mais contre des infiltrations, et que « le complexe des défenses fixes construites le long du *limes* ne servait que d'infrastructures d'appui pour des opérations offensives ». Il a ainsi mis en évidence que la frontière était plus une zone relativement large qu'une simple ligne de défense. Pourtant Charles Whittaker, *Les Frontières de l'Empire romain*, Annales de Besançon, 1989, p. 26-28, nuance cette perspective : selon lui, Luttwak étudie la stratégie en termes de combat militaire et non de processus politique ; or cette deuxième approche ferait disparaître l'idée d'une frontière scientifique, résultat d'une décision impériale. Depuis Fergus Millar, *The Emperor in the Roman World*, Londres, 1977, on pense en effet que l'empereur était avant tout passif et ne réagissait qu'aux appels insistants de ses sujets ; il apparaît dès lors que la stratégie de l'Empire romain n'était ni volontariste, ni continue, ni prévue sur le long terme.

● *Une même civilisation.* Il faut, encore, se rappeler que monde romain et monde grec ne constituent pas deux domaines foncièrement distincts ou deux phases successives d'une histoire ancienne qui aurait connu, d'abord, l'épanouissement de la civilisation grecque, avant qu'elle soit remplacée par la *pax romana*. L'histoire des Grecs et des Romains est profondément imbriquée : Rome grandit au contact des cités grecques de Campanie ; plus tard son Empire recouvre une bonne part du monde grec qui conserve sa langue et marque profondément son vainqueur dans le domaine culturel, artistique, dans l'urbanisme comme dans la vie religieuse. Inversement et simultanément, la vie des cités grecques ne s'arrête pas avec le triomphe d'Alexandre le Grand (336-323) ni avec la bataille d'Actium (31 av. J.-C.) qui marque la victoire d'Octave — le futur Auguste — sur Antoine et Cléopâtre : les inscriptions grecques sont de plus en plus abondantes à Athènes et dans d'autres parties du monde grec durant l'époque impériale ; elles témoignent d'une intense vie civique pendant le Haut-Empire. Paul Veyne, dans l'Introduction du premier volume de l'*Histoire de la vie privée*, Paris, 1985, p. 14-15, se justifie de commencer cette histoire de la vie privée par les Romains et non par les Grecs : « Pourquoi pas les Grecs ? Parce que les Grecs sont dans Rome, sont l'essentiel de Rome ; l'Empire romain, c'est la civilisation hellénistique, aux mains brutales d'un appareil d'Etat d'origine italienne. A Rome, la civilisation, la culture, la littérature, l'art et la religion elle-même sont à peu près entièrement venus des Grecs, au long d'un demi-millénaire d'acculturation ; dès sa fondation, Rome, puissante cité étrusque, était non moins hellénisée que les autres villes d'Etrurie. Si le haut appareil d'Etat, empereur et Sénat, est resté, pour le principal, étranger à l'hellénisme (telle était la volonté de puissance romaine), en revanche, le deuxième niveau institutionnel, celui de la vie municipale (l'Empire romain formait un corps dont les cellules vivantes étaient des milliers de cités autonomes), était entièrement grec. La vie d'une ville d'Occident latin, dès le IIᵉ siècle avant notre ère, était identique à celle d'une cité de la moitié orientale de l'Empire.(...) Ainsi, lorsque commence la présente histoire, une civilisation universelle (à la taille de l'univers de ce temps-là) règne de Gibraltar à l'Indus : la civilisation hellénistique. Un peuple en marge, lui-même hellénisé, les Romains, fait la conquête de cette aire culturelle et achève de s'helléniser. Car il entend bien participer à cette civilisation qu'il ne sentait pas comme étrangère et grecque, mais comme étant la civilisation même, dont les Grecs n'étaient que les premiers détenteurs ; et les Romains étaient bien décidés à ne pas leur en laisser l'exclusivité. Rome devint grecque, exactement comme le Japon contemporain est devenu un pays d'Occident. »

Faut-il un seul exemple de cette communauté entre monde grec et monde romain ? Qu'on se reporte au livre huitième de L'*Enéide* où Virgile entreprend la description du bouclier forgé par Vulcain pour Enée à la veille de son combat avec Turnus. Les scènes ciselées par le dieu forgeron représentent l'histoire future de Rome jusqu'à la victoire d'Octave sur Antoine, à Actium, lieu de contact s'il en est entre le monde grec et le monde romain. Le passage rappelle très précisément le chant XVIII de L'*Iliade* et une autre description, celle du bouclier d'Achille forgé par Héphaïstos. L'intention de Virgile est double, et parfaitement repérable pour tout lecteur contemporain : ancrer la légitimité d'Auguste dans l'héritage troyen, et dans la civilisation grecque ; établir une correspondance entre Homère et lui-même, à partir d'une forme littéraire : la description.

Cette communauté de civilisation, vigoureusement mise en évidence dans la citation de Paul Veyne, explique aussi que, dans le présent ouvrage, nous ne cherchions pas systématiquement à respecter un parfait équilibre entre monde grec et monde romain, car ils ne sont pas étrangers l'un à l'autre.

UN MONDE TRÈS DIVERSIFIÉ

Le domaine géographique occupé par ces deux mondes, grec et romain, a varié dans le temps comme on l'a rappelé précédemment, et ne présente pas d'homogénéité, même lorsqu'il se limite à l'ensemble méditerranéen.

● *Les conditions physiques* sont, d'abord, très diverses ; sans chercher à comparer des régions aussi opposées que les grandes plaines de Gaule (bassin parisien, ou bassin aquitain) et les pays de Grèce centrale (Attique, Béotie, Phocide, etc.), il faut reconnaître qu'à l'intérieur même de la Grèce d'Europe antique les conditions de relief, de végétation, les paysages changeaient totalement des rives de la mer Egée aux hautes terres du massif du Pinde ; Athènes reçoit, en moyenne, un peu moins de 500 mm de précipitations par an, surtout réparties entre octobre et avril alors que Ioannina, en Epire, reçoit 1 300 mm de pluie

UNE AUTRE GRÈCE

Dans son livre *Le Mont Olympe et l'Acarnanie* (p. 223-225), écrit en 1860, l'archéologue Léon Heuzey a été frappé par le contraste entre le monde égéen et celui qu'il découvre à l'ouest de Delphes : « Au mois de septembre 1856, je partis d'Athènes pour aller explorer l'Acarnanie. Je traversai d'abord la Béotie dans toute sa longueur ; ensuite, me dirigeant vers l'ouest, je m'enfonçai dans la chaîne épaisse du Parnasse, par le défilé fameux que les anciens appelaient la Route Fendue et qui conduit à Delphes. A partir de Delphes, une région toute différente de celle que je venais de parcourir s'ouvrait devant moi. Il me semblait que j'entrais dans un autre pays, et que je n'étais plus en Grèce. Partout des forêts, partout des eaux courantes ; un sol embarrassé à la fois de bois, de ravins et de montagnes. La Grèce est, en plus d'un endroit, déserte, sauvage ; mais elle l'est autrement. Mes yeux, habitués depuis longtemps aux campagnes nues, brûlées par un soleil éclatant, à ces montagnes qui sont plutôt d'immenses rochers, et dont je venais de voir dans le Parnasse le plus magnifique exemple, étaient comme surpris de la végétation et de la verdure, et de tout le désordre d'une nature agreste et vivante. Toute cette partie du continent, montagneuse et boisée, qui s'étend jusqu'à la mer Ionienne, et qu'on appelait Locride, Etolie, Acarnanie, pays des Eurytanes, des Dolopes, des Amphilochiens, forma de tout temps une contrée à part, distincte du reste de la Grèce, autant par la nature du sol que par le caractère des tribus qui s'y établirent. Moins favorisés que les autres Hellènes et peut-être doués d'un moindre génie, les habitants de ces forêts restèrent en dehors du mouvement général de la race hellénique. Ils s'accoutumèrent à une vie grossière et ils ne paraissent pas avoir été atteints de l'incroyable besoin de discipline et de progrès qui commença de si bonne heure à travailler les populations de l'est et du midi. Dans les plus beaux temps de la Grèce, ils en étaient encore aux habitudes de brigandage et de piraterie, aux mœurs rustiques et batailleuses de l'âge héroïque. Ils avaient conservé le costume, les armes des premiers Grecs ; et les contemporains de Thucydide n'avaient qu'à regarder un Etolien, un homme de la Locride ou de l'Acarnanie, pour voir comment étaient faits les héros d'Homère. [...]

Pour ceux qui recherchent surtout les traces de la civilisation et des arts, à Delphes finit la Grèce. Au-delà, ce ne sont plus que des peuplades plus ou moins barbares, qui pouvaient bien être reconnues pour grecques, mais qui n'ont jamais été vraiment estimées comme telles ; c'est déjà l'Epire qui commence. Les Anciens, les premiers, en ont jugé ainsi : historiens et géographes sont sur ce pays d'une brièveté désespérante et souvent d'une ignorance manifeste. Pausanias, après avoir décrit la Phocide, jette à peine un regard lointain sur Amphissa et sur Naupacte, et termine là son livre, intitulé pourtant *Exploration de la Grèce.* »

L. Heuzey emprunte largement cette analyse à Thucydide ; l'historien de la guerre du Péloponnèse décrit ainsi l'autre Grèce, I, 5 : « Jusqu'à nos jours, une grande partie de la Grèce vit à la manière ancienne, du côté des Locriens Ozoles, des Etoliens, des Acarnaniens et des pays continentaux situés dans la région. L'usage de porter les armes qu'ont ces peuples continentaux est une survivance des anciennes habitudes de pillage. » Il s'agit, pour Thucydide, d'opposer les Grecs du Nord-Ouest aux Athéniens plus civilisés, au risque de réduire la Grèce antique à la zone de la mer Egée, simplement parce que le mode de vie y est différent et les cadres politiques également. Un parfait exemple de cet athénocentrisme apparaît chez Philon, *Quod omnis probus*, trad. Mad. Petit, 140 ; ce juif d'Alexandrie définissait les Athéniens comme « ceux des Grecs qui ont l'intelligence la plus pénétrante (...) car, ce que la pupille est à l'œil, à l'âme la raison, Athènes l'est à la Grèce » ; il s'agit là, naturellement, d'un point de vue tardif, qui correspond à une époque à laquelle Athènes fait surtout figure d'école de la Grèce et de l'Empire romain, mais il rejoint bien un courant de pensée beaucoup plus ancien.

ou de neige, avec une saison sèche plus courte, mais aussi avec des températures minimales nettement plus basses, ce qui interdit les cultures méditerranéennes (oliviers, vignes) dans les zones montagneuses. Ces pluies permettent le développement de forêts et de pâturages d'altitude favorables à un élevage, impossible plus au sud. Il n'est pas difficile d'observer les mêmes contrastes entre la plaine du Pô et l'Italie méridionale ; de même, en Asie Mineure, s'opposent les régions côtières, pays de l'arbre, et les plateaux steppiques de l'intérieur (cf. encadré p. 20).

● *Des modes de vie très différents*. De la diversité des conditions physiques, il résulte inévitablement des modes de vie très différents : l'agriculture sédentaire s'oppose aux pratiques de l'élevage transhumant caractéristiques des régions de Grèce du Nord. L'organisation de l'espace se réalise dans des cadres étatiques très différents : la cité-État (la *polis* grecque) convient bien au monde des agriculteurs sédentaires ; les pays de pasteurs transhumants préfèrent l'*ethnos*, c'est-à-dire une communauté plus large et plus étendue (cf. encadré p. 22). La description de la Gaule, à l'époque de César, met bien en évidence des oppositions semblables entre les cités de la Provence méditerranéenne (Marseille, antique fondation phocéenne, Aix, fondation romaine) ou de la vallée du Rhône (Vienne, Lugdunum) et les peuples de l'intérieur (cités des Arvernes, des Eduens, etc.).

● *La diversité atteint tous les domaines* et interdit, la plupart du temps, de parler au singulier pour définir un droit grec, une religion ; il existe des droits grecs, des formes de vie religieuse très variées d'une région à l'autre, on pourrait presque dire d'un village à l'autre. Certes des tentatives précoces — dès le VIIIe siècle, avec la *Théogonie* d'Hésiode, ont construit un panthéon commun à tous les Grecs, autour de Zeus et des douze dieux de l'Olympe ; mais chaque région a ses formes de cultes propres et attribue aux divinités des fonctions particulières ; bien souvent l'épithète (ou épiclèse) qui accompagne le nom du dieu ou de la déesse est plus importante que ce nom lui-même : à Tégée, le temple d'Athéna-Aléa est d'abord le lieu du culte de la déesse Aléa, peu à peu assimilée à une Athéna ; quel contraste entre le Zeus tonnant et fulminant de Dodone et le Zeus vagissant de la caverne du Mont Ida ! La survie des divinités indigènes a été durable dans la partie orientale de l'Empire romain et on voit, encore au Ier siècle apr. J.-C., combien ces divinités indigènes étaient vivaces en Lycie, en Pamphylie et en Lycaonie, d'après le témoignage des *Actes des Apôtres*, 14, tout en étant accueillantes à de nouveaux dieux (cf. encadré p. 151).

Dans le domaine du droit, la meilleure connaissance du droit athénien a souvent conduit à en faire un droit grec : l'étude de la place de la femme dans des régions aussi différentes qu'Athènes, Sparte, la Crète, et le nord de la Grèce permet de souligner les oppositions complètes qui existent d'un endroit à l'autre (cf. encadré p. 24).

CITÉ ET *ETHNOS*

La cité-Etat (*polis* en grec) réunit plusieurs éléments nécessaires à son existence :

– elle est, d'abord, une communauté civique, composée des citoyens et de leurs familles, dont les effectifs varient d'une cité à l'autre, mais dont le regroupement est indispensable à l'existence même de la cité ; la cité est là où se situe la communauté, comme le prouvent bien deux périodes difficiles de l'histoire d'Athènes : dans l'été 480, alors que le territoire de l'Attique est occupé par l'envahisseur perse et que Thémistocle souhaite combattre dans la rade de Salamine, il menace ses alliés, qui tentent de retarder le combat, d'embarquer toute la population athénienne sur la flotte et de fonder une nouvelle Athènes en Italie du Sud ; en 411, lors d'une tentative de révolution oligarchique en Attique, les équipages de la flotte qui croise devant l'île de Samos, favorables à la démocratie, affirment qu'ils constituent l'Assemblée populaire, l'*ecclesia*, puisque à eux seuls ils forment la majorité du corps civique ; la cité est là où est établie la communauté des citoyens ou la majorité d'entre elle ;

– en dehors de situations exceptionnelles, comme celles qu'on vient d'évoquer, la cité correspond, en temps normal, à un lieu géographique stable et défini ; cette implantation comprend une ville (l'*asty*), plus ou moins grande, et un terroir rural (la *chôra*) qui peut la nourrir : la presqu'île de l'Attique forme ainsi le territoire d'Athènes, qui comprend à la fois la ville groupée autour de son acropole et un terroir agricole qui s'étend à l'est jusqu'à Marathon et au sud jusqu'au cap Sounion ; le citoyen qui cultive son champ à quarante ou cinquante kilomètres de la ville est tout autant citoyen que l'artisan potier qui a son atelier dans le quartier du Céramique. La Béotie, dont la superficie est sensiblement égale à celle de l'Attique, est partagée en revanche entre une quinzaine de cités et n'a jamais été unifiée, malgré les efforts des Thébains pour imposer leur hégémonie ;

– la communauté établie sur un territoire où elle a fondé une ville se dote d'institutions (assemblée du peuple, conseil, magistrats) et de lois qui lui sont propres.

Ces cités-Etats sont surtout groupées dans la zone égéenne de la Grèce continentale, dans les îles, la façade asiatique et dans les colonies ; ailleurs, notamment en Grèce du Nord, on vit autrement dans des communautés ethniques plus larges qu'on peut qualifier d'*Ethnos* (au pluriel *Ethnè*) : la ville y est souvent absente, jusqu'au IVe siècle, les populations vivent en villages non fortifiés, ce qui frappe beaucoup Thucydide, habitué au cadre de vie d'Athènes et des autres cités égéennes. Les communautés locales, villageoises, se regroupent fréquemment en communautés plus larges, suivant une organisation pyramidale, parfois coiffée par une dynastie de rois, comme chez les Molosses et dans les principautés de Haute-Macédoine. Le territoire, plus vaste, convient à la vie pastorale transhumante et, même lorsque les villes grandissent durant le IVe siècle et après, elles n'optent pas pour leur transformation en *poleis*, mais demeurent au sein de l'*ethnos.* On aurait tort de considérer ce type d'organisation de la vie collective comme un témoignage de retard dans le développement, comme une phase primitive de l'organisation des communautés humaines avant leur accession au régime parfait, celui de la cité-Etat. Il est préférable d'admettre la coexistence de ces deux formes étatiques, dont l'une, la cité, convient mieux à un monde d'agriculteurs sédentaires, plus tard à des commerçants et des marins, tandis que l'autre est mieux adaptée à une société de pasteurs transhumants. (Sur ces problèmes, on peut se reporter à Pierre Cabanes, « Cité et *ethnos* dans la Grèce ancienne », *Mélanges Pierre Lévêque*, volume II, Besançon, 1989, p. 63-82.)

En Gaule, la situation n'est pas très différente si l'on veut bien regarder le cas de Nîmes et des Volques Arécomiques, au Ier siècle av J.-C. (voir, sur ce point, l'article de M.Christol et Ch. Goudineau,« Nîmes et les Volques Arécomiques au Ier siècle avant J.-C », *Gallia*, 45, 1987-88, p. 87-103). Strabon IV, 1, 12 décrit ainsi la structure confédérale de ces populations : « La métropole des Arécomiques est Nîmes ; bien inférieure à Narbonne pour la population étrangère et commerçante, elle l'emporte sur elle par son corps de citoyens. En effet lui sont assujettis vingt-quatre *oppida* de même appartenance ethnique, à la population remarquable, qui lui paient tribut mais qui jouissent également du droit latin, de sorte que ceux qui ont exercé l'édilité ou la questure à Nîmes deviennent citoyens romains ; et de ce fait, ce peuple échappe même à la juridiction des gouverneurs de Rome » ; le terme de métropole appliqué à Nîmes désigne le centre qui se trouve à la tête d'un peuple ou d'une confédération, comme Vienne chez les Allobroges, Nemossos chez les Arvernes, Diricortora chez les Rèmes, Milan chez les Insubres et il s'agit, chaque fois, d'une structure indigène, pas forcément liée à une forte agglomération. L'intérêt du mot, ici, est d'indiquer que Nîmes était à la tête du peuple arécomique. Ensuite, Strabon passe du passé au présent : les vingt-cinq *oppida latina* césariens correspondent à autant de sous-unités composant l'unité volque arécomique. On retrouve, ici, comme en Grèce, la communauté la plus large composée d'une série de communautés locales plus petites mais fédérées entre elles pour constituer l'*ethnos*. Les deux auteurs notent justement : « La formation des confédérations celtiques rassemblant des peuples de moindres dimensions est bien connue ; Strabon nous indique, par exemple, que l'armée salyenne était composée de dix unités juxtaposées (IV, 6, 3) qui renvoient à dix « peuples » différents. Ceux-ci, tout en possédant leurs propres institutions, n'en reconnaissaient pas moins l'autorité des rois salyens. »

Ces remarques conduisent à admettre qu'il n'existe pas un modèle type, une cité parfaite, vers lequel chaque groupe humain évolue plus ou moins vite ; on ne peut pas classer des communautés selon qu'elles sont proches ou éloignées du mode de vie athénien et en conclure que les unes sont très avancées, les autres très attardées. Il est vrai qu'Athènes a connu un développement remarquable dans bien des domaines, y compris dans celui de la pensée et de la création artistique, mais la place faite à la femme athénienne, par exemple, ne saurait être prise comme modèle uniforme ; la femme, propriétaire de ses biens fonciers, de ses esclaves, à Sparte, à Gortyne ou à Bouthrôtos, bénéficie de pratiques juridiques qui reconnaissent davantage son rôle actif dans la société. Il est nécessaire de se défier d'un athénocentrisme, trop courant dans les manuels, peut-être par voie de facilité, puisque c'est pour cette cité exceptionnelle que la documentation littéraire est de loin la plus abondante.

Le monde romain donne, à première vue, une impression d'uniformité plus grande, en raison de la *pax romana* établie aux Ier-IIe siècles de notre ère par les empereurs successifs ; le découpage en provinces, sénatoriales ou impériales, fournit un cadre unique à l'ensemble. Dans son livre récent *L'inventaire du monde*, Paris, 1988, Claude Nicolet a analysé l'exploitation rationnelle des territoires soumis, mise au point par Auguste, par l'intermédiaire notamment des recensements des citoyens et des provinciaux, et par les opérations cadastrales ; on sait, par exemple, que l'actuelle Tunisie a été systématiquement cadastrée à la fin de la République ou au début de l'Empire, jusque dans les steppes du Sud tunisien (voir aussi François Jacques, dans *Rome et l'intégration de*

LA PLACE DE LA FEMME
DANS LA GRÈCE ANCIENNE

L'image la plus courante est celle de la femme d'Ischomaque, décrite dans *L'Economique* de Xénophon, tableau touchant d'un jeune couple attelé à la gestion fructueuse d'un grand domaine, dans lequel la jeune femme est comparée à la reine des abeilles, car elle dirige toute la vie intérieure de la maison ; comme Pénélope, elle vit au gynécée d'où elle dirige l'atelier textile et tous les services de la maison. Bien entendu, cette existence n'est pas celle de la femme ou de la fille du petit paysan de l'Attique, comme le montrent bien les comédies d'Aristophane, à la fin du Ve siècle : celle-ci partage les travaux des champs avec son mari ou son père, et les quelques esclaves attachés à la famille ; elle n'est en rien recluse dans un gynécée qui n'existe pas dans leur modeste habitation, mais s'épuise en travaux fatigants et en maternités rapprochées. Dans la vie publique, la femme athénienne est, de toute façon, une mineure qui ne saurait agir sans l'intermédiaire de son tuteur (le *kyrios*).

La situation est très différente à Sparte, où la femme est beaucoup moins mineure qu'à Athènes : Aristote, dans *la Politique*, II 9 déclare : « Les deux cinquièmes environ de tout le pays appartiennent aux femmes, parce qu'il y a beaucoup d'héritières uniques (*épiclères*) et parce qu'on donne des dots considérables » ; la femme spartiate a un droit de propriété sur ce que son père lui donne au moment du mariage ou sur l'héritage qui est le sien, en l'absence de frères. Cette pratique est clarifiée par la comparaison avec les indications contenues dans le code de Gortyne, gravé vers le milieu du Ve siècle : cette loi confirme qu'en Crète, comme à Sparte, la femme peut avoir des biens qui lui soient propres, qui lui viennent par héritage et par la pratique de la dot ; là aussi, la fille, qui n'a pas de frère, à la mort de son père, transmet l'héritage à ses enfants après mariage avec le plus proche parent du côté paternel ; mais elle peut refuser de se marier avec ce parent et, dans ce cas-là, elle garde la moitié de son bien. On est surpris de lire, sous la plume de Claude Mossé, *La Femme dans la Grèce antique*, Paris, 1983, p. 151, pour expliquer cette différence entre le statut de la femme à Sparte et en Crète et celui qu'a la femme athénienne : « J'inclinerais plutôt à penser qu'il s'agit d'un stade plus précoce du développement de la cité, quand la citoyenneté n'avait pas encore acquis la dimension fonctionnelle qui sera la sienne dans l'Athènes classique et dont la femme sera nécessairement exclue ». C'est encore penser qu'il n'est qu'un modèle unique par rapport auquel tout doit se situer !

Les travaux récents sur d'autres régions du monde grec montrent que, fréquemment, la femme dispose d'un statut plus enviable qu'à Athènes ; on me permettra d'évoquer ici les renseignements fournis par les inscriptions du théâtre de Bouthrôtos en Epire (Albanie méridionale actuelle) qui datent des IIIe-Ier siècles av. J.-C. (cf. Pierre Cabanes, Les inscriptions du théâtre de Bouthrôtos, *Actes du Colloque 1972 sur l'esclavage*, Annales littéraires de l'Université de Besançon, 163, 1974, p.105-209, en attendant la parution du *Corpus* complet des inscriptions de Bouthrôtos, en préparation) ; les femmes y jouent parfois le rôle de chef de famille ; seules, elles peuvent librement affranchir leurs esclaves, donc aliéner une partie de leur patrimoine ; la femme est fréquemment citée au côté de son mari, de ses enfants parmi les propriétaires, comme si sa mention était indispensable pour que la liberté de l'affranchi soit totale ; jamais un tuteur n'est mentionné dans ces actes d'affranchissement. La Chalcidique offre aussi des exemples semblables, si bien qu'on serait presque conduit à penser que c'est le statut de la femme athénienne, mineure soumise à son tuteur, qui est l'exception ; sans aller jusque-là, il faut admettre que la Grèce, suivant les régions, a réservé une place très différente à la femme, sans modèle unique et sans évolution inéluctable vers ce modèle.

l'Empire, Paris, 1990, p. 161-167). Les déplacements de magistrats, de fonctionnaires, de soldats, de commerçants favorisent un certain brassage de population. Mais les diversités ne doivent pas être occultées par ces cadres uniformes, elles restent considérables. Tout oppose, dans le mode de vie, les régions du sud de la Maurétanie et de la Numidie, ou les provinces d'Arabie et de Mésopotamie, et les pays rhénans ou danubiens ; on passe de tribus nomades à une population d'agriculteurs sédentaires ou de forestiers ; à une échelle plus petite, le contraste est frappant entre la Narbonnaise et la Gaule chevelue, tout comme entre les pays de langue grecque et ceux de langue latine, qui gardent leurs particularismes jusqu'à devenir deux Empires à peu près séparés (cf. encadré p. 172).

UNE ÉCONOMIE DE SUBSISTANCE

● *La très grande diversité dans le domaine des activités économiques* frappe l'observateur. Le titre, ci-dessus, peut heurter le lecteur qui a en tête le discours de Périclès, rapporté par Thucydide, au début de la guerre du Péloponnèse, dans lequel Périclès recommande à ses concitoyens de sacrifier leur agriculture en Attique, qui n'est qu'un jardin d'agrément, à la merci des razzias péloponnésiennes, l'important étant qu'Athènes garde la maîtrise des mers pour être ravitaillée par des navires apportant les produits récoltés sur tout le pourtour de la Méditerranée. C'est vrai que la thalassocratie athénienne s'est imposée au monde méditerranéen, au moins dans le bassin oriental de cette mer, durant une partie du Ve siècle, comme il est vrai que la Rome impériale a été ravitaillée régulièrement par les convois des blés de l'annone venus d'Egypte, ruinant par là même l'agriculture italienne. Mais, on peut affirmer que ce sont des exceptions durant les siècles de l'Antiquité. La règle la plus courante est une économie rurale, agricole ou pastorale suivant les régions, à faibles rendements. Chacun s'efforce de produire ce dont il a besoin, d'autant que les transports sont difficiles et dangereux ; beaucoup de petites communautés vivent en autarcie presque totale.

En réalité, on ne devrait pas parler d'une économie antique, car les différences d'une région à l'autre sont considérables : la situation d'Athènes au Ve siècle n'a rien à voir avec la vie économique des Etoliens, des Arcadiens ou des Thessaliens de la même époque. En même temps, il faut absolument sortir de cette vaine querelle entre historiens de l'économie qui veulent absolument classer l'économie antique soit comme moderne (M. Rostovtzeff), soit comme primitive (Moses Finley) (voir, sur ce long débat, les bonnes remarques de M. Austin et P. Vidal-Naquet, *Economies et sociétés en Grèce ancienne*, Paris, A. Colin, 1972, coll. U^2). A la suite des études de Max Weber et de Johannes Hasebroek qui ont su lier les problèmes économiques aux institutions des cités grecques, il apparaît clairement que les Etats grecs ne se sont intéressés à l'activité économique que dans la mesure où il était indispensable d'assurer le ravitaillement de leur population, donc d'importer si nécessaire ; pour ce faire, les Etats perçoivent des taxes, font la guerre ou imposent leur domination extérieure. La production artisanale, l'activité commerciale peuvent appartenir aux étrangers, ce n'est pas gênant pour la cité dont les citoyens se réservent la propriété du sol et la production agricole.

● *La monnaie* elle-même n'intervient pas partout au même moment ; si les cités marchandes de l'Isthme de Corinthe, certaines îles de la mer Egée et quelques cités ioniennes ont frappé monnaie très tôt, Athènes attend le dernier tiers du VIᵉ siècle et bien des Etats de Grèce l'époque hellénistique. Même là où la monnaie fait notre admiration, elle n'a pas toujours été un instrument d'échanges très utilisé : l'Egypte lagide frappe de belles pièces d'argent, au IIIᵉ siècle av. J.-C., or celles-ci ne sont pas destinées à circuler dans le pays, mais bien plutôt à verser la solde des mercenaires étrangers qui renforcent l'armée royale de Ptolémée II ou de ses premiers successeurs. L'Egypte intérieure travaille pour approvisionner les greniers royaux en payant des impôts en nature et ce sont ces provisions de blé qui assurent des excédents commerciaux aux agents du roi et permettent les rentrées de métal précieux nécessaires au monnayage.

● *La disette, la famine est le souci permanent* ; une mauvaise récolte provoque une situation dramatique et seuls les principaux Etats peuvent espérer remédier à cette crise par des importations coûteuses, matériellement impossibles dès qu'on pénètre dans l'intérieur des terres ; la voie d'eau est le seul moyen de transport économique, quand une puissance maritime est capable d'assurer la sécurité des mers, mais la piraterie est une activité courante et honorable. Les disettes rétablissent régulièrement l'équilibre entre la production et la consommation ; toute croissance de la population fait réapparaître le spectre de la famine, puisque les conditions techniques de la vie agricole ne changent guère, à quelques exceptions près. (Sur les émeutes de disette, à Rome, il faut lire Catherine Virlouvet, *Famines et émeutes à Rome des origines de la République à la mort de Néron*, Collection de l'EFR, Rome, 1985 ; l'auteur, qui dresse un utile corpus des crises, de leurs causes, du vocabulaire de la famine, développe l'idée selon laquelle les décisions des hommes politiques romains dans le domaine frumentaire, et même les distributions, sont motivées à l'origine par une nécessité matérielle, et non principalement par des calculs politiques ; dès lors, les émeutes de disette, ou les menaces d'émeute, tendent à s'espacer, pour disparaître à peu près sous Trajan, grâce au marché libre du blé et à la *pax romana* ; elles ne reprennent qu'au IVᵉ siècle. Pour une étude plus globale, plus économique que sociale, se reporter à Peter Garnsey, *Famine and Food Supply in the Graeco-Roman World*, Cambridge, 1988, dont la traduction française est annoncée aux Belles-Lettres).

● *Cet équilibre précaire* ne signifie pas, pour autant, que les questions économiques tiennent une grande place dans la vie des Etats ; les guerres sont fréquentes, elles ne sont pas généralement nées de mobiles économiques ; c'est encore une déformation des historiens modernes de vouloir parfois transposer dans l'Antiquité des préoccupations courantes de nos jours, mais inconnues à cette époque ; on ne guerroie pas pour conquérir des marchés ou pour s'assurer le contrôle de matières premières. Les empereurs sont soucieux du bon approvisionnement de leur capitale, de Rome ou de Constantinople, parce qu'une famine ou un renchérissement des produits de première nécessité peut entraîner une sédition dangereuse pour le pouvoir politique ; ils n'ont jamais le souci d'écouler les excédents d'une production excessive ; c'est là une préoccupation récente.

Quels sont dès lors les problèmes spécifiques d'une histoire économique de l'Antiquité ? Dans un article des *Annales ESC*, septembre-décembre 1982, p. 687-713, Moses Finley rappelle que le premier sentiment des historiens économistes spécialistes de la période antique a été celui d'une intense déception : il n'y a pas de statistiques anciennes possibles. Avec l'essor de l'histoire sérielle, c'est là, pour beaucoup, une « ignominieuse vérité ». De fait, il faut bien reconnaître l'impossibilité d'une quantification sérieuse. Que sait-on, par exemple, de la consommation d'une ville comme Rome sous l'Empire ? N'étant composée que d'une partie des amphores parvenues à Rome depuis Auguste jusqu'en 255, la colline artificielle du Testaccio, sur les bords du Tibre, contient les restes de plus de cinquante millions d'amphores, ayant enfermé, pour la plupart, de l'huile de Bétique. C'est un ordre de grandeur, par ailleurs inutilisable. Finley va plus loin : quel est le motif de publication des documents publics dont nous disposons et qui peuvent servir à notre connaissance de la vie économique du monde ancien ? « Le but de tous les documents, écrit-il, était soit de transmettre une information (ou une désinformation), soit de garder le souvenir de quelque chose, mais non de fournir les données pour l'action politique ou pour l'analyse, qu'il s'agisse du passé, du présent ou du futur. » En un mot, les documents sont ponctuels, souvent énumératifs ; dans le domaine fiscal, ils ne font connaître que les changements : nouvel impôt, exemptions... et la durée de vie de ces stèles, affichées sur la place principale de la ville, est en elle-même un mystère, car certaines inscriptions sont restées *in situ* sans aucune raison apparente, pendant plusieurs siècles. Selon Finley, seuls des groupes de documents peuvent satisfaire les conditions nécessaires d'homogénéité et de durée. Afin de prolonger son propos, notons deux directions de recherches qui ont déjà fourni de bons résultats en histoire économique : l'étude des courants commerciaux et celle de la structure sociale des lieux de production. Dans un cas, l'exemple des sites de Domburg et Collijnsplaat, aux bouches de l'Escaut et de la Meuse, est assez représentatif : voilà un culte rendu par une population de marchands à la déesse Nehalennia, « parce que les marchandises ont été bien protégées ». Les désignations des dévots donnent une bonne indication des échanges existant d'une part entre la Bretagne et le continent, d'autre part sur l'arc rhénan, jusqu'au premier tiers du IIIe siècle apr. J.-C. Au second type de recherches correspond l'étude menée par Claude Domergue des règlements de Vipasca, actuellement Aljustrel au Portugal, où des filons de cuivre et d'argent étaient exploités. La lecture de ces tables de bronze permet de distinguer quatre situations juridiques différentes pour les colons : parfois associés, ils sont chargés par le procurateur, affranchi impérial, d'exploiter la mine, en échange de la moitié du minerai extrait.

L'ESPACE D'UNE VIE : DÉMOGRAPHIE ET CADRE FAMILIAL

C'est une caractéristique de toutes les sociétés anciennes et jusqu'à une époque relativement récente que le maintien du nombre d'habitants à un niveau stable ;

il peut y avoir des variations lentes mais, sur le long terme, c'est la stabilité qui l'emporte : la maladie, la famine, la guerre se chargent régulièrement de ramener la population à un nombre faible. Il semble s'établir une sorte d'équilibre entre la production de denrées alimentaires et le nombre de bouches à nourrir ; si celui-ci augmente, la communauté se trouve rapidement en difficulté et cherche comment se débarrasser de l'excédent de population : la colonisation extérieure est un remède pour les cités ; au IVe siècle, Isocrate passe sa vie à chercher la communauté grecque, et finalement le chef capable de conduire la guerre contre le Grand Roi afin d'établir en Asie Mineure l'excédent d'habitants pauvres d'une Grèce aux prises avec de fortes tensions sociales.

Une vie courte

Un trait est, sans doute, commun à toute cette longue période antique et il se prolonge bien au-delà : c'est la brièveté de la vie humaine ; on pense au traité rédigé par Sénèque et consacré à « la brièveté de la vie » : pour ce stoïcien, il n'y a pas lieu de se plaindre, il convient plutôt de bien employer le temps qui nous est imparti. Certes, les inscriptions nous fournissent des exemples de longévité remarquable, mais le décès à un âge avancé est plus l'exception que la règle ; Isocrate qui a connu l'époque de Périclès et la victoire de Philippe II à Chéronée, en vivant de 436 à 338, apparaît vraiment comme un cas unique. Dans la société romaine, la longévité des pères est une véritable catastrophe : avant la mort de son père, un Romain ne peut pas agir juridiquement de sa propre autorité : ni tester, ni affranchir, ni conclure un contrat, ni emprunter. Sans l'accord de son père, il ne peut se faire évergète et ne peut vraiment disposer de ses biens.

La mort est une compagne très proche de la société antique : elle frappe beaucoup les enfants en bas âge, mais aussi les femmes en couches. Cette forte mortalité infantile contribue à la stabilité de la population dans les cités et les Etats de l'Antiquité, malgré un taux de natalité proche du taux de fécondité naturelle des femmes. La surmortalité féminine liée aux grossesses et aux accouchements difficiles s'accompagne de remariages fréquents des hommes. En outre, selon Aline Rousselle, dans sa contribution à l'*Histoire des femmes*, Paris, 1991, la fréquence des décès en couches modifie les pratiques sexuelles au sein de la famille romaine : « Ce sont les affranchies concubines qui supportent le poids des grossesses multiples, et du vieillissement précoce suivi de l'abandon de leur corps délabré à un affranchi ou à un esclave. Ce sont elles qui portent le poids des avortements si le maître ne veut pas les voir enceintes, ou si elles-mêmes s'y refusent. »

Inversement, certaines sociétés guerrières, comme le corps civique lacédémo-nien, connaissent une surmortalité masculine liée à la guerre et se pose alors le problème d'un équilibre approximatif entre hommes et femmes dans un monde où le célibat n'est jamais considéré comme normal ; on est peu renseigné sur l'exposition des enfants à la naissance, car c'est un événement dont on ne souhaite pas parler tout en le pratiquant, mais il semble bien que cet usage atteigne spécialement les bébés du sexe féminin. L'exposition est largement pratiquée à Sparte et certainement ailleurs, à l'exception du peuple juif, des Germains et des Egyptiens qui s'y refusent. Le monde romain n'est pas différent, comme le rappelle bien Paul Veyne, dans l'*Histoire de la vie privée*, I, p. 23-26 : en soulevant de terre l'enfant qui vient de naître, le père le reconnaît et refuse de l'exposer ; mais s'il ne fait pas ce geste, l'enfant est exposé à la porte de la maison ou sur une décharge, soit parce que le mari doute de sa paternité, soit parce que l'enfant souffre de malformation, soit par pauvreté, soit, enfin, par souci de transmission du patrimoine. L'enfant exposé pouvait, parfois, être recueilli et élevé mais c'était l'esclavage qui l'attendait, au mieux la situation d'affranchi.

Y a-t-il une régulation des naissances ?

L'exposition des enfants à la naissance conduit nécessairement à s'interroger sur la limitation des naissances, la contraception et l'avortement dans l'Antiquité. Les Anciens évitent le plus souvent d'évoquer ces sujets, mais on constate fréquemment que les groupes familiaux, énumérés notamment dans certaines inscriptions, ne dépassent généralement pas trois, voire quatre enfants ; il est vrai que, dès leur mariage, souvent précoce, les filles cessent de figurer dans leur famille d'origine. L'explication réside-t-elle simplement dans la forte mortalité infantile, le nombre des enfants survivants, malgré une forte natalité, ne dépassant généralement pas trois ou quatre et restant même souvent très en deçà, ce qui aboutit à un réel équilibre entre naissances et décès ?

L'hésitation est constante entre le souci de transmettre le patrimoine sans le diviser et le désir de laisser une descendance élargie ; déjà Hésiode, dans *Les Travaux et les Jours*, v. 376-380, ne sait que choisir : « Puisses-tu n'avoir qu'un fils pour nourrir le bien paternel — ainsi la richesse croît dans les maisons — et mourir vieux en laissant ton fils à ta place. Mais, à plusieurs enfants, Zeus peut aisément donner aussi une immense fortune : plusieurs font plus d'ouvrage, plus grand est le profit. » La cité spartiate est toujours menée par la préoccupation du renouvellement de sa caste guerrière, afin que son armée reste la meilleure du monde grec : la procréation y est un des aspects importants du devoir civique et le célibat est tourné en dérision et sanctionné ; très curieusement, ce souci militaire conduit la même cité à deux attitudes radicalement opposées, mais toutes deux explicables : Hérodote, VII, 205, indique qu'aux Thermopyles, Léonidas est venu avec les meilleurs des citoyens, choisis parmi ceux qui appartiennent aux Trois-Cents, les *hippeis*, et parmi ceux qui avaient des fils ; ces derniers avaient déjà rempli leur rôle en assurant la relève, donc il est préférable de les choisir pour un combat sans espoir plutôt que de risquer la vie de jeunes hommes encore sans enfant. Plus tard, Aristote, *Politique*, II, 9, 19, fait état d'une loi encourageant la natalité, alors qu'au IVe siècle, le corps civique est tombé à moins de mille membres : « Le législateur, voulant accroître le plus possible le nombre des Spartiates, pousse les citoyens à avoir le plus d'enfants possible ; en effet, ils ont une loi qui exempte le père de trois enfants du service militaire et celui de quatre de toute imposition. » Le résultat escompté n'a pas été atteint, puisque le corps civique reste en dessous de mille membres jusqu'aux réformes de Cléomène III, en 227.

On est un peu mieux informé de la situation à Rome, où la médecine est essentiellement grecque et le plus souvent exercée par des praticiens venus d'Asie Mineure, que ce soit Asklépiadès de Pruse, formé à Alexandrie, au

Iᵉʳ siècle av. J.-C., ami de Cicéron, ou, au IIᵉ siècle apr. J.-C., également formés à Alexandrie, Rufus d'Ephèse, Soranos d'Ephèse, spécialisé en obstétrique et gynécologie et Galien de Pergame ; Pline l'Ancien est très hostile aux médecins grecs : « Cet art si souvent remanié varie encore journellement ; nous sommes entraînés par le vent du charlatanisme de Grèce et il est notoire que le plus habile à discourir d'entre eux devient aussitôt le maître de notre vie et de notre mort » (*Histoire naturelle*, XXIX, 5, 2). Pour Soranos et ses contemporains, la conception ne laisse à la femme qu'un rôle de réceptacle, seule la semence paternelle porte la vie du fœtus ; mais paradoxalement la femme est toujours tenue responsable de la stérilité du couple, comme le disait déjà Hippocrate ; ce n'est que tardivement que commence à être envisagée la possibilité d'une stérilité masculine. Si la stérilité est une préoccupation, inversement d'autres femmes ne désirent pas avoir d'enfants, si bien que recettes anticonceptionnelles et pratiques abortives sont connues à Rome ; les renseignements concernent uniquement les milieux de la société aisée que Juvénal critique avec indignation : « Sur les lits dorés, on ne voit guère d'accouchées, tant sont efficaces les manœuvres et les drogues qui rendent les femmes stériles, et s'offrent à tuer les enfants dans le sein de leur mère » (*Satires*, VI, 593-597). Le poète mélange, ici, contraception et avortement, que Soranos, à premier examen, sait bien distinguer : il est opposé à l'avortement et préfère conseiller l'utilisation de moyens contraceptifs à base de plantes. Si la conception intervient néanmoins, Soranos reprend les moyens d'avortement déjà énumérés par Hippocrate : travaux de force, bains de siège, saignées et condamne les manœuvres mécaniques intragénitales qui font encourir de grands risques à la femme. Pour lui, seul l'avortement thérapeutique est admissible. L'avortement est sanctionné à partir de Septime-Sévère et de Caracalla, dont les lois punissent les auteurs de manœuvres abortives, ces dispositions étant renforcées par les premiers empereurs chrétiens.

L'enfant et la famille

Si l'enfant, de famille riche, est souvent confié à une nourrice en Grèce comme à Rome, ce n'est évidemment pas le cas de la grande majorité des enfants qui demeurent au sein de leur famille aussi longtemps que les dispositions légales l'autorisent. On sait qu'à Sparte l'enfant est pris en main par la collectivité dès sa septième année, pour être interne, donc tout à fait séparé de sa famille, à douze ans et vivre ainsi encaserné jusqu'à trente ans ; le cas des enfants crétois n'est guère différent, mais, en revanche, les enfants qui figurent dans les comédies d'Aristophane partagent la vie de leur famille, aident aux travaux des champs et ne sont appelés à servir la cité qu'au moment de l'éphébie (Aristote, *Constitution des Athéniens*, 42) pour deux ans, entre dix-huit et vingt ans.

Seuls les enfants riches peuvent bénéficier au Vᵉ siècle de l'enseignement des sophistes, en raison du coût élevé de l'enseignement d'un Protagoras ou d'un Gorgias, enseignement qui doit leur assurer le succès à l'Assemblée grâce à leur éloquence, à leur art du raisonnement, même faux, mais convaincant. Par la suite, lorsqu'à l'époque hellénistique l'éphébie cesse d'être une formation du soldat-citoyen, le gymnase devient le centre principal de la formation du jeune homme, qui peut y pratiquer l'éducation physique mais y recevoir aussi un enseignement littéraire. Aux conséquences des disparités sociales, entre ruraux et urbains, esclaves et libres, il faut également ajouter les difficultés spécifiques de la lecture : comme Luciano Canfora le montre dans « Lire à Athènes et à Rome », *Annales ESC*, juillet-août 1989, on lit probablement à mi-voix, et c'est un effet de la difficulté à déchiffrer le texte grec ; les lecteurs de métier deviennent rapidement nécessaires avec des textes « sans séparation de mots, sans colométrie, sans signes de lecture ou d'exécution ». L'alphabétisation généralisée, souhaitée par Platon dans le livre VII des *Lois*, est bien un programme d'utopistes.

A Rome, l'école permet à une bonne partie des filles et des garçons d'apprendre à lire, à écrire, à compter jusqu'à l'âge de douze ans. Au-delà, ce sont seulement les garçons de famille aisée qui poursuivent leurs études sous la férule d'un « grammairien » ; celui-ci leur enseigne les auteurs classiques, la mythologie et surtout la rhétorique. Il ne s'agit pas d'apprendre un métier mais de pouvoir se distinguer dans la bonne société. A la fin de la République et sous l'Empire, de nombreux jeunes Romains ajoutent à leur formation l'apprentissage de la langue grecque, vont faire un séjour à Apollonia d'Illyrie comme Octave ou recevoir l'enseignement d'un éminent philosophe, comme Epictète, à Nikopolis, au début du IIe siècle apr. J.-C. L'inverse ne se fait pas, c'est-à-dire que les jeunes gens de la partie orientale de l'Empire n'éprouvent pas le besoin de s'initier à la langue et à la littérature latine. La véritable culture est grecque.

Le mariage

• *Le mariage est un acte privé*, tant dans le monde grec que dans le monde romain, — si les notions de « privé » et de « public » ont un sens dans le monde antique — qui résulte d'un accord entre le futur mari et les parents de la jeune fille et dans lequel la communauté civique ou religieuse n'intervient pas, ce qui ne signifie pas qu'elle ne soit pas vigilante sur l'origine des deux époux qui conditionne le statut juridique de leurs enfants ; on sait qu'à Athènes, à partir du décret de Périclès, en 451/450, l'enfant ne peut accéder à la citoyenneté que si son père est lui-même citoyen et sa mère fille de parents athéniens. La dot tient une place considérable, au point que des lois s'efforcent d'en limiter l'importance, que ce soit à Athènes au temps de Solon, à Gortyne en Crète au milieu du Ve siècle ou à Sparte, puisque Aristote recommande la réduction de la dot pour remédier à cette possession féminine de la terre ; à Rome, la dot paraît un des moyens honorables de s'enrichir.

Cette union de deux êtres a naturellement pour fonction essentielle la procréation ; la société civique ne peut se maintenir que par la naissance d'enfants capables, à leur tour, de défendre la cité et d'enfanter ; on reviendra plus en détail sur le mariage lacédémonien, mais il faut bien dire que, sous une forme poussée à l'extrême, il représente assez bien la conception antique de l'union conjugale ; la femme doit être le ventre fécond qui assure l'avenir de la communauté.

• *Le mariage est donc un devoir civique*, en Grèce comme à Rome, ce qui ne signifie pas nécessairement que le couple soit peu stable ou désuni. La bonne entente est souvent soulignée dans les épitaphes et on aurait tort d'y voir simplement une formule vide de sens : ainsi dans cette inscription latine du IIᵉ siècle apr. J.-C., conservée au musée d'Apollonia d'Illyrie, une Caecilia Venusta de Byllis mariée à Lartidius de Naissus nous affirme qu'elle a vécu quarante-deux ans avec lui « *sine querella, sanctissime* ». Sous l'influence du stoïcisme, le mariage peut devenir une amitié entre mari et femme ; c'est dire que le couple devient une réalité qui dure, même lorsque la procréation ne peut plus expliquer son existence.

● *Ce mariage intervient très tôt,* en particulier pour les filles et plus tôt encore à Rome qu'en Grèce. Les médecins grecs fixent le mariage pour les jeunes filles après quatorze ans ; il n'est pas rare à Rome que cet âge soit avancé à douze ans. S'agit-il alors de mariages non consommés ? Faut-il, au contraire, imaginer des unions consommées avec des filles impubères ? Y a-t-il cohabitation dès le début du mariage ? Il est certain que le mariage romain a pour finalité la procréation et, malgré bien des ignorances dans le domaine médical, le lien devait être fait entre mariage et puberté. Un problème réel semble exister à Rome, puisque Soranos, par exemple, lutte vigoureusement pour retarder l'âge du mariage des filles, jusqu'à leur puberté au moins. Comme les hommes, dans les classes aisées, se marient entre vingt et trente ans, il en résulte une différence d'âge importante entre mari et femme, ce qui accentue la tendance du mari à prendre sa femme pour une enfant, une mineure et en aucun cas une égale.

● *Les stratégies d'alliances.* C'est particulièrement le cas à Rome où la « liberté de mariage », en comparaison des interdits canoniques ultérieurs, et de remariage, ainsi que la pratique fréquente de l'adoption rejoignent le soin attentif des Romains à construire leur parenté. Donnons un seul exemple, en lui-même frappant : désireux de nouer des liens familiaux avec Caton et ne pouvant obtenir de lui sa fille Porcia, mariée à Bibulus, Hortensius lui demande alors sa propre épouse, Marcia, et l'obtient. Lucain, *Pharsale*, 2, 333, justifie l'acte par l'intention d' « unir deux maisons par le sang maternel ». Cela signifie sans doute que, dans la société romaine qui a développé à l'envi les obligations réciproques entre personnes, la parenté et l'amitié sont les liens les plus forts.

Dans le milieu sénatorial, les motivations évoluent avec le régime politique, les carrières républicaines impliquent ainsi de nouer de nombreuses alliances politiques au gré des élections, tandis que sous l'Empire, l'insertion dans un réseau de parentés permet d'accéder à la bienveillance du Prince. Or les moyens d'alliance sont variés : grâce aux fiançailles précoces, on établit un premier lien qui n'implique aucune obligation ultérieure ; par l'exogamie, on diversifie les liens, tout en consolidant les acquis plus anciens par l'endogamie ; l'adoption enfin, souvent combinée à la stratégie du mariage, permet de remodeler la famille, de tisser un lien du sang — *consanguinitas* — entre non-parents, et également de contrôler une personne extérieure à la famille.

Sur toutes ces questions, on peut se reporter au bon article de Mireille Corbier, « Construire sa parenté à Rome », *Revue historique*, CCLXXXIV / 1, p. 3-36, avec une importante bibliographie, et au colloque *Parenté et stratégies familiales dans l'Antiquité romaine*, Rome, Coll. de l'Ecole française de Rome, 1990.

UNE VIE SOCIALE AUX CONTRASTES TRÈS MARQUÉS

La vie de société doit être observée sous ses multiples facettes, tout en introduisant toutes les nuances nécessaires du fait de l'extension chronologique de cette observation ; il n'est pas possible de traiter, en même temps, de la société homérique et de la société du Bas-Empire marquée par le christianisme triomphant ; le message transmis par Paul, *Epître aux Galates*, 3,28 : « Il n'y a ni Juif ni Grec, ni esclave ni homme libre, ni homme ni femme, car tous vous ne faites qu'un dans le Christ Jésus », était fortement révolutionnaire dans une société bâtie sur des catégories nettement séparées ; comment a-t-il été vécu est plus difficile à dire, dans la mesure où la vie quotidienne des communautés de l'Eglise primitive reste souvent inconnue, mais le message lui-même est important et a contribué à l'abaissement de bien des barrières ethniques ou sociales. Auparavant, on peut considérer que la société repose constamment sur une opposition de deux groupes, l'un bénéficiant de qualificatifs valorisants, l'autre figurant toujours le négatif des honnêtes gens : en Grèce, c'est l'opposition entre Grecs et barbares, entre libres et non-libres, puis entre riches et pauvres ; à Rome, les oppositions sont du même ordre : citoyens romains et pérégrins, urbains et ruraux, libres et non-libres, riches et pauvres, *honestiores* et *humiliores*. Il existait naturellement, à l'intérieur de chacun de ces groupes, des nuances importantes : ainsi, parmi les « honnêtes gens », les membres de la classe sénatoriale se plaçaient bien au-dessus de ceux qui appartenaient à l'ordre équestre, ceux-ci dominant encore les membres des conseils municipaux et les vétérans.

Les classes d'âge

Cette société, dans laquelle la vie est courte en moyenne, reconnaît pourtant une place particulière aux hommes âgés ; elle attribue aux Anciens un rôle important dans la vie politique et la justice. Ce rôle des *gérontes*, de la *gerousia* à Sparte, des *presbyteroi,* tout comme celui d'un Sénat à Rome est considérable ; c'est la protection des dieux qui accorde longue vie à quelques hommes et on leur reconnaît la sagesse, même si Aristote dénonce la vénalité et l'irresponsabilité de la *gerousia* lacédémonienne dont les membres font partie à vie. Les classes d'âge jouent un rôle majeur dans l'organisation de la société : elles sont à la base de toute l'organisation de l'éducation à Sparte comme en Crète et certainement à Athènes et dans la majeure partie des Etats. C'est à l'issue de l'éphébie que les nouveaux citoyens sont admis dans l'Assemblée et peuvent prétendre aux magistratures, dont certaines sont parfois réservées à des citoyens plus mûrs, qui ont atteint la trentaine. L'activité militaire est, elle-même, réglée par l'appartenance à une classe d'âge ; dans les cités grecques, à partir de cinquante-cinq ans, le guerrier assure la défense du territoire civique et à soixante ans, il est libéré du service des armes.

Les classes d'âge ont été particulièrement étudiées par les historiens formés au structuralisme, poursuivant avec d'autres concepts les recherches comparatives sur les sociétés africaines et la société spartiate menées par Henri Jeanmaire dans *Couroi et Courètes,* Lille et Paris, 1939 ; et ceci au moins pour deux raisons : d'une part, il était évident que les mécanismes de transition, d'initiation permettaient de mettre en valeur l'idéologie de la cité, soit par le renversement dramatique propre au temps de l'initiation, soit par le triomphe final des valeurs civiques : « Le crypte était à l'hoplite ce que la montagne était à la plaine, le jeune homme "nu", c'est-à-dire sans armes lourdes, au soldat complètement équipé, le rusé tueur d'hilotes au combattant des phalanges qui s'affrontent, la nuit au jour et, bien entendu, le cru au cuit », écrit Pierre Vidal-Naquet en utilisant largement à son compte le vocabulaire de Claude Lévi-Strauss. En outre, les recherches autour des rites d'initiation se sont engagées dans une deuxième direction : de l'opposition entre l'éphèbe archaïque ou le crypte, d'une part, et l'hoplite d'autre part, émerge une réflexion sur la bipartition de la fonction guerrière : guerre de nuit ou guerre de jour, ruse ou face à face, combat individuel ou combat collectif.

De plus, comme le rappelle Pierre Vidal-Naquet dans *Le Chasseur noir,* Paris, 1981, le couple jeunesse-vieillesse participe aux contradictions internes de la cité, au même titre que l'opposition entre hommes et femmes, entre libres et esclaves, les Grecs ayant fait du principe de polarité une des bases de leur représentation du monde. Toutefois, l'opposition entre jeunes et anciens ne joue pas exactement de la même façon suivant les sexes. Poursuivons l'exemple athénien. En 415, l'*ecclesia* se réunit pour savoir s'il faut lancer l'essentiel des forces athéniennes dans l'expédition de Sicile ; tandis que Nicias, opposé à cette campagne militaire, fait appel à la solidarité des anciens contre les projets fous des jeunes gens, Alcibiade parvient à convaincre l'Assemblée en affirmant que seule une Athènes unie peut vaincre, en un mot, donc, que les oppositions entre classes d'âge s'annulent au sein de la cité. Pour les femmes, il n'existe pas à proprement parler de rite d'initiation, la cité athénienne s'étant construite sur l'exclusion des femmes. Les petites « ourses » du sanctuaire d'Artémis à Brauron représentent une élite par leur faible nombre, ce qui limite, de fait, la portée de l'initiation ; de même, dans la société spartiate, le décalque entre éducation des jeunes gens et éducation des jeunes filles est d'autant plus incomplet que ces dernières ne sont pas réparties en « classes d'âge ». Le seul parallèle possible dans les mentalités antiques est celui esquissé par Jean-Pierre Vernant, dans son introduction à *Problèmes de la guerre en Grèce ancienne*, La Haye-Paris, 1968, p. 15 : « Le mariage est à la fille ce que la guerre est au garçon : pour tous deux, il marque l'accomplissement de leur nature respective, au sortir d'un état où chacun participe encore de l'autre. »

Esclavage et dépendance

D'autres barrières séparent les êtres humains dans toutes les sociétés antiques : la plus redoutable est celle qui distingue les hommes libres et les non-libres, que ces derniers soient esclaves ou qu'ils appartiennent à une collectivité vivant dans la dépendance d'une caste de citoyens. Il n'est pas possible de simplifier à l'excès en traitant en bloc des non-libres comme s'ils partageaient tous le même statut ; il existe, en réalité, toute une gamme de statuts intermédiaires entre la liberté et la servitude. L'esclavage ne paraît pas nouveau à l'époque archaïque ; il se rencontre déjà dans les poèmes homériques, avec une gradation entre le porcher Eumée, par exemple, qui est qualifié de *doulos* (esclave) mais possède sa maison, sa famille et des esclaves à son service. Cette servitude, dont l'origine réside, au début, dans la guerre (les prisonniers), dans la piraterie, sans doute l'endettement même dans une économie prémonétaire, a connu un développement considérable à partir du moment où l'esclave a pu être acheté et vendu comme une marchandise, on le voit à Chios dès le VIe siècle, puis dans les grandes cités commerçantes de l'Isthme et bientôt à Athènes. Sparte a résolu son problème autrement et c'est une masse d'*hilotes* qui, par son travail, assure la subsistance de la caste des guerriers dispensés des travaux agricoles : l'origine d'un tel statut de dépendance s'explique aisément par la conquête dans des cités coloniales comme Syracuse ou Héraclée du Pont qui ont réduit à cette dépendance une partie des indigènes voisins ; il n'est pas sûr que l'explication soit bonne pour l'État lacédémonien. L'esclavage s'est progressivement répandu dans tout le monde grec, y compris dans les cantons les plus reculés, à l'époque hellénistique.

Dans le monde romain, l'esclave est tout aussi présent, mais sa répartition est irrégulière : inconnu dans l'Egypte, en dehors des esclaves domestiques, l'esclavage est courant dans l'Italie méridionale et la Sicile pour l'exploitation des grands domaines. D'une façon générale, dans l'Empire, l'agriculture comprend surtout des petits paysans indépendants et des métayers, alors que l'artisanat emploie essentiellement une main-d'œuvre servile ; on estime que les esclaves formaient le quart de la main-d'œuvre rurale en Italie. Certains de ces esclaves, travaillant auprès de médecins, de banquiers, peuvent espérer obtenir l'affranchissement et exercer la profession de leur ancien maître ; une bonne partie de l'administration impériale est aux mains des affranchis, dont la situation est cependant souvent difficile.

La recherche de la sécurité

Il est frappant de constater que les révoltes serviles sont très rares dans la Grèce ancienne, comme s'il existait une certaine solidarité de fait entre les esclaves et leurs maîtres, au moins lorsqu'il s'agissait d'esclaves domestiques ou d'esclaves achetés en petit nombre par leur propriétaire ; la situation était tout autre pour les troupes d'esclaves travaillant dans les mines du Laurion en Attique. Les révoltes n'éclatent qu'en Italie du Sud et en Sicile, à partir de la seconde moitié du IIe siècle av. J.-C., lors de la révolte d'Eunous, esclave syrien d'Enna qui créa un royaume de type oriental ; en 103, c'est la Campanie, puis à nouveau la Sicile qui s'embrasent ; l'esclave cilicien Athénion se proclame roi et chef magicien ; la plus célèbre révolte est celle de Spartacus, en 73, qui confirme que l'accumulation d'esclaves, souvent prisonniers de guerre, sur de vastes *latifundia*, favorise le développement d'un sentiment violent d'injustice subie et du désir impérieux de libération parmi eux. Cette docilité des esclaves antiques oblige aussi à rappeler que, à cette époque, la sécurité était souvent préférable à la liberté individuelle ; c'est l'appartenance à un groupe, à un *oikos*, à une maisonnée, à une collectivité qui compte, car, dans ce cadre, chacun a accès à la terre et bénéficie d'une certaine protection ; l'individu dans sa solitude est rejeté et ne peut s'en sortir que par l'adhésion à une nouvelle collectivité : l'armée par un engagement au titre de mercenaire, ou l'intégration dans la plèbe urbaine constituée souvent par la juxtaposition d'isolés qui se dotent d'organisations de remplacement, destinées notamment à leur assurer une sépulture au moment de leur décès. On s'est souvent étonné de voir, dans des actes d'affranchissement, des affranchis demeurés auprès de leurs anciens maîtres en poursuivant les mêmes activités qu'avant leur libération ; on a voulu y voir un affranchissement à tempérament ; certes, le propriétaire y trouve son avantage puisqu'il garde sa main-d'œuvre, mais le nouvel affranchi souhaitait-il réellement s'en aller ou préférait-il demeurer au sein de la famille de ses anciens maîtres qui lui assurent emploi et sécurité, qu'il n'aurait pas trouvés facilement ailleurs ? Les cas de libres qui se consacrent au service de divinités, dans des sanctuaires d'Asie Mineure, correspondent très certainement au même souci de sécurité ; ces *hiérodules* sont sans doute liés au sanctuaire par une certaine piété envers le dieu protecteur, mais ils en attendent en retour la sécurité qui n'existe plus dans la société civile de leur temps. Ce même souci de sécurité apparaît au IIIᵉ siècle av. J.-C. pour des collectivités, cités, sanctuaires qui se font reconnaître le privilège d'*asylie* et d'inviolabilité par les pays les plus menaçants. L'insécurité est un fléau redoutable et chacun, y compris les esclaves, cherche à y échapper.

Citoyens et non-citoyens

Parmi les libres, d'autres distinctions apparaissent ; bien des Etats ont réservé le titre de citoyen à un petit nombre d'hommes, laissant, en dehors du corps civique, toute une population qui connaît des statuts variés et des noms différents d'une cité à l'autre ; on pense, en particulier, aux *périèques* lacédémoniens, qui habitent normalement sur la périphérie du territoire civique, participent à la défense de la cité aux côtés des guerriers spartiates mais n'interviennent pas dans la vie politique de la cité. Là où la démocratie existe, on distingue nettement les citoyens des étrangers, qui peuvent être l'étranger absolu, le non-Grec, venu d'Orient, de Thrace, de Scythie ou de Gaule, mais aussi l'étranger politique, qui est bien grec mais n'appartient pas à la même cité, à la même communauté : c'est le cas du Mégarien, du Corinthien installé à Athènes. C'est pour ces derniers qu'apparaît au Vᵉ siècle le statut de *métèque*, qui est attribué aux étrangers domiciliés depuis un certain temps dans la cité, statut qui leur assure la protection de la cité d'accueil mais fixe aussi leurs devoirs vis-à-vis d'elle. Auparavant, l'hospitalité était de règle envers l'étranger de passage, mais elle n'empêchait pas d'exercer le droit de représailles contre tout compatriote de l'auteur de dommages.

Dans bien des cités, et le cas d'Athènes en constitue un bon exemple, le corps civique devient jaloux des privilèges associés à la citoyenneté et, à partir de 451, la citoyenneté est rarement accordée à un étranger ; les mariages mixtes sont pratiquement interdits, puisqu'ils n'assurent pas aux enfants nés de ces unions la citoyenneté du père. La cité paraît se replier sur elle-même et le statut de métèque devient d'autant plus précis que le statut du citoyen devient un privilège inaccessible. A Sparte, très tôt, le corps civique a refusé toute naturalisation d'étranger ou de périèque et il faut attendre le IIIᵉ siècle av. J.-C. et une oliganthropie dramatique au sein du corps civique, réduit à quelques centaines de citoyens, pour voir les rois Agis IV puis Cléomène III tenter une réforme du corps civique par incorporation de périèques.

La chance de Rome ?

● *Au départ, la cité de Rome ne semblait guère différente d'une cité grecque* et l'appartenance au corps des citoyens romains était un privilège envié. A la différence des cités grecques, Rome a su élargir progressivement son corps civique en faisant partager son droit de cité aux citoyens des villes peu à peu absorbées dans le territoire romain ; toute l'histoire de la fin de la République et du Haut-Empire montre cette promotion accordée avec parcimonie mais dont les bénéficiaires provinciaux et généralement riches sont très fiers, jusqu'au jour où Caracalla étend aux habitants libres de l'Empire cette citoyenneté. Elle a su habilement élargir les institutions d'une cité aux dimensions de l'Empire tout entier et jusqu'à la fin de son existence en Occident le titre de citoyen romain est recherché par les barbares établis aux marges de l'Empire. Par le nombre même de ses citoyens, Rome se situe très vite à une autre échelle que les cités grecques, y compris Athènes : alors que celle-ci culmine, vers 431, avec un corps civique de 45 000 citoyens, Rome possède déjà plusieurs centaines de milliers de citoyens à l'époque de la seconde guerre punique, à la fin du IIIe siècle av. J.-C., pour dépasser quatre millions à l'époque d'Auguste (voir les tableaux statistiques de Claude Nicolet, *Le Métier de citoyen dans la Rome républicaine*, Paris, Gallimard, « Bibliothèque des histoires », 1976 ; rééd. collection « Tel », 1988, p. 69-70 ; pour une bonne introduction à la démarche de Claude Nicolet, lire la note critique de Jean Andreau, dans les *Annales ESC*, n° 4, juillet-août 1977, p. 756-763).

● *En réalité, on doit se demander si, dès Polybe, on ne joue pas sur les mots pour décrire deux systèmes bien différents* et donc difficilement comparables. Comme l'a bien rappelé Philippe Gauthier, dans son article intitulé : « "Générosité" romaine et "avarice" grecque : Sur l'octroi du droit de cité », *Mélanges William Seston*, p. 207-215, « la notion de citoyenneté ne pouvait pas avoir été ressentie ni vécue de la même façon à Rome et dans une cité grecque ». Le droit de cité en Grèce ne peut être conféré à un individu ou à un groupe que par une décision de l'Assemblée populaire et suivant des règles strictes ; moyennant quoi, le nouveau citoyen participe de droit à la vie politique de la communauté indépendante qui l'a admis : il siège aux assemblées délibératives et aux tribunaux et prend part aux votes ; sauf exception, il peut être candidat aux magistratures. A Rome, une décision individuelle d'affranchissement fait entrer un nouveau membre dans la cité romaine, sans consultation du Sénat ou des comices, ce qui a conduit certains à parler, à propos de ces affranchis, de « citoyens de deuxième classe » ; de même, le censeur, tout seul, admet les Latins dans la cité romaine (avant 187) ; enfin le fondateur d'une colonie romaine peut inclure dans la nouvelle cité un certain nombre d'étrangers qui seront *cives romani*, tout comme le général en chef peut récompenser tel soldat allié du droit de cité. Selon l'expression de Ph. Gauthier, la cité romaine n'est pas « généreuse » mais « perméable ». En fait, la *civitas* n'est pas la *politeia* : l'étranger qui obtient à titre individuel la *civitas romana* acquiert surtout des oits civils, mais politiquement il ne compte que s'il est riche et influent, ce qui est rarement le cas de l'individu isolé dans des assemblées où le vote est compté par groupe. Dès lors, si on applique la conception grecque de la citoyenneté à la situation romaine, seuls les membres de l'aristocratie sénatoriale sont pleinement citoyens. On voit donc le risque d'erreur possible dans une comparaison trop simple.

LE PROGRÈS TECHNIQUE EST FREINÉ PAR DES IGNORANCES SCIENTIFIQUES

Cette question a fait couler beaucoup d'encre et, bien souvent, dans deux sens radicalement opposés ; le raisonnement souffre du fait que les historiens de l'Antiquité sont rarement, de nos jours, préparés à traiter de l'histoire des sciences et des techniques. Une position extrême était exposée par A. Aymard, dans la postface de *L'Histoire générale du travail* : « Loin d'ignorer les connaissances scientifiques ou les aménagements pratiques qui leur eussent permis d'amorcer le progrès technique, puis de le poursuivre, c'est à dessein qu'ils s'abstinrent. Les Grecs ont été animés du véritable esprit scientifique et il n'a tenu qu'à eux d'appliquer pratiquement les principes que leurs raisonnements leur ont fait découvrir... Bien plus, ils ont commencé à les appliquer pour satisfaire aux fantaisies royales ou pour défendre Syracuse contre les Romains... Ce n'est pas par ignorance que l'Antiquité a péché, mais par refus. »

En réalité, cette explication ne peut tenir : dans le domaine des techniques, nous sommes surpris de certaines ignorances, parce que nous sommes habitués depuis notre enfance à certains savoirs ; comme le fait remarquer Bertrand Gille, dans *Les Mécaniciens grecs*, Paris, 1980, p. 192 : « Les Grecs n'ont pas connu le système bielle-manivelle qui nous paraît si simple à imaginer. Et le système bielle-manivelle est, lui, à la base de tout machinisme développé. » Ce n'est qu'à la fin du XVe siècle qu'apparaît ce système, qui transforme un mouvement alternatif rectiligne en un mouvement circulaire continu, ou vice versa ; ce n'est pas refus, c'est ignorance. L'éolipyle de Héron mettait en jeu la force de la vapeur, mais ce n'est qu'à l'extrême fin du XVIIe siècle que la machine à vapeur est née à la suite d'un certain nombre de découvertes scientifiques et d'inventions techniques : connaissance du vide et de la condensation, connaissance de la pression atmosphérique, emploi du système bielle-manivelle, utilisation de certains procédés de métallurgie.

Ajoutons encore que la Grèce antique manquait, pour le développement d'un machinisme avancé, de sources d'énergie abondantes : cours d'eau irréguliers, à sec l'été, transformés en torrents à chaque pluie, ce qui n'est pas favorable à l'édification de moulins à eau ; bois peu abondant.

Les Romains qui héritèrent de ces techniques n'ont guère été plus loin, tout en profitant de techniques de peuples barbares soumis et, en raison de la dimension de leur Empire, de ressources naturelles bien plus abondantes.

Marie-Claire Amouretti, « L'attelage dans l'Antiquité. Le prestige d'une erreur scientifique », *Annales ESC*, 1991, p. 219-232, a certainement raison de réagir contre une tendance de l'historiographie moderne de considérer l'Antiquité comme une période d'ignorance profonde dans le domaine des transports, pour attribuer au Moyen Age l'apparition du collier d'épaule pour les chevaux, la mise au point du gouvernail d'étambot et l'utilisation de la voile latine triangulaire. Elle attribue la responsabilité de cette analyse au commandant Lefèbvre des Noëttes, qui, dans le premier tiers du XXᵉ siècle, a cherché à démontrer l'utilisation dans l'Antiquité d'un système défectueux des attelages avec un collier souple qui étranglait le cheval. Elle montre qu'en réalité la période antique a su utiliser diverses techniques d'attelage ; elle distingue l'attelage à joug d'encolure et l'attelage à joug dorsal ; l'Antiquité a connu des progrès techniques, des innovations, il n'y a donc pas lieu de parler de blocage technique. Mais il reste des limites réelles à ce progrès et on ne peut pas dissocier totalement le savoir scientifique du savoir technique, comme le suggère Marie-Claire Amouretti (cf. encadré p. 40).

LE SACRÉ EST OMNIPRÉSENT

Hommes et dieux, une frontière peu définie

C'est encore un domaine de l'Antiquité dans lequel la réaction des Modernes, formés au rationalisme, est tout à fait étrangère. Dans le monde antique, qu'il soit grec ou romain, il n'existe pas de barrière entre le monde des hommes et celui des dieux. Toute une tradition ancienne montre les dieux intervenant sans cesse dans les affaires des hommes : la frise du trésor de Siphnos, à Delphes, présente l'Assemblée des dieux, qui prennent parti violemment, qui pour les Troyens, qui pour les Achéens, conformément au récit de L'*Iliade* et Zeus tente d'arbitrer difficilement ces débats houleux entre habitants de l'Olympe ; il en va de même dans les premiers récits de la vie de Rome, très souvent secourue par l'intervention de Castor et Pollux. Mais l'intervention des dieux n'est pas seulement nette dans les grandes querelles qui opposent les hommes ; ils sont encore présents dans le quotidien et dans chaque action de la vie des hommes. Hésiode, dans *Les Travaux et les Jours,* fournit de très nombreux exemples de cette présence des divinités dans les activités quotidiennes d'un Grec du VIIIᵉ siècle av. J.-C. : « Priez Zeus infernal et la pure Déméter de rendre lourd en sa maturité le blé sacré de Déméter, au moment même où, commençant le labourage et tenant en main la poignée qui termine le mancheron, vous toucherez le dos des bœufs qui tirent sur la clef du joug » ; « garde-toi, quand l'aube point, d'offrir à Zeus des libations de vin noir avec des mains que tu n'as pas lavées ; pas davantage aux autres dieux ; sache qu'ils ne t'écoutent pas et méprisent tes prières ». Des quantités de rites doivent être ainsi soigneusement respectés, si l'homme ne veut pas déchaîner la colère des dieux mais espère obtenir des puissances surnaturelles une réponse à ses demandes.

Cité et communauté religieuse

La vie collective est tout aussi remplie de manifestations religieuses : appartenir à une communauté civique signifie nécessairement participer au culte des dieux de la cité. On ne peut séparer, comme à notre époque, la vie du citoyen de ses opinions ou de ses croyances ; il n'y a pas une vie religieuse individuelle,

PROGRÈS TECHNIQUE, ESCLAVAGE ET MÉPRIS DU TRAVAIL MANUEL

Ces trois éléments sont fréquemment associés, les deux derniers servant à expliquer le prétendu refus du progrès technique ; c'est encore la remarquable étude de B. Gille qui donne cette citation de M. M. Fontaine, *L'Homme et la machine*, Paris, 1973, p. 4-5 : « Mais, quoique les connaissances scientifiques aient sans doute été suffisantes, les machines ne se sont pas généralisées : c'est que l'on préférait à la construction de machines compliquées le travail des esclaves, plus économique pour la fabrication des objets. Les arts mécaniques, l'artisanat étaient réciproquement méprisables parce que serviles. Platon les condamne et Aristote refuse à l'artisan le droit d'être citoyen. Un mathématicien comme Archimède n'a pas jugé digne de transcrire ses inventions pour lesquelles il est maintenant aussi connu que pour ses travaux savants. »

En réalité, le mépris du travail manuel, que l'on démontre avec des citations nombreuses mais à peu près toutes de la même période (le IVe siècle) et des mêmes milieux de l'aristocratie athénienne, notamment de Platon et d'Aristote, certes originaire de Stageiros mais bien intégré dans la cité athénienne, est loin d'être général dans l'Antiquité ; jusqu'en 322, les artisans siègent régulièrement à l'Assemblée, même si Platon le déplore ; ce jugement de valeur est une prise de position politique, une réaction sociale ; on aurait tort d'en faire l'expression d'une opinion générale.

Ce mépris, dans certains milieux, pour le travail manuel pourrait s'expliquer par une assimilation avec le travail servile, celui des esclaves ; ce travail dégrade le corps, empêche la réflexion et rendrait donc indigne d'être parmi les citoyens de la cité idéale imaginée par les philosophes.

En même temps, le travail d'esclaves, en raison de son faible coût, aurait empêché le progrès technique, si bien qu'on pouvait paraître enfermé dans un cercle vicieux : l'esclavage conduisant au mépris du travail manuel, le travail manuel étant nécessaire à cause du blocage technique, qui est une conséquence de l'esclavage. D'autres interprétations essaient d'inverser la proposition, en considérant l'esclavage comme un mal nécessaire en raison du retard technique. Aristote, *Politique*, I, 4, 3, fournit une réponse qui ne devrait pas permettre plusieurs interprétations : « Si les navettes tissaient d'elles-mêmes et les plectres pinçaient tout seuls la cithare, ni les chefs d'artisans n'auraient besoin d'ouvriers, ni les maîtres d'esclaves. » Le sens est bien, pour Aristote, que l'esclavage est une solution à l'absence de progrès techniques, ce qui ne suffit pas à expliquer cette pratique de l'esclavage, d'autant que, selon Aristote, le progrès technique aurait atteint aussi les travailleurs libres tout comme les esclaves. Il est finalement inexact de lier l'esclavage au retard technique : bien des sociétés esclavagistes ont connu des progrès techniques remarquables. On pourrait également discuter le caractère moins coûteux de l'esclave par rapport au travailleur libre, compte tenu de son zèle moindre au travail et de son entretien indispensable pour le maintenir dans un état physique compatible avec l'activité qui lui est imposée.

La situation n'est pas différente dans le monde romain, qui connaît l'emploi de masses d'esclaves, beaucoup plus nombreuses que dans la Grèce ancienne, et qui n'a pas bénéficié de progrès techniques susceptibles de bouleverser l'emploi de la main-d'œuvre.

Il convient, donc, en conclusion, de renoncer à tout lien entre l'existence de l'esclavage et l'idée d'un blocage technique ; comme le disait J. Ellul, dans *La Technique ou l'Enjeu du siècle*, Paris, 1954, p. 32 : « En réalité, nous sommes ici en présence d'une de ces explications faciles, frappantes, et absolument antihistoriques, dont les justificateurs de théorie sont coutumiers. Il convient d'écarter définitivement de nos manuels, de nos livres, même de nos études savantes, si riches à d'autres égards, ce vieux poncif de l'histoire de l'Antiquité. »

selon la conscience de chacun : être athénien signifie participer aux cérémonies (processions, sacrifices, concours) en l'honneur des dieux de la cité. Le magistrat de la cité est en même temps le prêtre, car il n'existe pas un clergé distinct des magistrats de la cité. Si Critias pouvait estimer, à la fin du Ve siècle, que les divinités avaient été inventées par l'homme pour le maintien de l'ordre social, il est le seul à faire état de son athéisme qui, associé à son rôle parmi les trente tyrans, contribua au procès et à la condamnation de son maître, Socrate ; le fragment de *Sisyphe* permet de comprendre son cheminement vers cette incroyance : « Il était une époque où la vie de l'homme était désordonnée et contrôlée par la force brutale, comme celle des bêtes sauvages. Il n'y avait alors ni récompense pour les bons ni punition pour les méchants. Puis les hommes conçurent l'idée d'imposer des lois comme un instrument de punition, afin que la justice soit seule maîtresse et tienne en échec la violence. Si quelqu'un était dans l'erreur, on le punissait. Mais comme les lois punissaient seulement les actes de violence ouverte, les hommes continuèrent à commettre leurs crimes en secret. Alors je crois qu'un homme résolu et voyant loin aperçut à ce moment la nécessité d'un préventif qui aurait de l'effet, même lorsqu'on méditerait ou qu'on accomplirait des actes secrets. Ainsi fut introduite l'idée de divinité, d'un dieu toujours actif et vigoureux, écoutant et voyant en esprit tout ce que font et disent les hommes. »

En même temps, le religieux baigne profondément des activités que nous avons tendance à considérer comme purement laïques ; lorsque le baron de Coubertin a restauré les jeux Olympiques, il pensait uniquement à la compétition sportive, alors que les concours antiques étaient aussi commémoration funèbre (Pélops à Olympie) et relations avec le monde chtonien par le contact avec la terre, Gaia. Certes, il y entre également tout un aspect agonistique, le concours doit dégager le meilleur, l'*aristos* et sa cité natale en éprouve grande fierté.

L'au-delà

La vie religieuse est profondément diverse d'une cité à l'autre, d'une région à l'autre, comme on l'a déjà noté. Le problème le plus sérieux, pour nous, est de tenter de savoir ce que contient l'aspiration religieuse manifestée par chacun des Anciens. La tragédie classique laisse l'impression de dieux qui interviennent aveuglément dans la vie des humains, sans que ceux-ci puissent beaucoup modifier le cours du destin impitoyable. La réponse n'est pas simple, elle est, je pense, capitale car elle marque aussi la différence profonde avec le monothéisme. Il semble bien qu'on ne doive pas prêter au Grec ancien, pas plus qu'au Romain, le souci d'un rapport individuel de l'homme avec le Dieu souverain et transcendant, le lien de personne à personne ; il vit entouré d'une série de puissances, et c'est la philosophie qui fait apparaître cette notion de transcendance. L'au-delà n'est pas, non plus, perçu de la même façon que dans la tradition chrétienne : la vie religieuse civique concerne l'existence terrestre, elle l'organise ; le souvenir du défunt, son immortalité peuvent être assurés par la célébration des bonnes actions de sa vie, qui lui permettra de vivre dans le souvenir de ses compatriotes.

● *Représentation des enfers.* Certes, les enfers sont souvent représentés sur des monuments funéraires ; je pense, en particulier, à ce bas-relief de la descente aux enfers, conservé au Musée d'Apollonia d'Illyrie, que j'ai publié dans la *Revue archéologique*, I/1986, p. 137, fig. 20, où s'opposent, en deux registres superposés, le monde des vivants et le domaine des ombres ; dans la partie supérieure, une femme à genoux, portant des vêtements de deuil, tend désespérément la main à l'un de ses proches qu'elle ne veut pas laisser partir au royaume des morts ; le défunt n'appartient déjà plus au monde des vivants que par sa propre main qui dépasse encore la frontière symbolique entre la terre et les enfers ; la structure est assez classique : l'artiste, pour saisir le mouvement, choisit un moment d'articulation à partir duquel il organise la scène. Il trace donc une limite visuelle, ici la frontière entre le monde terrestre et les enfers, et représente un double dépassement, celui de la main du défunt, celui d'un pan de manteau de sa compagne qui pend vers les enfers, comme si la perte de l'être cher entraînait la veuve ou la mère privée de son enfant dans un espace intermédiaire entre la vie et la mort. Au bas de l'échelle où le conduit Hermès, le défunt doit monter dans la barque de Charon pour gagner le royaume d'Hadès. Mais même pour ceux qui connaissent le séjour des bienheureux, les Champs-Élysées, L'*Odyssée* ne transmet pas une description réjouissante : c'est Achille qui répond à Ulysse : « J'aimerais mieux être sur terre domestique d'un paysan, fût-il sans patrimoine et presque sans ressources, que de régner ici parmi ces ombres consumées. »

● *La mémoire des ancêtres.* C'est une coutume, comparable à l'usage des Oraisons funèbres prononcées à Athènes en l'honneur des citoyens morts au combat, que rapporte Polybe, observateur de la Rome du IIe siècle av. J.-C. ; il a été frappé, en particulier, par cette pratique des *imagines* des ancêtres, par ces masques réutilisés au cours des cortèges funèbres, qui assurent une sorte de pérennité aux fiers ancêtres qui reviennent prendre part, en quelque sorte, aux cérémonies familiales ; différents éléments se conjuguent pour expliquer cette coutume : la fierté d'appartenir à une glorieuse lignée intervient certainement, tout comme la volonté de fournir des modèles à la jeunesse, mais il y a place également pour une croyance à la permanence du glorieux défunt tant que sa descendance peut assurer sa présence dans les cortèges familiaux ; l'extinction de la famille marque aussi l'oubli du glorieux ancêtre ; pour l'éviter, on est prêt à avoir recours à toutes sortes de moyens, notamment l'adoption qui assure le maintien d'une descendance et donc de la mémoire vivante des hommes célèbres de la famille.

Le souvenir des ancêtres disparus prend deux formes complémentaires : d'un côté, une individualisation du défunt, avec la reproduction parfaite sur un masque de cire des traits du visage ; d'autre part, la manifestation, à l'occasion des rituels funéraires, des valeurs collectives dans lesquelles le disparu s'est reconnu et qu'il a contribué à illustrer, par ses hauts faits. L'importance de cette forme de mémoire collective apparaît bien, *a contrario*, dans le déchaînement de violence auquel donne lieu une damnation de mémoire (*damnatio memoriae*) :

inscriptions où les noms de Néron ou Domitien ont été martelés par exemple. C'est à une damnation de mémoire que Jean-Pierre Vernant assimile les sévices exercés par Achille sur le cadavre d'Hector, dans son article « La belle mort et le cadavre outragé », *L'Individu, la mort, l'amour*, Paris, 1989, p. 41-79. La damnation de mémoire, comme retournement complet de la « belle mort », exerce sa violence à la fois sur ce qui peut individualiser le disparu et sur les moyens lui permettant de survivre dans le souvenir collectif (cf. encadré p. 44).

• *L'attente messianique est tout autre dans la tradition juive*, mais elle est très largement terrestre également ; c'est le retour de l'indépendance d'Israël qui est attendu, un nouveau Salomon ; ce ne sont que quelques courants du judaïsme qui en viennent à une attente de renouveau spirituel. L'irruption du christianisme n'est pas alors sans provoquer bien des troubles dans les esprits, et beaucoup d'incompréhension : ce Dieu ressuscité ne convient pas aux Aréopagites d'Athènes qui avaient écouté Paul ; ailleurs, en revanche, on est tout prêt à agrandir le panthéon local, comme le rapportent les *Actes des Apôtres*, 14,11, à propos de la réaction des Lycaoniens à une guérison opérée par Paul : « A la vue de ce que Paul venait de faire, la foule s'écria, en lycaonien : "Les dieux, sous forme humaine, sont descendus parmi nous !" Ils appelaient Barnabé Zeus et Paul Hermès puisque c'était lui qui portait la parole. Les prêtres du Zeus-de-devant la ville amenèrent au portail des taureaux ornés de guirlandes et ils se disposaient, de concert avec la foule, à offrir un sacrifice. » Les religions locales résistent à ce bouleversement apporté par le message évangélique, dont la propagation a été rapide dans l'Empire romain, comme le montrent la correspondance de Pline le Jeune avec Trajan pour l'Asie Mineure, et les événements de Lyon en 177.

MAIS UN MONDE QUI NE NOUS EST PAS TOTALEMENT ÉTRANGER

« L'ignorance reconnue, le refus du fanatisme, les bornes du monde et de l'homme, le visage aimé, la beauté enfin, voici le camp où nous rejoindrons les Grecs », écrivait Albert Camus dans *L'Eté,* en 1948. Au sortir des horreurs d'une guerre mondiale, qui s'est voulue parfois guerre d'extermination, on comprend la quête de Camus, à la recherche d'une sagesse antique, trop vite oubliée ; mais on est frappé de l'image très « lisse », sans aspérité aucune, que l'écrivain donne de l'Antiquité grecque ; comme si la démocratie athénienne, puisque c'est son image qu'il faut découvrir derrière ces lignes, n'avait pas aussi vécu dans l'affrontement, la *stasis,* que ceux qui étudient l'histoire politique de l'Antiquité s'accordent désormais à reconnaître comme une des formes les plus banales de la violence quotidienne, dans l'Athènes démocratique.

Il ne s'agit pas de renoncer ici à la conclusion sur l'étrangeté des Anciens, mais plutôt de préciser ici ce qu'on entend traditionnellement par héritage lorsqu'on veut désigner les legs de l'Antiquité. Comment se fait-il que nous nous reconnaissions malgré tout dans ce monde désespérément étranger ? Plusieurs travaux, souvent assez récents, se sont intéressés à ce problème.

L'ORAISON FUNÈBRE ET LE MASQUE FUNÉRAIRE A ROME, D'APRÈS POLYBE (VI, 53-54)

« Lorsqu'un personnage en vue meurt et qu'on célèbre ses obsèques, le corps est porté avec toute la pompe possible au Forum, près de ce qu'on appelle les Rostres. Il est généralement offert aux regards du public dans une posture verticale, plus rarement allongée. Quand la foule s'est massée tout autour, un grand fils — si le défunt en a laissé un et si celui-ci se trouve à Rome, sinon quelqu'un de sa famille — monte à la tribune et prononce un discours dans lequel il évoque les mérites du défunt et ce qu'il a accompli au cours de sa vie. Ainsi, dans la foule, on se souvient, on revoit ce qu'il a fait, et cela n'est pas vrai seulement pour ceux qui ont eu part à ses exploits, mais aussi pour les autres. Telle est alors l'émotion ressentie par tous, que le deuil frappant la famille du mort apparaît comme le deuil de la cité tout entière. Ensuite, après qu'on a enseveli le corps en observant le rituel établi, on place son portrait à l'endroit le plus en vue de sa maison, dans une sorte de tabernacle en bois. Ces portraits sont des masques reproduisant avec une très grande ressemblance les traits et la physionomie des disparus. A l'occasion des fêtes religieuses officielles, on ouvre les tabernacles et on pare les masques avec le plus grand soin. Lorsqu'un personnage important de la famille vient à mourir, on les fait porter dans le cortège funèbre par des hommes ayant une stature et une corpulence comparables à celles des disparus qu'ils représentent. Ces hommes revêtent en outre une toge bordée de pourpre s'ils portent le masque d'un ancien préteur ou d'un ancien consul, une toge toute de pourpre s'il s'agit d'un ancien censeur, une toge brodée d'or si le disparu a reçu les honneurs du triomphe ou accompli quelque action d'éclat. Les figurants avancent sur des chars précédés des faisceaux et des autres insignes auxquels chacun des personnages incarnés par eux, selon la charge qu'il avait, au cours de sa vie, exercée dans la cité, avait eu droit. Lorsqu'ils atteignent les Rostres, ils s'asseyent tous à la file sur des sièges d'ivoire. On ne saurait imaginer plus noble spectacle que celui-là pour un jeune homme épris de gloire et de vertu. Est-il en effet quelqu'un qui, voyant réunies les images, pour ainsi dire vivantes et animées, de ces grands hommes honorés pour leur mérite, ne serait stimulé par un tel spectacle ? Se peut-il rien voir de plus beau ?

De plus, l'orateur chargé de parler du défunt, lorsqu'il a dit ce qu'il avait à dire, se met à évoquer le souvenir de ses ancêtres, des succès et des hauts faits de chacun d'eux. Par là se renouvelle sans cesse la réputation des grands hommes, auxquels leurs actes ont valu la gloire, et le mérite de ceux qui ont bien servi la patrie vient à la connaissance du grand nombre et passe à la postérité, le plus important étant que les jeunes y trouvent une inspiration qui les pousse à tout endurer pour le service de la collectivité, car ils espèrent acquérir eux aussi cette gloire qui s'attache aux citoyens valeureux. »

Pour un commentaire de ce passage de Polybe, VI, on peut se reporter à Claude Nicolet, *Le Métier de citoyen dans la Rome républicaine*, Tel Gallimard, Paris, rééd. 1988, p. 460-467, ou à Michel Meslin, *L'Homme romain, des origines au Ier siècle de notre ère*, éditions Complexe, Bruxelles, 1985, p. 59-63. Voir également le récit des funérailles de Junia, en 22 apr. J.-C., où défilent les images de vingt familles sénatoriales, dans Tacite, *Annales*, 3, 76, 1.

Il faut, d'abord, distinguer la perspective historiographique, dans laquelle Arnaldo Momigliano, à partir de 1955 (voir l'article rapide mais suggestif d'Evelyne Patlagean, « Les *Contributi* d'Arnaldo Momigliano : portrait d'un historien dans ses paysages », *Annales E.S.C.*, 1982, p. 1004-1013) et Moses I. Finley, par exemple avec *Esclavage antique et idéologie moderne*, trad. fr., Paris, 1981, ont été des précurseurs. Ces études ne portent pas, *stricto sensu*, sur l'histoire de l'histoire et *a fortiori* sur l'histoire des historiens, ce qui est une voie étroite et dangereuse. Les études historiographiques ont été les plus fécondes, soit lorsqu'elles ont permis d'évaluer les enjeux idéologiques de certains travaux, et dès lors de redéfinir les termes mêmes à partir desquels les antiquisants travaillent (« cité », « esclavage »...), soit lorsqu'elles ont distingué certains blocages créant des risques de modernisation (pour contourner l'obstacle). Cette perspective historiographique peut évoluer progressivement vers une sociologie des historiens de l'Antiquité qui dirait les apports de l'anthropologue, du « classiciste », de l'historien.

La seconde approche possible, sans doute la plus rare, consiste à expliquer l'intérêt du public pour l'Antiquité, malgré un net recul des études classiques ; il ne s'agit plus de la question « Qui parle ? » comme en historiographie, mais « Qui parle à qui ? ». Esquissons donc quelques éléments d'interprétation. Qu'apporte le regard posé sur un monde clos et éloigné comme le monde antique ?

Il peut s'agir d'un souci de légitimité : c'est le cas du nationalisme archéologique qui cherche à définir les frontières idéales d'un Etat et fréquemment à justifier des menées expansionnistes ; on sait ce que peuvent donner de telles perspectives, par exemple, dans le monde balkanique actuel. Il a pu s'agir d'un fantasme de pureté originelle : dans les écrits sur l'Atlantide par l'idéologue nazi Alfred Rosenberg, dans *Le Mythe du XXe siècle*, où il affirme que les Atlantes étaient les ancêtres des Germains (voir Pierre Vidal-Naquet, *La Démocratie grecque vue d'ailleurs*, Paris, 1990, p. 158), comme dans les discours des révolutionnaires français sur Athènes et sur Sparte, la pureté étant surtout morale dans ce cas, puisqu'on recherche des modèles de législateurs vertueux. L'Antiquité, c'est aussi ce qui est loin, l'image même de l'exotisme, comme l'Athènes imaginée par Shakespeare dans *Le Songe d'une nuit d'été*.

Les regards portés sur le monde antique sont divers, du fait même de la diversité de l'Antiquité et de la subtilité des liens affectifs qui se tissent entre ses « héritiers » et elle. En les étudiant, ou en confiant aux spécialistes des périodes plus récentes le soin de les étudier, l'antiquisant peut sans doute porter un regard plus lucide sur les conditions de son travail, limité par les flottements idéologiques et sensibles qui subsistent dans l'écriture de l'histoire.

2 Les fondements documentaires de l'histoire de l'Antiquité

Les sources documentaires, à partir desquelles il est possible d'essayer de reconstituer l'histoire de la période antique, sont naturellement beaucoup plus rares que pour des époques plus récentes. L'historien de l'Antiquité est dans une situation exactement inverse à celle que connaît l'historien du XXe siècle : celui-ci croule sous le poids de l'information, qui se présente sous des formes très diverses : textes imprimés (livres, journaux, périodiques, affiches, etc.), bandes sonores, films et reportages, photographies, archives à tous les niveaux depuis l'échelon local, l'entreprise ou la paroisse, jusqu'aux archives départementales et nationales ; son travail d'inventaire, de sélection est énorme ; la qualité de tous ces témoignages est très variable de l'un à l'autre, ils peuvent être parfois très orientés parce que rédigés à des fins de propagande ; la proximité immédiate des événements rend, d'autre part, l'interprétation des témoignages délicate, faute du recul dans le temps qui manque à l'historien du temps présent. Pour reconstruire l'histoire de l'Antiquité, ce n'est plus l'excès de la documentation, mais plutôt sa rareté qui pose problème. Nous n'avons bien souvent que quelques pièces du puzzle pour tenter de le reconstituer dans son entier : certains secteurs, géographiques ou chronologiques, sont favorisés, comme le Ve siècle athénien, jusqu'à un certain point le Haut-Empire en son centre politique ; mais des lacunes immenses concernent les autres régions du monde grec et même le IIIe siècle athénien, sans parler de la période archaïque ; la même pauvreté frappe souvent les provinces de l'Empire romain qui n'apparaissent qu'incidemment à propos d'une guerre ou d'un gouverneur appelé à un illustre destin ; que d'ignorance aussi sur l'époque de la République romaine, sur les motivations de ses choix politiques, de ses crises sociales.

Cette pauvreté des sources sur l'Antiquité contribue à donner encore plus de valeur aux quelques informations qui nous sont parvenues ; c'est dire que quiconque veut étudier l'Antiquité doit examiner les sources avec une particulière attention, ne rien négliger de ce qu'elles contiennent, sans pour autant vouloir leur en faire dire plus qu'elles ne le peuvent ; ce serait une grave erreur que de forcer les témoignages anciens ; l'auteur de tels abus entrerait dans le genre romanesque mais ne pourrait plus être considéré comme historien.

Chaque document, aussi modeste soit-il, est porteur d'indications qu'il faut savoir interpréter ; on emploie volontiers d'ordinaire la métaphore de la parole pour désigner les relations qui se tissent entre l'historien et le document : il reviendrait à l'historien de « faire parler » le document, c'est-à-dire en fait d'en tirer toutes les indications qu'il peut apporter sur la réalité d'une époque passée. Cette métaphore usuelle doit être critiquée : d'une part, elle témoigne du vœu d'une relation directe et irréalisable entre le passé et le présent ; ce serait négliger la part de sang que l'historien verse pour « faire parler » les fantômes, si l'on veut bien reprendre ici l'image utilisée par Wilamowitz que nous citions au début de notre première partie. De fait, l'historien est beaucoup plus actif que la métaphore de la parole ne voudrait le laisser entendre : par esprit d'analyse, l'historien repère les éléments constitutifs et l'économie interne de son document ; par esprit de synthèse, il met en série les documents, découvre les invariants, décrypte les allusions, fait des comparaisons, interprète enfin, en tirant des séries les concepts qui rendent les réalités passées intelligibles. En outre, la métaphore de la parole est peu satisfaisante dans la mesure où elle voudrait faire croire que le fonctionnement interne de tous les documents est de type linguistique : or c'est justement en s'écartant de cette idéologie qu'on a pu reconnaître aux images leur statut spécifique.

Bien entendu, un document sera d'autant plus suggestif qu'il pourra être remis dans son contexte précis. Un exemple doit facilement faire comprendre cette nécessité : une monnaie porte en elle-même des renseignements très intéressants qui tiennent à son poids, à la qualité du métal, à la qualité de la frappe, à son type monétaire, aux inscriptions qu'elle porte. Elle permet parfois de connaître le portrait des souverains ou de ceux qui aspirent au pouvoir, qu'ils soient César, Brutus, Antoine ou Cléopâtre ; elle fournit à l'historien les principes même de la puissance impériale (*Imperium, Auctoritas*). Elle nous renseigne sur la vie religieuse des cités et des Etats par la représentation de telle ou telle divinité et le nom d'un prince sur des monnaies d'une cité voisine peut signifier sa mainmise sur celle-ci. Mais cette monnaie, isolée dans un musée, ne peut pas en dire plus, alors que si l'archéologue qui l'a mise au jour a pu indiquer dans quelle tombe elle a été trouvée, avec quel matériel funéraire (vases de céramique, objets de bronze, armements, parures, inscriptions), elle peut constituer un élément de datation précieux pour la tombe mais aussi pour tout le matériel qui l'accompagne. C'est dire le mal que font les fouilles clandestines qui ne s'intéressent qu'à l'objet précieux, extrait furtivement de tout son contexte archéologique ; ce sont autant de pertes irréparables ; l'objet isolé de son environnement est devenu beaucoup moins utile qu'il n'aurait pu l'être. C'est dire aussi l'importance qu'il faut accorder à la qualité de la fouille archéologique, telle qu'on la conçoit de nos jours : elle n'est, certes, pas très rapide mais elle permet d'examiner le sol méthodiquement, en établissant soigneusement la stratigraphie, en observant les différents niveaux de culture et ainsi en laissant toujours l'objet précieux (monnaies, statues, inscriptions, vases, etc.) dans son environnement exact. Une fouille hâtive, mal conduite, c'est une destruction irréparable d'un témoignage qui aurait pu fournir beaucoup plus de renseignements.

On voit, par les exemples ci-dessus, la grande diversité des documents que peut utiliser le chercheur passionné par la découverte de l'Antiquité, dont l'histoire n'est pas achevée, comme on l'a déjà dit dans la première partie, mais qui est toujours en plein chantier. La recherche méthodique des témoignages nous conduit à utiliser les textes littéraires, les inscriptions, les monnaies, les sceaux, mais aussi tous les témoignages figurés fournis par l'archéologie ; certains supports méritent une attention particulière par la richesse des informations fournies, en particulier le papyrus conservé dans certaines conditions de climat sec, à l'abri de toute humidité. Carlo Ginzburg, dans *Mythes, emblèmes, traces. morphologie et histoire*, Paris, 1989, p. 149, rapporte la tradition chinoise qui attribue l'invention de l'écriture à un haut fonctionnaire qui avait observé les empreintes d'un oiseau sur la rive sablonneuse d'un fleuve. L'homme aurait su lire avant de savoir écrire. De même l'historien, et tout particulièrement le spécialiste d'histoire ancienne qui travaille sur des traces balayées longuement par les vents, ne doit pas oublier que la trace n'a pas le même statut que le langage, qu'il lui faut chercher toutes sortes d'indices et qu'il reste, en fin de compte, presque d'instinct, un chasseur.

Ces documents variés sont, enfin, à rapprocher les uns des autres, à comparer, à confronter ; les conclusions qu'on en retire viennent se conforter l'une l'autre, mais parfois aussi se contredire ; plus encore que pour d'autres périodes plus riches, l'historien de l'Antiquité a intérêt à croiser les sources de divers types, à les mettre en parallèle, à leur faire subir plusieurs éclairages ; c'est là tout le travail de l'historien, pour l'Antiquité comme pour les autres périodes historiques. En histoire contemporaine, on en vient à devenir spécialiste de la presse, des archives filmées ou des sondages d'opinion, en raison de l'énormité des archives. En histoire ancienne, on ne saurait être simplement le spécialiste, le technicien de numismatique, ou d'épigraphie ou de papyrologie ; l'historien de l'Antiquité doit pouvoir faire la synthèse des informations fournies par chaque discipline qui concourt à la construction de l'histoire.

LES SOURCES LITTÉRAIRES

Elles sont les plus connues, les plus utilisées grâce aux travaux des philologues qui mettent à notre disposition des textes établis avec beaucoup de sérieux et parfois traduits dans des collections de textes qui les rendent accessibles à tous les lecteurs désireux de découvrir cette tradition littéraire : c'est le cas, en langue française, de la *collection des universités de France*, publiée sous le patronage de l'Association Guillaume-Budé, qui donne, à la fois, le texte grec ou latin et, en parallèle, la traduction française ; beaucoup a été fait déjà, mais il reste encore bien des œuvres intéressantes qui sont partiellement traduites et publiées ou parfois ne le sont pas du tout. Certes, des efforts parallèles ont été menés dans bien des pays (en Allemagne avec les éditions Teubner qui donnent seulement le texte grec ou latin, en Grande-Bretagne, en Italie), mais on aspire à l'achèvement de cette vaste entreprise, qui doit être menée en collaboration entre philologues et historiens, afin de rendre plus exactement les termes institutionnels et fournir des informations plus complètes sur la géographie historique des régions décrites ou des sites archéologiques pouvant correspondre à des villes ou des forteresses anciennes.

Leur transmission

• *Les manuscrits.* L'utilisateur de ces sources littéraires doit se poser, d'abord, la question de la transmission de ces œuvres : comment un discours du IVe siècle av. J.-C. peut-il nous être conservé ? Certes, il n'est pas demandé à chacun de se reporter aux manuscrits les plus anciens, c'est précisément le travail des philologues, et une édition critique contient nécessairement, en introduction, des précisions sur la façon dont cette œuvre nous a été transmise à travers plus de deux millénaires. Si la curiosité, bien légitime, conduit le lecteur à s'intéresser à ce problème, il est souvent frappé par la date relativement récente des manuscrits utilisés, ce qui signifie qu'entre l'œuvre originelle et le plus ancien manuscrit, il a pu s'écouler seize ou dix-sept siècles, durant lesquels l'œuvre a fait l'objet de multiples copies à la main. Je prendrai comme exemple les trois discours de Dinarque, publiés par M. Nouhaud et traduits par L. Dors-Méary, CUF, Paris, 1990, tout récemment parus : l'auteur indique que « les manuscrits de Dinarque ne sont pas nombreux. Ils se réduisent à deux principaux : A — *Crippsianus* ou *Burneianus* 95, du début du XIVe siècle ; N — *Bodleianus Auct.* T.2.8, sans doute du XIVe siècle » ; les autres manuscrits, qui dérivent de A et les uns des autres ensuite, sont du XVe siècle. C'est dire que ces trois discours de Dinarque, adversaire de Démosthène lors de l'affaire d'Harpale, écrits en 322, ne nous parviennent qu'à travers des copies manuscrites qui datent des années 1300-1400, soit plus de 1 600 ans après qu'ils ont été écrits. Ces copies étaient exécutées par des scribes, souvent des moines, à partir d'un texte antérieur ; avant l'invention de l'imprimerie, c'était là le seul moyen de faire connaître une œuvre, d'enrichir une bibliothèque par des copies d'œuvres conservées dans d'autres bibliothèques. Il faut bien dire que ces copistes n'étaient pas toujours des moines de grande culture ; ils risquaient donc de faire des fautes, des mauvaises lectures, d'omettre une ligne ou d'inventer des corrections à l'œuvre telle qu'elle était dans le manuscrit précédent ; il suffit de connaître un peu l'état des manuscrits dans certains monastères du mont Athos ou des Météores, pour s'inquiéter de la qualité des textes conservés et imaginer la façon dont ils étaient copiés avant la découverte de l'imprimerie. Il se trouve que, pour les trois discours conservés de Dinarque, on dispose en plus actuellement de trois papyrus des IIe et IIIe siècles apr. J.-C. qui font connaître une partie du *Contre Démosthène* et du *Contre Philoklès* ; ce sont là des documents beaucoup plus proches de l'œuvre originale, car ils ont pu être copiés directement sur le texte conservé dans la bibliothèque d'Alexandrie ou avec des intermédiaires bien moins nombreux que n'en ont connu les manuscrits du XIVe siècle. Le philologue, qui a établi le texte pour la nouvelle édition de Dinarque, a donc comparé les lectures des manuscrits avec celles des papyrus, qui donnent une version moins altérée de ces discours.

• *Cet exemple montre l'importance de la tâche du philologue* pour l'établissement du texte, dans l'espoir qu'il soit le plus proche possible de l'œuvre rédigée par l'auteur antique, et aussi le risque de déformation de l'œuvre originale par ses multiples copies successives durant toute la période médiévale. L'altération de l'œuvre originale peut avoir d'autres causes : dans *Le Nom de la Rose*, Umberto Eco imagine l'exemplaire d'une partie de *La Poëtique* d'Aristote, consacrée à la comédie, caché dans la bibliothèque d'un couvent bénédictin d'Italie du Nord, au XIVe siècle : situation paradoxale puisque Aristote est redevenu à la mode, à cette époque-là, depuis deux siècles et qu'en même temps le problème de la tolérance du rire n'a jamais été aussi souvent posé. Doit-on même imaginer destruction ou censure de certains textes par souci moral ? Ce n'est pas impossible.

• *On ne peut que regretter les destructions des grandes bibliothèques* de l'Antiquité, à Athènes, à Alexandrie, à Antioche, à Constantinople, à Rome et à

Bagdad. Il est certain que les écrivains du Bas-Empire disposaient d'un matériel antique bien plus riche que celui qui nous est parvenu et les destructions sont souvent tardives : conquête arabe ici, invasions barbares ou invasions mongoles là, passage des Croisés ailleurs ont provoqué des destructions irréparables, que le patient travail des philologues essaie de rattraper, sans être jamais sûrs d'y parvenir réellement. A Alexandrie, c'est dès 47 av. J.-C., lors de la prise de la ville par César, que la bibliothèque a brûlé, bibliothèque riche, dit-on, de sept cent mille volumes ou rouleaux manuscrits (par comparaison, la Bibliothèque nationale, à Paris, compte douze millions d'imprimés) ; ce qui pouvait subsister d'écrits égyptiens recopiés et conservés dans la bibliothèque du temple de Sérapis a été ensuite détruit dans l'incendie de ce temple, à Alexandrie même, en 391. Les pertes d'œuvres antiques sont considérables : des quarante livres de l'*Histoire* de Polybe, nous n'avons dans leur entier que les cinq premiers conservés dans un manuscrit du XIe siècle ; pour les dix-huit premiers livres nous disposons d'un recueil d'extraits fait à l'époque byzantine, dit *Epitomè* ou *Excerpta antiqua* ; pour le reste, il faut seulement compter sur quelques citations d'historiens et de géographes anciens, divers recueils confectionnés au Xe siècle à la demande de Constantin VII Porphyrogénète ; enfin, Tite-Live a souvent traduit en latin et démarqué le texte de Polybe, mais en n'oubliant jamais de le modifier pour la plus grande gloire de Rome. De l'œuvre de Tite-Live, écrite en cent quarante-deux livres, il ne nous reste que trente-cinq livres, avec des fragments et des résumés. La *Bibliothèque historique* de Diodore de Sicile en quarante livres n'est conservée que pour les livres I à V, XI à XX et des fragments.

On pourrait poursuivre ce constat désastreux en multipliant les exemples ; on se limitera à observer la disparition presque complète de toute tradition littéraire pour certaines époques : ainsi pour le siècle qui suit la mort d'Alexandre le Grand, en 323, la tradition historique est un vaste champ de ruines ; aucune des grandes œuvres historiques contemporaines n'est conservée, que ce soit celle de Hieronymos de Cardia ou celle de Phylarchos ; elles ont été utilisées postérieurement par Diodore, par Arrien, par Plutarque pour la première, par Polybe, Trogue-Pompée, Plutarque pour la seconde. Le récit même du règne d'Alexandre ne repose plus sur les écrits de ses contemporains dont les œuvres ont toutes disparu, mais sur des œuvres d'époque augustéenne (Diodore de Sicile et Trogue-Pompée), ou du règne de Vespasien (*Histoire d'Alexandre* de Quinte-Curce), ou du IIe siècle (*L'Anabase* d'Arrien de Nicomédie, ou *La Vie d'Alexandre* de Plutarque). Il faut tenir compte de ce décalage chronologique entre les événeqments racontés et la date où ils le sont : trois ou quatre siècles de distance ne sont évidemment pas de nature à faire prendre cet auteur pour un témoin direct ! Comme si, de nos jours, les guerres de religion émergeaient à peine du néant. (Sur Flavius Arrien et, plus généralement, sur la portée du « mythe d'Alexandre », il faut lire la remarquable introduction de Pierre Vidal-Naquet à *Histoire d'Alexandre*, par Arrien, trad. Pierre Savinel, Éditions de Minuit, Paris, 1984, p. 309-394.)

● *Un exemple.* Certains manuscrits ont une histoire particulièrement extraordinaire, comme les manuscrits de la mer Morte, trouvés à partir de 1947 dans les grottes de la falaise de Qumrân ; dans la première grotte, un jeune berger bédouin, à la recherche d'une brebis égarée, trouva, dans des jarres d'argile munies de couvercle, des rouleaux de peau manuscrits soigneusement enveloppés dans un linge de lin ; en dix ans de recherche, onze grottes ont fourni un matériel important, y compris des rouleaux de cuivre écrits en caractères hébreux : au total, manuscrits des livres bibliques, commentaires de passages bibliques provenant d'une secte, recueils de règlements concernant l'admission d'adeptes, genre de vie prescrit à ceux-ci, organisation de ce groupement qui doit, sans doute, être assimilé aux Esséniens connus par Flavius Josèphe, Philon d'Alexandrie et Pline l'Ancien.

Leur utilisation

Il convient, donc, pour utiliser les sources littéraires, de bien connaître l'auteur, sa vie, son milieu de vie, son époque ; ce sont des éléments qui permettent aussi d'attribuer plus ou moins de crédibilité à son œuvre. Très souvent, l'auteur écrit dans un but bien déterminé ; il n'est pas toujours détaché de tout esprit partisan. Même s'il s'y efforce, il peut être marqué par son milieu d'origine et écrire pour des lecteurs précis : ainsi Tacite écrit pour les sénateurs présents et futurs, pour les *optimates*. Pierre Grimal note dans sa biographie de *Tacite*, Paris, 1990, p. 260 : « Pour rendre ses leçons efficaces, il sera contraint de rapporter, à maintes reprises, les propos indignes, les motions bassement courtisanes des Pères, sous Tibère et ses successeurs : "Je n'ai pas pris comme règle d'exposer toutes les propositions faites au Sénat, mais seulement celles qui se firent remarquer soit par leur valeur morale, soit par une particulière ignominie, parce que j'estime que la principale fonction des annales est que les qualités morales ne sombrent pas dans l'oubli et que ce qui est mauvais, en paroles ou en actes, craigne que la postérité ne le juge infâme", *Annales,* III, 65. »

Tous les témoignages ne sont pas de même valeur et ils doivent être examinés et appréciés pour ce qu'ils sont réellement : il est certain qu'une comédie d'Aristophane, de Plaute ou de Térence apporte un éclairage très vivant sur un milieu, une cité à un moment précis, mais son but est de faire rire les spectateurs, de les distraire par l'outrance des travers de chaque personnage ; le succès est à ce prix, on ne saurait donc s'en tenir à une lecture au premier degré : lorsque Plaute, dans *Les Ménechmes*, décrit la cité d'Epidamne-Dyrrhachion comme peuplée « de grands noceurs et de grands buveurs », chacun des spectateurs sait bien quelle part d'exagération entre dans une telle description, qui rejoint tout de même l'idée qu'on se fait à Rome du port de l'Adriatique, qualifié plus tard par Catulle de « taverne de l'Adriatique ». Le plaidoyer politique ou la plaidoirie d'avocat veut convaincre une assemblée, un tribunal ; il est construit comme une démonstration de l'innocence de l'accusé, ou au contraire de sa noirceur, il cherche à orienter la majorité dans un vote. La lecture des orateurs du IVe siècle doit tenir compte de cet engagement de l'avocat comme de l'homme politique pour une cause ; on ne peut donc lui demander la modération, l'impartialité ; c'est une œuvre engagée et elle doit être lue comme telle et interprétée en conséquence. Il convient également de tenir compte du rôle des techniques enseignées par les sophistes dans l'art oratoire. Il est aussi nécessaire de savoir dans quel ordre les orateurs sont intervenus, car il est sûr que Démosthène charge davantage son adversaire, Eschine, lorsqu'il parle en dernier, comme dans le procès *Sur la Couronne*, que dans le procès *Sur l'Ambassade*.

Les historiens anciens

Au début d'un essai qu'il consacre à l'histoire du critère du vrai et du faux, *Les Grecs ont-ils cru à leurs mythes ?*, Paul Veyne offre une clé qui permet d'expliquer la démarche des historiens antiques, démarche fort lointaine de ce que nous appelons désormais « Histoire » : « Selon la conception (des Anciens), la vérité historique était une vulgate que consacre l'accord des esprits au long des siècles » (page 18). Dès lors, il n'est question ni de réel travail critique, ni d'annotations, ni de distinction entre sources primaires et sources secondaires, notions qui n'ont à proprement parler aucun sens dans cette perspective. A l'origine de l'Histoire, l'enquête — puisque c'est là le sens primitif du mot *historia* — fait prévaloir l'argument d'autorité dont Hérodote est un des premiers à user ; l'Histoire ne naît pas de la controverse, du débat entre savants, mais de l'enquête, du récit de voyage, de la familiarité avec une foule d'informateurs dont il est inutile de dire le nom. Pour les historiens modernes qui ne font plus confiance aveuglément à la vulgate, non qu'ils soient moins crédules que les contemporains, mais parce que le « critère de vérité » a changé, quelle est la démarche possible ?

L'historien moderne doit s'efforcer de mettre en contact le récit qui lui parvient et les autres sources dont il dispose. Mais ce ne serait là que faire la moitié du chemin : le but des modernes n'est pas de justifier l'autorité de tel ou tel auteur. A la différence des historiens antiques, l'historien moderne s'efforce d'interpréter les éléments dont il dispose, il n'est pas seulement un compilateur. En outre, l'historien moderne lecteur des historiens antiques cherchera à rendre compte des modes d'écriture de l'histoire : comme l'écrit encore Paul Veyne, « lorsqu'un texte est une vulgate, il est tentant de confondre ce que son auteur a matériellement écrit et ce qu'il a dû écrire pour être digne de lui-même ; lorsqu'une histoire est une vulgate, on distingue mal ce qui s'est effectivement passé de ce qui n'a pas pu ne pas se passer, de par la vérité des choses ; tout événement se conforme à son type et c'est pourquoi l'histoire des siècles obscurs de Rome est peuplée de récits très détaillés, dont les détails sont à la réalité ce que les restaurations à la Viollet-le-Duc sont à l'authenticité » (page 21). C'est une tâche d'autant plus difficile pour l'historien moderne que l'historien antique qu'il étudie jouit d'une meilleure réputation.

• *Par exemple Hérodote*, dont les historiens positivistes ont fait le « père de l'histoire », non pas au sens de l'inventeur d'un genre littéraire, mais de l'initiateur d'une méthode scientifique. Dès lors, comme le remarque Catherine Darbo-Peschanski dans *Le Discours du particulier, essai sur l'enquête hérodotéenne*, Paris, 1987, « tous les passages du texte — et ils sont nombreux — qui manifestent le caractère peu systématique de la critique des documents, le goût du merveilleux et de l'inclassable, qui malmènent notre logique, sont considérés comme des faux pas, des défauts de jeunesse. On n'en donne aucune interprétation ».

• *On rappelle volontiers d'ordinaire le caractère très novateur de l'œuvre de Thucydide* : contemporain de la médecine hippocratique et de la sophistique, doté d'un style rigoureux et d'un esprit scientifique exercé, il a un réel souci de l'information, il enquête soigneusement : « En ce qui concerne les actes qui prirent place au cours de la guerre, je n'ai pas cru devoir, pour les raconter, me fier aux informations du premier venu, non plus qu'à mon avis personnel : ou bien j'y ai assisté moi-même, ou bien j'ai enquêté sur chacun auprès d'autrui, avec toute l'exactitude possible. J'avais d'ailleurs de la peine à les établir, car les témoins de chaque fait en présentaient des versions qui variaient, selon leur sympathie à l'égard des uns ou des autres, et selon leur mémoire » (I, 22,2-3). Pour expliquer le déclenchement de la guerre du Péloponnèse, « j'ai commencé par indiquer, en premier lieu, les motifs et les sources de différends, afin d'éviter qu'on ne se demande un jour d'où sortit, en Grèce, une guerre pareille. En fait, la cause la plus vraie est aussi la moins avouée : c'est à mon sens que les Athéniens, en s'accroissant, donnèrent de l'appréhension aux Lacédémoniens, les contraignant ainsi à la guerre » (I, 23, 5-6). Il ne se contente pas de raconter, de faire une chronique, il veut connaître la cause vraie. Se limitant aux vingt premières années de la guerre du Péloponnèse, jusqu'à l'été 411, Thucydide fait aussi le procès des hommes politiques, qui, après Périclès, n'ont pas su conduire Athènes dans cette guerre difficile et l'ont menée progressivement vers la défaite ; homme politique et victime des charges qu'il a acceptées lors de sa stratégie, Thucydide n'est pas seulement un excellent historien de la guerre, il est aussi un observateur attentif des pratiques politiques d'Athènes. Aussi son œuvre historique se présente-t-elle comme une politique rectifiée, achevée, utile aux générations suivantes. Dès lors, même un historien comme Thucydide doit être utilisé avec précaution, et il le sait puisqu'il a l'honnêteté de prévenir son lecteur de la façon dont il a rédigé les discours fréquemment rapportés chez lui en style direct : « J'ajoute qu'en ce qui concerne les discours prononcés par les uns et les autres, soit juste avant, soit pendant la guerre, il était bien difficile d'en reproduire la teneur même avec exactitude, autant pour moi, quand je les avais personnellement entendus, que pour quiconque me les rapportait de telle ou telle provenance : j'ai exprimé ce qu'à mon avis ils auraient pu dire qui répondît le mieux à la situation, en me tenant, pour la pensée générale, le plus près possible des paroles réellement prononcées : tel est le contenu des discours » (I, 22, 1). Le lecteur de cette fin du XXᵉ siècle doit y faire attention : lorsqu'il lit un discours de Périclès rapporté par Thucydide, il ne lit pas le texte authentique du discours prononcé par le célèbre orateur, mais une construction imaginée par Thucydide, avec un certain décalage dans le temps, c'est-à-dire qu'il connaissait la suite des événements quand il recomposait les paroles prêtées à Périclès ou à quelque autre orateur mêlé à la guerre du Péloponnèse. En outre, comme le montre bien Catherine Darbo-Peschanski dans « La politique de l'histoire : Thucydide historien du présent », *Annales ESC*, mai-juin 1989, p. 653-675, la supériorité scientifique prêtée d'ordinaire à Thucydide vient peut-être de la rigueur de ses critiques, « les faiblesses de la politique accréditant par contraste les vertus de l'histoire ». « La première trahit la vérité, ajoute-t-elle, et l'on est prêt à admettre que la seconde, parce qu'elle se fait juge de la trahison, est capable, elle, de faire triompher le vrai ; l'une échoue à assurer le bien de la cité et la dénonciation de cet échec donne toute sa force de persuasion à l'autre quand elle promet une utilité éternelle. »

● *Polybe* a le grand mérite, pour nous, de faire le lien entre Rome et la Grèce : natif de Mégalopolis en Arcadie et otage achéen à Rome, il écrit l'histoire de l'expansion romaine sur le bassin méditerranéen, depuis le début de l'intervention romaine en Grèce jusqu'à la prise de Numance en 133. Il veut expliquer ce triomphe romain, dont sa patrie a souffert et qui lui paraît inéluctable. Aussi entreprend-il une description des institutions romaines, dont le but manifeste est de rendre raison de la victoire de Rome sur ses adversaires grecs. Témoignage précieux, dira-t-on, puisqu'il permet de connaître le regard d'un Grec sur les facteurs de la domination romaine. En réalité, comme le démontre Arnaldo Momigliano dans un bel article, « Polybe et Poseidonios », *Sagesses barbares, les limites de l'hellénisation*, Paris, 1979, Polybe est le prototype même de l'historien qui ne s'étonne jamais, à l'inverse d'Hérodote qui s'étonne toujours : arrivé dans une Rome considérablement hellénisée, s'étant lié d'amitié avec les deux fils survivants de Paul-Emile, participant ainsi à la vie intellectuelle du cercle des Scipion, Polybe ne cherche pas à contempler Rome à distance et se tourne vers les anciennes vertus de la ville. La tranquillité de l'âme que procure, pour le vaincu, la contemplation des vertus du vainqueur n'incite pas à pousser plus avant les recherches. Dès lors, Polybe ne dit rien des dissensions au sein de la classe dirigeante romaine, du scandale des Bacchanales ; sa présentation de la constitution mixte de la Rome républicaine, véritable fiction institutionnelle qui a fait une grande partie de sa réputation à l'époque moderne, selon Momigliano, vient peut-être aussi de cette répugnance à poser les vrais problèmes, en l'occurrence celui des liens délicats entre Rome et ses alliés. Arnaldo Momigliano lance donc une proposition stimulante : « Si vous voulez comprendre ce qu'était la Grèce sous la domination romaine, lisez Polybe et tout ce que vous pensez pouvoir attribuer à Poseidonios (philosophe stoïcien du premier siècle av. J.-C., élève de Panaitos et continuateur de Polybe pour la période suivant 146 av. J.-C.) ; si vous voulez comprendre Rome dominant la Grèce, lisez Plaute, Caton et Mommsen. »

• *L'histoire à Rome* n'a pas toujours été conduite avec le souci d'exactitude cher à Thucydide et à Polybe. César peut-il même être considéré comme historien, alors qu'il fait surtout sa propre histoire à sa propre gloire ? Son intention apologétique est fort gênante et on a souvent exagéré l'exactitude de ses descriptions, allant jusqu'à chercher tel ou tel site et tel ou tel détail de bataille, en circulant sur le terrain avec le *Commentaire de la guerre des Gaules* à la main ; que dire de sa discrétion lorsqu'il subit un échec face à Pompée ? Il sait habilement glisser sur l'événement pour en minimiser l'importance. Salluste voulait imiter Thucydide mais n'en a pas l'impartialité et ne cache pas toujours son zèle démocratique pour s'en prendre aux nobles ; il est vrai qu'avant d'écrire son *Jugurtha* il a fait un gros effort d'information, même auprès des sources indigènes durant sa préture d'Afrique. Tite-Live, dans sa préface, ne cache pas qu'il écrit pour glorifier sa patrie, il veut « perpétuer le souvenir des exploits du premier peuple du monde » ; d'autre part, l'histoire fournit de beaux exemples : « Le fruit le plus important, le plus salutaire de la connaissance de l'histoire, c'est qu'on considère toute sorte d'exemples instructifs mis en pleine lumière. On trouve là, pour soi, pour sa cité, des modèles à imiter, là aussi, des entreprises honteuses par leur début, honteuses par leur issue, à éviter. » Tacite a plus de qualités, il veut chercher les causes et ne veut pas s'arrêter aux péripéties ; il promet d'écrire sans colère et sans parti pris, mais l'œuvre historique doit garder la dignité, donc on ne confie aux *Annales* que les faits éclatants en laissant les autres de côté ; l'histoire est, pour lui, un enseignement moral, comme il le rappelle dans le passage, déjà cité, des *Annales,* III, 65.

● *Ce ne sont pas nos seules sources écrites.* Le développement sur les historiens anciens ne doit évidemment pas laisser le sentiment que seules leurs œuvres sont utiles à l'historien actuel qui s'intéresse à l'Antiquité. Se limiter à l'œuvre des historiens serait réduire l'histoire de la Grèce à la période classique et hellénistique, puisque Hérodote est le premier à faire œuvre d'historien à l'époque de Périclès ; pour toute la période antérieure, c'est l'épopée, la poésie qui peuvent transmettre quelques indications, qu'il faut essayer d'interpréter. On débat encore pour savoir si *L'Iliade* et *L'Odyssée* décrivent un monde contemporain de la guerre de Troie, ou le monde contemporain d'Homère, au VIIIe ou VIIe siècle av. J.-C. ; de même les auteurs de comédies, Aristophane, Ménandre, Plaute ne rapportent pas exactement la vie de leurs contemporains ; leur rôle est de faire rire et, pour cela, ils déforment la réalité, accusent les traits, ce qui ne leur enlève pas, bien entendu, tout l'intérêt que l'historien peut y prendre, à condition de replacer ces œuvres à leur juste place dans leur rapport au réel, à l'imaginaire et au symbolique. Tous les écrits du passé sont enrichissants, chacun à sa manière, et il est sûr que la Correspondance de Cicéron comme celle de Pline le Jeune sont des mines d'informations au moins aussi précieuses que bien des écrits historiques. Il convient simplement d'aborder chaque type de document écrit en sachant quelle est sa nature, son originalité, les précautions à prendre pour l'utiliser à bon escient.

LES INSCRIPTIONS

Place des inscriptions dans l'Antiquité

On peut être surpris d'observer la place considérable qu'occupaient dans l'Antiquité les inscriptions généralement gravées sur pierre mais parfois sur des plaques de bronze. Notre XXe siècle est beaucoup plus pauvre en documents du même genre, en dehors des cimetières, aux inscriptions généralement très brèves, des monuments aux morts présents dans chaque commune de France depuis la fin de la Première Guerre mondiale, des plaques indiquant les noms de rues et d'inscriptions rappelant que tel grand homme a vécu dans tel ou tel immeuble, parfois d'ex-voto dans les églises. Les villes et les sanctuaires antiques étaient encombrés de telles inscriptions ; les murs étaient couverts de textes, comme par exemple le mur polygonal qui soutient la terrasse du temple d'Apollon à Delphes sur lequel on peut lire un millier d'actes d'affranchissement d'esclaves ; parfois, la même pierre servait à graver successivement plusieurs textes : d'un côté un texte grec, de l'autre un texte latin dans des sites où les deux cultures se sont imposées l'une après l'autre.

● *L'abondance des inscriptions* dans le cadre de vie des Anciens ne signifie pas du tout que les archives de la ville étaient sur la place publique ou dans la rue. Certains textes sont très explicites sur cette distinction entre les copies déposées aux archives et les stèles placées dans la cité ou dans un sanctuaire : une grande inscription trouvée à Ambracie, récemment publiée (Pierre Cabanes et Joanna Andreou, « Le règlement frontalier entre les cités d'Ambracie et de Charadros », *BCH*, 109, 1985, p. 499-544 et 754-757), distingue bien les stèles que les deux cités laisseront dans leur sanctuaire respectif, puis les stèles de bronze placées dans le sanctuaire de Zeus Olympios à Elis et dans celui d'Apollon Kerdoios à Larissa, stèles rédigées exactement comme à Ambracie et à Charadros ; enfin les deux cités déposent des copies dans les archives (*grammatophylakeion*, c'est-à-dire le lieu où l'on garde les écrits) ; ces textes déposés aux archives étaient écrits sur papyrus ou sur parchemin. L'accueil des archives est aussi la fonction du *Tabularium* qui domine le Forum républicain à Rome sur le versant du Capitole. Il faut donc chercher un autre rôle aux innombrables stèles qui encombraient villes et sanctuaires antiques.

• *Elles ne sont pas l'équivalent de nos affiches* ; les Anciens avaient aussi un affichage temporaire qui se réalisait sur des tablettes ou des panneaux, peints en blanc (*album* en latin qui est devenu un nom commun en français, *leukôma* en grec) et qui permettaient de porter à la connaissance du public la liste des citoyens appelés à servir dans la prochaine campagne militaire (comme on le voit dans la comédie d'Aristophane, *La Paix*, 1179-1190, où le Coryphée se plaint que les paysans soient inscrits sur la liste, plus souvent qu'à leur tour : « Voici un citoyen qui n'a pas acheté de vivres ; il ignorait qu'il dût partir. Puis planté devant la statue de Pandion il a vu son nom sur la liste et, ne sachant que penser de cette disgrâce, il court le regard humide. Voilà comme ils nous traitent, nous les paysans ; envers ceux de la ville ils en usent moins mal, ces lâcheurs de boucliers devant les dieux et les hommes ») ou telle autre décision d'intérêt général. La gravure sur pierre a un autre but, elle est une publicité universelle et durable ; c'est pourquoi sont particulièrement recherchés les emplacements les plus fréquentés, comme les sanctuaires panhelléniques, les places publiques, le voisinage des temples dans les cités, l'entrée des théâtres ; c'est aussi ce qui explique l'abondance des inscriptions honorifiques destinées à louer les mérites de tel ou tel bienfaiteur public ; l'*évergète* tient à ce que sa générosité soit connue et à ce que le souvenir de ses bienfaits se perpétue bien au-delà de sa propre vie.

L'inscription est un témoin direct

L'inscription présente l'intérêt d'être presque toujours un document primaire, un témoin direct qui nous parvient sans intermédiaire, à la différence des sources littéraires transmises par des manuscrits recopiés les uns sur les autres pendant des siècles. Le graveur, le lapicide, est le seul intermédiaire qui recopie le modèle manuscrit qui lui était remis par un magistrat ou par un particulier ; dès lors le risque de faute est très réduit. Le lecteur d'une inscription a donc directement connaissance du texte gravé au Ve ou au IIIe siècle av. J.-C., et parfois même bien plus anciennement. Les textes de Linéaire B, qui ont tant intéressé les spécialistes de l'époque mycénienne depuis quarante ans, sont essentiellement écrits sur des briques d'argile, qui ont été cuites dans l'incendie des palais et qui ont ainsi été conservées intactes, alors que les comptes qu'elles portent étaient destinés à être effacés dès l'année suivante pour établir les nouveaux inventaires. C'est vraiment une transmission directe à travers les siècles et le découvreur d'une inscription nouvelle éprouve une sensation de curiosité intense et de grande joie à déchiffrer le nom d'une communauté civique ou ethnique nouvelle, dont aucun texte littéraire ou épigraphique n'avait jamais parlé et, qui, grâce à cette pierre ou à cette plaque de bronze, retrouve vie après deux millénaires d'oubli.

Le document épigraphique est source d'un renouvellement constant de l'histoire de l'Antiquité ; comme le disait Louis Robert : « L'épigraphie apporte à l'histoire ancienne une fraîcheur toujours renouvelée ; elle lutte contre la sécheresse des discussions sans fin sur des textes malaxés depuis quatre siècles » (dans *L'Histoire et ses méthodes*, publié sous la direction de Ch. Samaran, Paris, coll. La Pléiade, 1961, p. 462). L'apport des inscriptions à l'histoire de l'Antiquité est considérable et très divers. Elles fournissent bien des éléments qui nous manquaient sur l'histoire politique, en nous procurant directement des textes de lois et de décrets, des traités réglant les relations entre deux ou plusieurs communautés, en faisant connaître les institutions de bien des Etats que les textes littéraires passent sous silence totalement. Mais c'est certainement l'histoire sociale qui profite le plus des inscriptions, car elles font vivre les cités dans leur quotidien, révèlent les tensions, mettent en valeur les transformations, que ce soit sous la forme d'actes d'affranchissement qui indiquent les voies d'accès à la liberté mais aussi le droit de propriété du seul chef de famille ou de toute la maisonnée, ou sous la forme de décrets honorifiques qui chantent les louanges de riches citoyens protecteurs de leur cité et de leurs concitoyens (cf. encadré p. 59).

La diversité des inscriptions

● *Les lois et décrets* : il peut s'agir de traités de paix et d'alliance, de fusion entre deux communautés, d'arbitrages entre deux collectivités en conflit ; plus tard peuvent être assimilés à ce même type de documents publics les lettres royales et impériales qui ont normalement valeur de lois, les comptes rendus d'un règne comme les *Res Gestae* d'Auguste à Ankara, le tarif de Dioclétien fixant le prix maximal des denrées et les salaires ; s'y ajoutent les très nombreux décrets honorifiques, qui ont, en particulier à Athènes, une composition très structurée et toujours identique qu'il est bon de connaître (cf. encadré p. 000).

● *Les documents religieux* : là aussi on rencontre une grande diversité de textes : dédicaces à une divinité, ex-voto, règlements religieux ou concernant les biens du sanctuaire, institutions de nouvelles fêtes, comptes et inventaires de temples, listes de théarodoques (qui reçoivent les théores, envoyés par un sanctuaire dans les cités et Etats où ils passent), inscriptions agonistiques, inscriptions oraculaires (les plus intéressantes sont celles qu'on retrouve sur les lamelles de plomb dans le sanctuaire de Dodone, puisqu'à Delphes les questions devaient être écrites sur un matériau qui n'a pas permis leur conservation).

● *Les documents privés* : on pense en particulier aux actes d'affranchissement d'esclaves, qui sont souvent aussi des actes religieux gravés dans un sanctuaire

L'APPORT DES INSCRIPTIONS

Quelques exemples précis peuvent permettre de mesurer l'apport des inscriptions dans des domaines divers :

1 – La Table claudienne de Lyon (48 apr. J.-C.)
« Certes, ce fut une initiative hardie que prirent mon grand-oncle maternel, le divin Auguste, et mon oncle Tibère César, lorsqu'ils voulurent que toute la fleur des colonies et des municipes, de n'importe quelle région, s'agissant bien entendu de personnalités honorables et riches, puisse entrer dans cette curie. Eh quoi ? Un sénateur italien ne doit donc pas être préféré à un provincial ? J'aurai bientôt, quand j'en viendrai à vous faire approuver cette partie de ma censure, à vous exprimer sur ce point mon avis. Mais je ne crois pas qu'il faille repousser les provinciaux, pourvu qu'ils puissent faire honneur à la curie.

Voyez cette très distinguée et très puissante colonie des Viennois, qui depuis longtemps déjà fournit des sénateurs à cette curie ! C'est de cette colonie que sort Lucius Vestinus, qui honore plus que beaucoup l'ordre équestre, que j'aime d'une très proche affection et que je retiens actuellement dans mes services. Puissent, je vous prie, ses enfants accéder au premier degré des sacerdoces, afin de parvenir plus tard, avec les années, à l'élévation de leur dignité...

C'est maintenant le moment, Tibère César Germanicus, de révéler aux Pères conscrits le but de ton discours, car tu es déjà parvenu aux limites extrêmes de la Gaule narbonnaise.

Voyez tous ces brillants jeunes gens, qui sont devant mes yeux ! Il n'y a pas plus de raison de regretter de les voir sénateurs, que de regretter de voir Persicus, de très grande noblesse et mon ami, lire parmi les portraits de ses ancêtres le nom d'Allobrogique. Et si vous approuvez qu'il en soit ainsi, que désirez-vous d'autre, sinon que je vous montre du doigt que le sol même qui se trouve au-delà de la Narbonnaise vous envoie déjà des sénateurs, puisque nous avons dès maintenant dans notre ordre des personnalités de Lyon, dont nous n'avons pas à regretter la présence ? Timidement certes, Pères conscrits, j'ai dépassé les bornes provinciales qui vous sont accoutumées et familières, mais c'est ouvertement que doit être maintenant plaidée la cause de la Gaule chevelue. Et si on considère que ses habitants ont fait pendant dix ans la guerre au divin Jules (César), il faut aussi mettre en regard leurs cent années d'immuable fidélité et d'obéissance plus qu'éprouvée, en de nombreuses circonstances critiques pour nous. Lorsque mon père Drusus soumettait la Germanie, ils lui ont assuré une paix garantie par leur calme et la sécurité sur ses arrières, et cela au moment même où la guerre le détournait du recensement, opération alors nouvelle et insolite pour les Gaulois » (lignes 41-78).

Cette belle inscription latine sur une table de bronze, conservée au Musée gallo-romain de Fourvière, fournit un témoignage vivant de la décision de l'Empereur Claude de permettre à des habitants de la Gaule chevelue, déjà citoyens romains, de devenir sénateurs, malgré les réticences du Sénat conservateur ; le texte est à rapprocher de Tacite, *Annales*, XI, 23-25.

2 – Décrets de la communauté des Balaïtes
« Durant la prytanie de Biôn fils de Kleigénès, le 18 du mois Psydreus, le trésorier Aristèn fils d'Exakios ayant fait rapport aux Anciens (*presbyteroi*) et à l'Assemblée (*ekklésia*) (pour montrer) que le péripolarque Aristèn fils de Parmèn a rendu aux Balaïtes de nombreux services, il a plu aux Balaïtes de couronner le *péripolarque* Aristèn fils de Parmèn d'une couronne d'or d'une valeur de cinq pièces d'or pour

sa valeur et son dévouement. Le *péripolarque* Aristèn fils de Parmèn ayant témoigné sa reconnaissance aux Balaïtes pour le privilège qui lui a été conféré et ayant en retour couronné la communauté (*Koinon*) des Balaïtes de la même couronne, il a plu aux Balaïtes que le décret soit transcrit sur une plaque de bronze et qu'elle soit placée dans un endroit bien en vue à cause des services antérieurs qu'il a rendus, que lui et ses descendants prennent part aux affaires communes et que prennent part aussi aux affaires communes ses secrétaires (*grammateis*) Parmèn fils de Teisarchos et Boulos fils d'Abaios. »

Cette inscription du IIe siècle av. J.-C., gravée sur une plaque de bronze trouvée dans la région de Fieri, en Albanie, au voisinage d'Apollonia et de la communauté des Bylliones, est le seul document révélant l'existence de ce petit Etat, de cette communauté ou *Koinon* des Balaïtes qui possède toute une organisation étatique : un Conseil des Anciens, une Assemblée populaire, des magistrats : le prytane éponyme, le trésorier, ce qui suppose des recettes fournies par les impôts pour faire face aux dépenses ; parmi ces dépenses, cette couronne d'or destinée à rendre hommage à un *péripolarque*, c'est-à-dire un officier commandant le détachement de soldats patrouilleurs qui doit être ici comme un mercenaire étranger au service du *Koinon* des Balaïtes, puisque, dans le deuxième décret, les Balaïtes lui accordent le droit de participer aux affaires communes : il reçoit l'équivalent d'un droit de cité chez les Balaïtes.

pour mieux garantir le caractère irrévocable de la décision ; mais il faut aussi y ajouter les comptes, par exemple les tablettes des palais mycéniens en Linéaire B.

• *Les inscriptions funéraires ou épitaphes*, parfois très brèves, parfois très poétiques pour chanter l'activité du défunt de son vivant ou manifester ses regrets d'avoir quitté cette terre.

• *Les graffiti* : inscrits maladroitement par des particuliers dans les endroits les plus inattendus, comme cette inscription du début du VIe siècle av. J.-C. gravée par des mercenaires grecs au service de Psammétique II sur la jambe gauche d'un colosse d'Abou Simbel, sur la haute vallée du Nil, ou comme ces inscriptions de marins en perdition en mer Ionienne sur les falaises des monts Acrocérauniens au lieu-dit Grammata et, près d'Otrante, dans des grottes côtières (cf. encadré p. 61).

La difficulté de leur utilisation

• *Le déchiffrement d'une inscription* n'est pas toujours chose facile ; les supports (pierre, bronze, plomb, brique) ont souffert plus ou moins au cours des siècles, certains ont été brisés, des lettres ont été effacées. Il reste donc à l'épigraphiste tout un travail laborieux, en particulier lorsqu'il est nécessaire de restituer des parties du texte qui manquent ; bien entendu lorsqu'il s'agit de noms propres, de personnes ou de lieux, la restitution est le plus souvent impossible ; en revanche, pour des formules courantes dans les inscriptions, l'utilisation de parallèles, c'est-à-dire la comparaison avec des documents de même genre, peut permettre de reconstituer la formule manquante, tout en se rappelant que les

TITULATURE IMPÉRIALE ET CARRIÈRE SÉNATORIALE

Ce type d'inscriptions est propre au monde romain, mais elles peuvent, bien entendu, être transcrites en grec dans la partie orientale de l'Empire ; elles sont extrêmement intéressantes pour l'étude des institutions impériales et du *cursus honorum,* de la carrière des sénateurs romains.

● Néron (54-68) :
Nero Claudius, fils (par adoption) du divin Claude, petit-fils de Germanicus César, arrière-petit-fils de Tibère César Auguste, arrière-arrière-petit-fils du divin Auguste, César Auguste Germanicus, grand Pontife, pourvu de la puissance tribunicienne pour la XIe fois, Imperator pour la IXe fois, père de la patrie, consul pour la quatrième fois, le XVe jour des calendes de juillet, Aulus Licinius Nerva Silianus et Publius Pasidienus Firmus étant consuls (suffects).
> S. Dusanic, *Germania*, 56, 1978, p. 461-475 (*AE,* 1978, 658)
> Negoslavci (Pannonie inf.) près de Vukovar (Yougoslavie), 17 juin 65.

● Cursus honorum dans l'ordre direct :
A Tiberius Julius Celsus Polemaeanus, fils de Tiberius, consul, proconsul d'Asie, Tiberius Julius Aquila a élevé (ce monument).

(Dédié à) Tiberius Julius, fils de Tiberius, de la tribu Cornelia, Celsus Polemaeanus, consul, proconsul d'Asie, tribun de la troisième légion Cyrénaïque, admis au rang des anciens édiles par le divin Vespasien, préteur du peuple romain, légat des divins Vespasien et Titus pour la province de Cappadoce, Galatie, Pont, Pisidie, Paphlagonie, Arménie Mineure, légat du divin Titus de la quatrième légion Scythique, proconsul du Pont-Bithynie, préfet du trésor militaire, légat d'Auguste propréteur de la province de Cilicie, membre du collège sacerdotal des *quindecimviri sacris faciundis*, curateur des temples et des ouvrages et lieux publics du peuple romain ; Tiberius Julius Aquila Polemaeanus, consul, (a honoré) son père. Les héritiers d'Aquila ont achevé (le monument).
R. Heberdey, *JOEAI*, 7, 1904, Beib. col. 56 (*AE*, 1904, 99) ; *IVE*, VII, 2, 5103.
> Ephèse.

Ce personnage, né dans l'ordre équestre sans doute à Sardes, fait son service militaire comme tribun militaire (69-70) et c'est Vespasien qui l'admet au Sénat comme *adlectus inter aedilicios* ; sa carrière est ensuite plus lente : préteur en 75 ou 76, légat prétorien de la province de Cappadoce-Galatie en 78/79, légat de la IVe légion Scythica en 80/82, proconsul du Pont-Bithynie ca. 83/84, préfet du trésor militaire ca. 85/87, légat de la province de Cilicie ca. 88/89 — 90/91, consul suffect en mai 92, il reste à Rome pour gérer une curatelle, puis obtient enfin le proconsulat de la province d'Asie. Mis à part le consulat et le proconsulat d'Asie, sa carrière est tracée en suivant l'ordre chronologique, du début à la fin de sa vie.

● Cursus de Pline le Jeune, présenté dans l'ordre inverse :
Caius Plinius, fils de Lucius, de la tribu Oufentina, Caecilius Secundus, — consul, — augure, — légat propréteur de la province du Pont-Bithynie avec puissance consulaire envoyé dans cette province avec l'assentiment du Sénat par l'empereur César Nerva Trajan Auguste Germanicus Dacicus, père de la patrie, — curateur du lit du Tibre, des rives et des égouts de la Ville, — préfet du trésor de Saturne, — préfet du trésor militaire, — préteur, — tribun de la plèbe, — questeur de l'empereur, — *sevir* des chevaliers romains, — tribun militaire de la IIIe légion Gallica, — décemvir pour juger les procès, par testament a ordonné d'attribuer pour des thermes x sesterces, pour des compléments en vue de la décoration 300 000 sesterces, et en plus pour l'entretien 200 000 sesterces, de

même il légua à la collectivité pour nourrir ses affranchis 1 800 000 sesterces et 66 666 sesterces dont les intérêts serviraient au repas de la plèbe urbaine, de son vivant il a donné pour une fondation alimentaire des garçons et des filles de la plèbe urbaine 500 000 sesterces, de même pour une bibliothèque, et pour son entretien 100 000 sesterces.

CIL V 5262, Cîme en Transpadane.

L. Caecilius Secundus, devenu, par l'adoption de son oncle maternel C. Plinius Secundus dit Pline l'Ancien, Caius Plinius, fils de Lucius (son père biologique), Caecilius Secundus, a commencé sa carrière en exerçant une des charges du vigintivirat, en étant l'un des *decemviri stlitibus iudicandis* qui jugent les contestations relatives à l'état civil des citoyens, puis il fait son service militaire comme tribun militaire en Syrie dans la troisième légion Gallica (en 81), revient à Rome comme *sevir equitum romanorum*, c'est-à-dire chef de l'un des six escadrons (*turmae*) de chevaliers romains, ce qui est surtout une charge honorifique ; il devient questeur en 89 ou 90 et entre donc au Sénat à l'issue de sa questure, puis tribun de la plèbe en 91 et préteur en 93 ; préfet du trésor militaire de 94 à 96 ou de 95 à 97, il devient sous Trajan *praefectus aerarii Saturni* (98-100), puis consul suffect pour deux ou trois mois, en 103 ou 104 il est augure, en 105 *curator alvei Tiberis et riparum et cloacarum urbis* ; il reçoit, enfin, une mission extraordinaire comme *legatus pro praetore Ponti et Bithyniae consulari potestate*, dans une province qui était jusque-là province sénatoriale, d'où la mention de l'assentiment du Sénat. Il meurt en charge en 113. L'inscription s'achève par l'énumération de ses générosités, par testament et de son vivant, qui ressemblent tout à fait aux pratiques des évergètes de l'Orient grec.

Grecs, plus que les Romains, ont une certaine fantaisie dans l'emploi des formules juridiques ; le stéréotype n'est jamais universel. Il est vrai qu'à l'inverse l'épigraphie grecque est plus simple du fait de l'absence d'abréviations alors que l'épigraphie latine en use systématiquement.

● *Difficulté due aussi à la dispersion des inscriptions,* dont certaines restent inédites longtemps après leur découverte, ce qui est dommage pour la science, mais dont beaucoup surtout sont publiées dans des revues à faible diffusion. C'est pourquoi des efforts sont faits pour réaliser la publication de *Corpus* d'inscriptions, c'est-à-dire de recueils épigraphiques, comme l'avait entrepris au XIXe siècle l'Académie de Berlin en publiant les volumes des *Inscriptiones graecae* ; aujourd'hui ce travail se poursuit souvent par des publications régionales ou nationales. Mais ces volumes donnent nécessairement l'ensemble des inscriptions connues au moment de la rédaction du volume ; les mises à jour ou les rééditions ne sont pas simples à faire. C'est pourquoi il existe d'autres entreprises qui permettent de répondre à cette lacune : c'est le travail réalisé pendant quarante-cinq ans par Jeanne et Louis Robert dans le *Bulletin épigraphique*, publié dans la *Revue des Etudes grecques* et poursuivi par une équipe d'épigraphistes ; ce bulletin se veut critique, il ne se contente donc pas de signaler les inscriptions nouvelles publiées mais propose de nouvelles lectures, des corrections, des restitutions ; le *Supplementum epigraphicum graecum*, qui paraît également chaque année, rassemble tous les textes nouveaux publiés et rend donc de grands services. *L'Année épigraphique* joue, pour l'épigraphie latine, un rôle semblable et sa consultation est indispensable pour être sûr de ne pas oublier des textes nouveaux.

La comparaison des textes littéraires avec des inscriptions traitant des mêmes sujets est évidemment très intéressante, car elle augmente considérablement notre information mais aussi et surtout elle permet de vérifier la crédibilité des auteurs, dans la mesure où le document épigraphique nous transmet sans intermédiaire la décision arrêtée par l'Assemblée ou par quelque autre organe de gouvernement ; cette comparaison constitue un excellent test du sérieux des auteurs antiques, comme le montre l'exemple du traité romano-étolien de 212 av. J.-C. (cf. encadré ci-dessous).

LE TRAITÉ ROMANO-ÉTOLIEN DE 212 AV. J.-C.

Selon Polybe, XI, 5, 1-8 : (Le Rhodien Thrasycratès intervient dans l'assemblée des Etoliens en 207) : « Considérez donc l'erreur dans laquelle vous êtes. Vous dites que vous faites la guerre à Philippe pour le bien des Grecs et pour que, sauvés par vous, ils n'aient plus à lui obéir ? Mais en fait vous combattez pour asservir et ruiner la Grèce. C'est bien là ce que prévoient les clauses de votre traité avec les Romains, un traité qui ne fut d'abord qu'un texte, mais qu'on voit aujourd'hui se traduire dans les faits. Auparavant, il n'y avait que ce texte pour vous faire honte, mais maintenant il y a eu des actes qui ont mis la chose en pleine lumière, sous les yeux de tous. Pour le reste, Philippe n'est qu'un nom qui sert de prétexte à la guerre, car à lui il n'est fait aucun mal. Mais comme il a pour alliés la plupart des Péloponnésiens, les Béotiens, les Phocidiens, les Eubéens, les Locriens, les Thessaliens, les Epirotes, c'est contre ces peuples que vous avez conclu votre traité, qui prévoit que le butin, personnes et biens mobiliers, revient aux Romains, les villes elles-mêmes, avec leur territoire, aux Etoliens. S'il vous arrivait de prendre une ville à vous seuls, vous ne vous permettriez pas d'exercer des violences sur la population libre ni d'incendier les bâtiments, car une telle conduite vous paraîtrait féroce et digne des barbares. Or vous avez conclu un traité par lequel vous livrez tous les autres Grecs aux outrages et aux violences les plus ignominieux. Cela, on ne l'a tout d'abord pas su. Mais, aujourd'hui, après ce qui est arrivé aux gens d'Oréos et aux infortunés Eginètes, vous apparaissez tels que vous êtes aux yeux de tous et on dirait que la Fortune expose à dessein en plein théâtre votre aveuglement. Tel a été le commencement de votre guerre et tel a été, jusqu'à présent, le cours qu'elle a suivi. Et quant au résultat final, si tout se passe selon vos désirs, à quoi donc faut-il s'attendre ? Ne marquera-t-il pas pour la Grèce le début de très pénibles épreuves ? »

Selon Tite-Live, XXVI, 24, 8-15 : « On rédigea donc les conditions dans lesquelles les Etoliens deviendraient les amis et les alliés du peuple romain (...) : les Etoliens feraient aussitôt la guerre à Philippe sur terre ; le Romain les aiderait avec vingt-cinq quinquérèmes au moins ; dans les villes conquises, de l'Etolie jusqu'à Corcyre, sol, maisons, murs et territoire appartiendraient aux Etoliens, tout le reste du butin au peuple romain, et les Romains s'emploieraient pour assurer aux Etoliens l'Acarnanie. Si les Etoliens faisaient la paix avec Philippe, ils inscriraient dans le traité que cette paix serait ratifiée seulement quand Philippe aurait cessé de combattre les Romains, leurs alliés et les gens placés sous leur dépendance ; de même, si le peuple romain concluait un traité avec le roi, il se garderait de lui laisser le droit d'attaquer les Etoliens et leurs alliés. Telle fut la convention, et son texte fut déposé, deux ans après, à Olympie par les Etoliens, au Capitole par les Romains, pour être attesté par ces inscriptions consacrées. »

Inscription trouvée à Thyrreion en Acarnanie, *IG* IX 1² 241 : « [...] que contre tous ceux-là (c'est-à-dire les peuples et villes, alliés de Philippe, précédemment désignés) les magistrats des Etoliens mènent aussitôt la guerre, comme cela veut être fait. Si les Romains prennent de force quelques villes de ces peuples, que par le peuple romain il soit permis au peuple des Etoliens d'avoir ces villes et ces territoires ; ce que, hormis les villes et les territoires, les Romains prendront (c'est-à-dire le butin meuble) que les Romains l'aient. Si les Romains et les Etoliens prennent ensemble quelques-unes de ces villes, que par le peuple romain il soit permis aux Etoliens d'avoir ces villes et ces territoires ; ce que, hormis les villes, ils prendront, que cela soit commun à l'un et à l'autre. Si quelques-unes de ces villes passent au camp des Romains ou des Etoliens ou se rendent à eux, que par le peuple romain il soit permis aux Etoliens de recevoir dans leur communauté politique ces hommes, ces villes et ces territoires (eux demeurant tous) autonomes. »

Interprétation du traité romano-étolien en 197 (Polybe, XVIII, 38, 1-9) : « Philippe (V) déclara qu'il acceptait toutes les conditions précédemment posées par les Romains et leurs alliés, qu'il ferait ce qu'on exigerait de lui, et que, pour le reste, il s'en remettrait au Sénat. A ces mots, tous les délégués demeurèrent silencieux, à l'exception du représentant des Etoliens, Phainéas, qui s'exclama : "Et pourquoi, alors, Philippe, ne nous rends-tu pas Larissa, Crémastè, Pharsale, Thèbes de Phtiotide et Echinos ?" Philippe lui répondit alors qu'il n'avait qu'à les prendre, mais Flaminius déclara qu'il n'en était pas question, excepté pour Thèbes de Phtiotide. Car, dit-il, quand il était arrivé devant cette cité-là et l'avait invitée à "s'en remettre à la foi" des Romains, elle avait refusé de le faire. Ainsi, maintenant, elle se trouvait en son pouvoir et, selon le droit de la guerre, il était libre d'en disposer à sa guise. Comme Phainéas s'indignait et assurait que les cités ayant autrefois fait partie de la Confédération devaient revenir aux Etoliens, d'abord parce que ceux-ci avaient pris part à la présente guerre aux côtés des Romains et ensuite en vertu de leur ancien traité d'alliance, aux termes duquel les biens meubles pris à l'ennemi reviendraient aux Romains et les villes elles-mêmes aux Etoliens, Flaminius répliqua qu'il était dans l'erreur sur l'un et l'autre point. Le traité d'alliance avait, dit-il, été aboli, dès le moment où, abandonnant les Romains, les Etoliens avaient traité avec Philippe et, à supposer qu'il subsistât, ceux-ci étaient en droit de recouvrer et d'occuper non pas les cités qui s'étaient volontairement soumises aux Romains, comme c'était le cas pour toutes les villes de Thessalie, mais celles-là seulement qui avaient été prises de vive force. »

Cet ensemble de textes concerne bien le même traité entre Romains et Etoliens conclu en 212, au moment où Rome aux prises avec Hannibal, cherche des alliés en Grèce pour soutenir la première guerre de Macédoine contre Philippe V. Avant la trouvaille par P. M. Fraser de cette inscription à Thyrreion en Acarnanie, le traité n'était connu que par des sources littéraires, Polybe surtout, souvent repris par Tite-Live. Dans le premier texte, Polybe a recomposé le discours de l'envoyé rhodien en Etolie ; il précise bien que le traité prévoit le partage : aux Etoliens villes et territoires, aux Romains le butin (personnes et biens meubles) ; il est possible que Polybe ait présenté, au livre VIII ou IX, le traité, mais ces passages sont perdus et Tite-Live a pu s'en inspirer. Le passage de Tite-Live donne un résumé précis du traité, prévoyant notamment l'interdiction de paix séparée. Arrive alors l'inscription, incomplète, qui paraît une traduction d'un original latin en dialecte étolien ; le texte nuance la rigueur du partage présenté par Polybe et Tite-Live : on distingue toujours les conquêtes de territoires et le butin et, dans tous les cas, villes et territoires conquis sont attribués aux Etoliens ; mais on distingue aussi les opérations menées par les seuls Romains et celles menées conjointement par Romains et Etoliens ; dans ce dernier cas, action commune des Romains et des Etoliens, le butin est commun aux deux belligérants, ce qui doit se traduire par un partage. Cette opposition entre l'inscription, plus nuancée, et les affirmations de Polybe et de Tite-Live correspond-elle à deux états successifs de l'accord : un premier repris par Polybe et Tite-Live, un second, amendé dans un sens favorable aux Etoliens, qui figurerait dans l'inscription ? C'est une explication possible. Le dernier texte de Polybe se situe après que les Etoliens ont accepté une paix séparée avec Philippe V (paix de Naupacte en 206) ; Flaminius considère que le traité est donc caduc, mais il admet l'hypothèse selon laquelle il serait encore valable et là les contradictions entre la fin du texte épigraphique et la dernière phrase de Polybe sont réelles : on pourrait, en effet, penser que les Etoliens sont dans leur droit en réclamant ces cités thessaliennes, selon l'inscription ; faut-il alors distinguer les cités ralliées aux Romano-Etoliens au cours de la guerre et celles qui ne se rendent qu'après la victoire romaine à Cynoscéphales, ces dernières tombant au rang de cités vaincues soumises à la loi du vainqueur ? Peut-être, mais on sent la difficulté d'harmoniser ces différentes sources ; on voit aussi les nombreuses questions que soulève cette trouvaille épigraphique confrontée à la tradition littéraire.

LA PAPYROLOGIE

Cette discipline traite aussi de documents écrits, ce qui l'apparente aux deux précédentes, mais elle est plus encore affaire de spécialistes, en raison de la variété des écritures utilisées : hiéroglyphes, démotique, araméen, dialectes coptes, arabe ; mais une bonne part est en grec ou en latin et c'est de ceux-là qu'il sera ici question, le grec étant beaucoup plus fréquent que le latin. Le support végétal ne s'est conservé que dans les régions les plus sèches de l'Egypte, mais on en a retrouvé aussi à Herculanum protégés par la couche de boue qui a recouvert la ville lors de l'éruption de 79. A la différence de la grande majorité des inscriptions, gravées pour donner une publicité durable à leur contenu, les papyrus nous conservent des écrits de la vie quotidienne, destinés à être détruits rapidement, souvent beaucoup plus naïfs que les décrets honorifiques.

Les papyrus littéraires

Ils fournissent des fragments nombreux des auteurs anciens, depuis les poèmes homériques jusqu'à Démosthène, Euripide, Platon, etc., mais pas toujours de meilleure qualité que les manuscrits du Moyen Age, de telle sorte que les fautes paraissent remonter presque aux origines de l'œuvre ; mais ils ont livré, et c'est là beaucoup plus intéressant, des œuvres entières qui étaient complètement perdues ; l'exemple le plus remarquable est sans doute la *Constitution des Athéniens* d'Aristote qui n'est connue que depuis 1891, lors de la publication d'un papyrus conservé au *British Museum* : le texte est écrit au verso des comptes d'un fermier datés de la onzième année de l'empereur Vespasien (78/79) ; c'est donc une copie de la fin du Ier siècle de notre ère ; un papyrus du musée égyptien de Berlin de deux pages mutilées ne présente que des variantes de peu d'importance. Cette publication a renouvelé grandement l'étude des institutions athéniennes. Beaucoup d'autres textes ont été retrouvés grâce à des papyrus, notamment des textes bibliques ; enfin, bien des textes restent anonymes et on parle, par exemple, des *Helléniques* d'Oxyrhynchos, sans pouvoir encore les attribuer à un auteur précis (Ephore, Théopompe ?).

Les papyrus documentaires

Sans prétention intellectuelle, mais ils apportent une foule d'informations sur la vie quotidienne des Egypto-Grecs de la période qui va d'Alexandre le Grand à la conquête arabe. La série la plus complète est certainement l'ensemble des papyrus de Zénon, trouvé peu avant la Première Guerre mondiale par des fouilleurs clandestins, à proximité de la nécropole de Philadelphie, ce qui a entraîné une dispersion fâcheuse de ces archives privées, qui constituaient un ensemble absolument unique. Venu en Egypte de sa cité natale, Caunos de Carie, Zénon entre au service d'Apollonios, dioecète (préposé aux finances) de Ptolémée II Philadelphe, à partir de 261 ; il accomplit différentes missions en Syrie et Phénicie, puis accompagne Apollonios dans les nomes d'Egypte ; en 256, il est placé à la tête du domaine (la *dôrea*) dont le roi vient de concéder la jouissance à son ministre, dans l'oasis du Fayoum, à l'ouest de la vallée du Nil, près de la fondation nouvelle de Philadelphie ; pendant neuf ans, Zénon représente Apollonios à Philadelphie, veille aux questions agricoles comme aux conflits sociaux, classe méthodiquement lettres, reçus, bordereaux, registres quotidiens, comptes ; parallèlement, Zénon développe ses propres affaires et tient ses comptes privés ; en 248, il quitte Apollonios, qui disparaît de la scène politique un peu après la mort de Ptolémée II, la *dôrea* est liquidée en 243 et le dernier document daté, relatif à Zénon, est du 14 février 229, les archives de Zénon couvrent ainsi trente-deux ans (261-229). On peut percevoir, à travers cette documentation, un moment de la « belle époque » du système lagide, où la colonisation est mise en place et entreprend l'exploitation du pays ; celle-ci se fait avec une bureaucratie omniprésente qui veille à la lourde fiscalité (cf. encadré p. 67).

On aurait tort de limiter l'apport de la papyrologie à ces archives de Zénon, si intéressantes soient-elles. Des séries importantes de papyrus existent jusqu'à la conquête arabe : ainsi, au milieu du IVe siècle, le dossier de Flavius Abinnaeus, préfet militaire du camp de Dionysias, à la frontière nord-ouest du Fayoum ; pour le VIe siècle, celui d'une famille de grands propriétaires, les Apions. En papyrologie, comme en épigraphie, le plus nécessaire est de regrouper dans un *Corpus* les papyrus aujourd'hui dispersés entre propriétaires différents mais concernant les mêmes archives. C'est à travers ces recueils qu'il est possible non seulement de développer l'exemple particulier, plein de saveur et de vie, mais aussi, et avec beaucoup de modestie en raison du faible pourcentage de papyrus jusqu'ici retrouvés, de grandes synthèses nourries de la connaissance de quantité de papyrus comme *L'Economie royale des Lagides* de Claire Préaux, Bruxelles, 1939.

CONTRAT DE BAIL (256) :

« La 30ᵉ année du règne de Ptolémée, fils de Ptolémée Sôter, Alexandre, fils de
Léonidas, étant prêtre d'Alexandre et des dieux adelphes, Prépousa, fille de
Démétrios, étant canéphore d'Arsinoé Philadelphe, au mois de Panémos, ou à
la façon égyptienne le 10 Epeiph, Hégésarchos, fils de Théopompos, Théopompos, fils d'Hégésarchos et Nicodémos, fils d'Hégésarchos, tous trois Macédoniens
de la descendance, ont loué pour un an à Zénon, fils d'Agréophon, de Caunos,
au service du dioecète Apollonios à Philadelphie dans le nome Arsinoïte, 100
aroures de terre arable dans le troisième bassin qui s'étend du nord au sud,
contre un loyer en froment de 7 1/8 artabes (l'*artabe* est une mesure de capacité,
qui correspond à peu près à 40 litres) par aroure (*aroure* = 2756 m²), garanti
contre tout risque et non susceptible d'abattement quel qu'il soit. Une demi-artabe
sera donnée par aroure à titre de semence pour la terre à froment et une quantité
proportionnelle pour la terre à orge, une artabe d'orge pour chaque aroure afin
de couvrir les frais, une demi-artabe d'orge pour le sarclage et, afin de couper
le bois, s'il se rencontre des broussailles, autant qu'il paraîtra convenable pour
chaque aroure. Hégésarchos, Théopompos et Nicodémos mesureront le grain
destiné au loyer au "trésor" (= grenier) de Philadelphie, selon l'édit sur la collecte
du blé, au mois de Daisios de la 31ᵉ année, ainsi que le grain qu'ils auront reçu
pour la semence, le sarclage et pour couvrir les frais, et toute somme qu'ils
auraient empruntée pour le débroussaillement ou le grain (qu'ils auraient
emprunté) à la place de cet argent, le froment au taux d'une artabe pour une
drachme deux oboles de cuivre, et l'orge à un taux correspondant. Hégésarchos,
Théopompos et Nicodémos ensemenceront les deux tiers du terrain qu'ils ont
loué en froment et l'autre tiers en orge. S'ils n'exécutent pas les engagements
qu'ils ont pris par écrit, Zénon sera libre de louer la terre à d'autres. Toute
diminution des revenus d'Apollonios dont ils seront la cause, ce dont ils seraient
en retard en ce qui concerne le loyer et les emprunts, ils auront à le verser à
Zénon sur-le-champ avec une majoration de moitié, et Zénon ou ses représentants auront le droit d'exécuter sur eux et sur leurs cautions et sur tous les biens
tant de l'un que de tous, comme en matière de dettes envers le trésor royal.

Cautions pour le paiement des obligations du contrat : les contractants l'un pour
l'autre et Ammonios, fils de Théôn, de Cyrène, pour les obligations subsidiaires.

Le présent acte sera valable où qu'il soit produit.

Témoins : Damis, fils de Cléon et Sostratos, fils de Cléon, tous deux hélénéens ;
Théopompos, fils d'Aristion, Thessalien, médecin ; Diodore, fils de Zopyros, de
Magnésie, au service du dioecète Apollonios ; Agatheinos, fils de Pyrrhos, de
Cyrène, pour les obligations subsidiaires ; Anosis, fils de Totorchoïs, Saïte, komo-
grammate (= scribe du village) de Philadelphie. Gardien du contrat : Damis. »

On peut voir, à travers ce contrat, les clauses très dures imposées aux fermiers ;
ils doivent, chaque année, payer le fermage (7 1/8 artabes de blé à l'aroure =
environ 10 quintaux à l'hectare, soit les deux tiers de la production céréalière
moyenne en Egypte) et rembourser les avances consenties pour les semences,
le sarclage, le débroussaillement ; on peut juger ce qu'il reste aux fermiers
lorsqu'ils ont payé le loyer et remboursé les avances ; le moindre retard entraîne
une majoration de moitié des remboursements à effectuer et le contrat peut être
déclaré caduc à la moindre entorse à la convention de la part des fermiers ; toute
dette impayée donne le droit d'exécution sur la personne et sur les biens ;
l'esclavage pour dettes, interdit entre particuliers, était autorisé pour les créances
royales, donc dans ce contrat aussi. Le résultat est connu par la suite du même

papyrus : cinq ans plus tard, l'endettement des trois fermiers est tel que les poursuites s'engagent contre les trois Macédoniens, dont l'un au moins a été retrouvé par Zénon ou ses subordonnés :

« An 36, mois de Xandikos (mai/juin 250). Ajouter le jour. (Plainte de) Zénon contre Théopompos, fils d'Hégésarchos, Macédonien de la descendance, concernant les arriérés du fermage qu'ils doivent pour l'an 31, sur les cent aroures qu'il a reçues avec Hégésarchos et Nicodémos, dans les dix mille aroures concédées par le roi en bénéfice aux environs de Philadelphie de l'Arsinoïte, à Apollonios le dioecète (adressée) à Kraton, appariteur de Diogène, exécuteur des plaintes privées. La dette se monte à 694 1/2 1/3 1/12 artabes. Il faut ajouter l'amende de moitié selon les termes du contrat, et prendre comme base le prix de tout selon le règlement promulgué (par le roi) sur les revenus céréaliers.

Enquêter en outre dans le (grenier) royal. Il faut indiquer à l'exécuteur le prix du tout selon les termes du contrat. Ajouter que la procédure d'exécution est celle des créances royales. Quant au jugement, il aura lieu peu de temps après s'il fait opposition (à cette procédure). Car pour ce genre de cause, puisque aucun tribunal ne siège en ce moment dans l'Arsinoïte, je pense que le jugement appartient au stratège. »

P Col Zen. 54 ; voir Claude Orrieux, *Les papyrus de Zénon*, Paris, 1983.

Comme l'écrit Claude Orrieux, p. 112 : « L'inexorable endettement de ces trois Grecs et la procédure d'exécution qui en découle contre l'un d'entre eux (en vertu de la clause de caution mutuelle) montrent sous son jour exact un acte dont la rigueur formelle pourrait faire illusion : c'est en réalité une machine de guerre contre les fermiers, où tout est prévu en faveur du bailleur. Sans doute Zénon est-il parvenu à retrouver Théopompe dans la capitale, où celui-ci espérait échapper aux poursuites. »

L'ARCHÉOLOGIE

Ce terme pourrait regrouper à peu près toutes les autres sciences que nous présentons, ici, comme fondements documentaires de l'histoire de l'Antiquité ; il était utilisé par Thucydide, au Ve siècle, et par Denys d'Halicarnasse, au Ier, dans son sens étymologique de « connaissance du passé, de l'Antiquité », que ce soit l'histoire de la Grèce avant les guerres médiques, ou « l'archéologie romaine » qui rapportait l'histoire de Rome des origines aux guerres puniques. Aujourd'hui, le mot est à définir comme l'étude des sources matérielles de l'histoire ancienne, par opposition aux sources écrites qui sont du domaine de la philologie : bien entendu, épigraphie et papyrologie sont à la charnière, dans la mesure où les inscriptions, comme les papyrus, proviennent généralement de fouilles, officielles ou clandestines, mais fournissent des textes écrits. C'est dire qu'on ne peut séparer le travail de l'archéologue de celui de l'épigraphiste, par exemple ; le premier gagne beaucoup à connaître la langue gravée sur les stèles ou les plaques de bronze qu'il trouve, alors que le second a besoin de savoir dans quel contexte archéologique l'inscription était située. Cette connaissance de l'objet matériel antique va du chef-d'œuvre d'art au plus humble vestige qui témoigne de l'activité humaine. C'est l'intervention de l'homme qui sépare le domaine archéologique du domaine du géologue ou du paléontologue.

• *La fouille.* Le travail de l'archéologue commence par la reconnaissance du territoire, qui peut être grandement facilitée par la photographie aérienne, là où elle est possible (bien des pays estiment encore qu'il s'agit là d'un risque d'espionnage). Il continue par la fouille, dont la bonne organisation et la méthode pratiquée doivent être soigneusement assurées, dans la mesure où la fouille entraîne la destruction des couches qui recouvraient le site ; elle est par là une opération irréversible. La méthode stratigraphique permet de distinguer avec précision les différentes couches, de déterminer leur succession et de tenter l'établissement d'une chronologie ; il s'agit d'un décapage soigneux, jusqu'à atteindre le sol vierge. Il faut aussi enregistrer avec beaucoup de minutie et au jour le jour les résultats obtenus, les objets dégagés, les données apparues au cours de la fouille ; la photographie aide beaucoup mais ne remplace absolument pas le carnet de fouilles. Il est bien clair que ce ne sont plus l'objet, l'œuvre d'art qui sont recherchés ; le chantier est comme un livre dont les pages sont tournées d'autant plus soigneusement qu'elles ne peuvent l'être qu'une fois par le fouilleur, qui les détruit au fur et à mesure. C'est pourquoi il est bien préférable de retarder l'ouverture d'un chantier de fouilles, plutôt que de conduire trop rapidement ces rècherches et de saboter ainsi un site qui aurait pu révéler beaucoup plus. Pour l'enregistrement de tous les relevés nécessaires à un bon travail, l'archéologue a intérêt à se faire aider par des spécialistes : géomètres, photographes, dessinateurs, architectes ; ces derniers ont, du fait de leur formation, plus facilement le sens des volumes qu'il faut imaginer à partir de vestiges d'édifices souvent peu parlants pour le non-spécialiste.

• *L'exploitation des résultats enregistrés* est aussi importante que la fouille elle-même, car il est indispensable de parvenir à la publication de ces résultats. Bien des analyses de laboratoire sont nécessaires : radiographie de peinture, analyses physico-chimiques des terres cuites et des objets métalliques ; la détermination de l'origine des vases de céramique est fort utile à l'historien, et bien souvent la différence n'apparaît pas entre un vase corinthien fabriqué dans la métropole et un autre qui peut sortir d'un atelier de Syracuse ou d'Epidamne ; l'analyse des argiles est indispensable et les résultats doivent être justement appréciés, car il y a souvent difficulté à en identifier l'origine, à rapprocher l'argile d'un vase antique et celle que livre une carrière d'argile proche. La datation est aussi nécessaire, avant la publication : elle suppose une étude attentive de tout le matériel appartenant à la même couche : monnaies, tessons, fibules, etc.

• *Restent à assurer la conservation et la restauration* des vestiges dégagés et il faut bien reconnaître que c'est là une question délicate, qui suppose de gros budgets pour assurer une protection indispensable ; certains vestiges sont particulièrement fragiles, en particulier les mosaïques qui se détériorent rapidement si on ne prend pas soin de les protéger des intempéries et si on ne les consolide pas soigneusement ; c'est un problème qui se pose, par exemple, dans un site comme Nikopolis, qui a livré de fort intéressantes mosaïques recouvrant le sol des grandes basiliques paléochrétiennes. Faut-il alors les enterrer complètement pour éviter une destruction irrémédiable ? On connaît aussi les problèmes soulevés par la conservation d'objets de bois que l'Antiquité nous livre en bon état, grâce au milieu humide dans lequel ils étaient immergés, mais qui, sortis de ce milieu, risquent d'être rapidement détruits : c'est le cas des épaves de navires comme celle trouvée dans les fouilles de la place de la Bourse à Marseille, des statues de la source de la Seine, et des ex-voto sortis, par milliers, de la source des Roches à Chamalières. Au prix de longs traitements les archéologues peuvent garantir leur conservation. De tels exemples pourraient être multipliés, pour la conservation des peintures murales, que ce soit pour la période préhistorique dans la grotte de Lascaux où il a fallu interdire les visites ou dans les tombeaux étrusques de la région de Tarquinia ; c'est vrai également pour la conservation des revêtements de stuc, pour celle des constructions en briques crues qui retournent rapidement à l'état de terre si elles ne sont pas mises à l'abri des intempéries et surtout de la pluie : la visite d'un site comme Assur ou Babylone, en Irak, est, de ce point de vue là, bien décevante, tant les grandes constructions comme les *ziggurats* retournent progressivement à l'état de collines de terre informes.

L'archéologue a, finalement, une mission captivante en même temps qu'une lourde responsabilité ; ses recherches peuvent permettre un progrès remarquable dans la connaissance de l'histoire d'une cité, d'un peuple, mais elles doivent être menées avec un soin tout particulier, car il n'y a aucun espoir de recommencement ; une étude superficielle d'une inscription ou d'un texte littéraire peut toujours être reprise et améliorée, puisque la pierre ou la plaque de bronze, l'estampage, la photographie, les manuscrits peuvent toujours être consultés une seconde fois. Rien ne permettra de recommencer les fouilles de Troie ou de Cnossos ! Ainsi notre connaissance des deux sites est-elle indissolublement liée à l'état de la science au temps de Schliemann ou d'Evans, à leurs techniques de fouilles et à ce que recherchait chacun d'eux, au début des années 1870 pour l'un, en 1899 pour l'autre. Un autre exemple permettra de peser la portée considérable des méthodes de fouille : combien Pompei perdrait-elle de son caractère suggestif sans l'invention par Giuseppe Fiorelli, en 1863, de la technique qui permet d'emplir de plâtre les cavités laissées par les corps réduits en cendres lors de l'éruption.

Le cas du chantier de fouilles de Pompei est en outre bien représentatif de l'apport spécifique de l'archéologie à l'histoire. Une tradition littéraire influente, héritée des *Derniers jours de Pompei* (1834) de Sir Edward Bulwer Lytton et prolongée par un néoromantisme hollywoodien, veut que l'éruption de 79 apr. J.-C. ait frappé une ville à l'apogée de sa puissance, comme punie par les dieux ; en réalité, les recherches prouvent l'importance des destructions dues au tremblement de terre qui avait secoué Pompei, dix-sept ans plus tôt, et le caractère très incomplet des reconstructions ; dès lors, les cendres du Vésuve figent une ville déjà en partie détruite.

Dans les dernières décennies, l'archéologie a obtenu des résultats remarquables, que ce soit la découverte des fresques de Santorin ou celle des tombes macédoniennes de Vergina ; il faut penser qu'à côté du sensationnel il se fait chaque année un travail plus humble mais qui permet une progression régulière dans la connaissance du passé antique. Et il reste encore un travail immense à accomplir (cf. encadré p. 71).

LES PROGRÈS DE LA RECHERCHE ARCHÉOLOGIQUE EN ÉPIRE ET EN ILLYRIE MÉRIDIONALE

Louis Robert, *Hellenica*, I, p. 104-105, écrivait en 1940 : « Il faut attendre beaucoup de l'exploration archéologique de l'Epire qui a été à peine entamée. Depuis vingt-cinq ans que, par le rattachement à la Grèce ou la création de l'Albanie, l'Epire a été ouverte aux archéologues, on n'a même pas encore parcouru le pays pour dresser l'inventaire des ruines existant encore au-dessus du sol. » Un demi-siècle plus tard, des résultats importants ont été obtenus, tant en Grèce qu'en Albanie et, sur certains points, l'Epire est aujourd'hui une des régions dont l'histoire a pu être la mieux retracée, grâce à des trouvailles épigraphiques dans les sites de Dodone, de Passaron, de Gitana, de Bouthrôtos en particulier.

Des villes importantes ont été identifiées et leurs fouilles ont été entreprises : c'est le cas des colonies corinthiennes comme Ambracie, à l'emplacement de l'actuelle Arta, d'Apollonia d'Illyrie, d'Epidamne-Dyrrhachion ; il reste beaucoup à y faire, d'autant que, pour les sites d'Ambracie et d'Epidamne-Dyrrhachion, les villes antiques sont recouvertes par des villes modernes en pleine expansion. C'est le cas surtout des villes indigènes, comme Cassopé en Epire méridionale dont le plan hippodamique a été soigneusement étudié, comme Gitana en Thesprôtie, sur les rives du Kalamas, comme Bouthrôtos et Antigoneia en Chaonie ; celle-ci n'était même pas localisée et c'est la trouvaille de tessères au nom des habitants d'Antigoneia qui a levé le dernier doute ; les fouilles actuelles permettent de tracer maintenant le plan des rues se coupant à angle droit, de suivre les remparts, de localiser les portes, en attendant qu'apparaissent les bâtiments publics de la ville. Orrhaon (l'Horreum de Tite-Live), au site longtemps inconnu, a pu être localisée à Ammotopos, grâce à une inscription trouvée près du temple d'Apollon Sôter à Ambracie. Phoinikè, elle-même, peut espérer sortir de l'oubli, puisque des fouilles y ont été entreprises depuis 1989 et ont déjà permis le dégagement d'une grande maison. Des travaux importants ont été conduits aussi sur les sites de Byllis et d'Amantia en Albanie du Sud : Byllis a fourni un théâtre, qui a bien des points de ressemblance avec celui de Dodone, un quartier d'agora avec deux grands portiques disposés en L, comme à Apollonia, une vaste citerne et déjà quatre basiliques paléochrétiennes ; à faible distance, environ 1 500 mètres, une seconde ville un peu plus ancienne s'élevait sur le site de Klos qu'on veut qualifier de Nikaia, d'après une inscription trouvée à l'Amphiareion d'Oropos, mais il faut encore attendre la confirmation écrite par une trouvaille sur place. Le site de Mavrovo, entre Amantia et Vlora, peut être maintenant identifié avec celui d'Olympè qui n'était connue longtemps que par quelques pièces de monnaie frappées au nom de la cité ; la trouvaille de monnaies plus nombreuses que la totalité des pièces connues jusque-là, puis la publication d'une inscription ne laissent plus aucun doute sur la localisation de cette ville.

Ces fouilles révèlent un contraste frappant entre la rareté des villes au nord du fleuve Shkumbi et leur abondance au sud, au contact de l'Epire ; de la même façon, les villes sont plus nombreuses dans les régions maritimes que dans la montagne, notamment en Molossie. Les datations admises maintenant par tous les archéologues permettent d'observer un développement des villes très net durant le IVe siècle, puis au IIIe, période qui correspond à un royaume des Molosses puis à une Epire très actifs, capables de grandes opérations militaires notamment en Italie du Sud, donc avec un dynamisme démographique comparable à celui qu'a connu la Macédoine de Philippe II et d'Alexandre le Grand. Les inscriptions montrent bien que ce développement urbain n'aboutit pas à la construction de cités-Etats indépendantes, mais simplement de villes qui restent les centres des peuples (des *ethnè*) se regroupant dans des ensembles fédéraux larges, mieux adaptés à la vie pastorale transhumante qui tient une grande place dans l'activité des habitants de la région. Les institutions, elles-mêmes, de ces Etats fédéraux sont pleines d'intérêt et elles sont maintenant mieux connues grâce aux trouvailles épigraphiques de D. Evangélidis, puis de S. I. Dakaris à Dodone, et des chercheurs albanais plus au nord ; la trouvaille d'une centaine d'actes d'affranchissement par Dh. Budina à Bouthrôtos permet une meilleure connaissance de la vie sociale dans ces régions marginales du monde grec ancien, à une époque où les Romains s'intéressent déjà à cette rive orientale de la mer Ionienne et où certains s'y établissent comme T. Pomponius Atticus, l'ami et le correspondant de Cicéron.

LA NUMISMATIQUE

Les monnaies constituent un autre ensemble documentaire fort utile, qui unit les légendes inscrites et les images gravées sur le droit et le revers de chacune d'entre elles. Elles sont normalement fournies par la recherche archéologique et on a déjà relevé combien était plus suggestive la monnaie bien située dans son contexte archéologique que la pièce déposée dans un musée, dont on ignore la provenance et les circonstances de la mise au jour. En elle-même, la pièce ne peut parler que d'elle ; elle n'est plus élément de datation si utile pour les objets qui l'accompagnent dans une tombe ou sur une couche archéologique.

Nous évoquions, dans l'encadré précédent, l'existence d'une petite cité portant le nom d'Olympè qui n'était connue que par une mention d'Etienne de Byzance qui la considérait comme une cité d'Illyrie et par quelques monnaies dispersées dans les collections de musées, à Londres, Paris, Athènes, en Italie et à Tirana. S. Anamali en trouvait quatre à Amantia (Ploça) et l'on pouvait donc penser que le site n'était pas très loin, d'autant que les types monétaires étaient en contact avec ceux de Phoiniké, Orikos et Apollonia. En 1979, B. Dautaj, au cours de la fouille de la colline de Mavrovo, trouvait 36 monnaies de bronze ainsi réparties : Koinon épirote : 13 ; Orikos : 3 ; Apollonia : 6 ; Amantia : 6 ; Olympè : 8.

Ce dernier chiffre permettait de situer à Mavrovo la cité des Olympastes, dont le nom était confirmé par un timbre de terre cuite, puis, bientôt, par une inscription. Cet exemple, modeste, révèle comment les monnaies contribuent, au côté des autres trouvailles archéologiques, à résoudre bien des énigmes historiques et à localiser une cité à la vie brève et au monnayage peu abondant.

Les types monétaires fournissent des renseignements sur la vie des cités et des Etats qui les ont utilisés ; leur origine est souvent religieuse : divinités protectrices de la cité, ou attachées à un sanctuaire local, fondateurs mythiques, masque prophylactique de Gorgone ; d'autres fois, il s'agit d'évoquer la vie économique de la cité, son commerce, ses productions naturelles, comme le thon à Cyzique, l'épi de blé à Métaponte, le crabe à Agrigente, la vigne à Naxos ; fréquentes aussi sont les représentations d'animaux symboliques de la cité : le taureau à Samos, le lion à Milet, le Pégase à Lampsaque. Les monnaies romaines portent souvent l'effigie d'hommes politiques sous la République, des empereurs à partir d'Auguste, parfois remplacée par la représentation d'un monument édifié récemment. La pratique du portrait était connue déjà sur les dariques perses, elle est courante à partir des diadoques chez les Séleucides, les Lagides, dans la Thrace de Lysimaque, dans l'Epire de Pyrrhos et la Macédoine des derniers Antigonides, comme dans tous les royaumes d'Asie Mineure (Pont, Cappadoce, Bithynie) et même à Sparte au temps du roi Areus, lors de la guerre de Chrémonidès, dans le deuxième quart du IIIᵉ siècle av. J.-C.

Les documents numismatiques sont par exemple les seuls témoignages importants dont nous disposons concernant la structure architecturale de l'autel des trois Gaules, au confluent. Dans *The Imperial Cult in the Latin West*, Leyde, 1987, Duncan Fishwick a longuement étudié les éléments symboliques d'un sesterce frappé sous Tibère, représentant l'autel : couronne civique et lauriers sur un bas-relief, deux Victoires encadrant l'autel, dédicace à Rome et à Auguste. L'utilisation probable, dans l'église Saint-Martin-d'Ainay, à Lyon, des deux colonnes sur lesquelles reposaient les Victoires donne des indications plus précises sur les dimensions exactes de l'édifice.

Les inscriptions figurant sur les monnaies sont également riches d'intérêt ; elles permettent de suivre l'évolution d'un règne, sa durée, la succession des magistrats, les vertus prônées par l'autorité romaine ; conjuguées avec l'observation des types monétaires, elles permettent de suivre toute une histoire de la cité ou de l'Etat qui frappent ces monnaies.

La monnaie est frappée à partir d'un lingot placé à chaud entre deux coins qui, par le procédé de la frappe au marteau, viennent y marquer leur empreinte ; les coins se détériorent rapidement et doivent être remplacés, ce qui permet aussi une observation des variations car jamais les coins ne sont recopiés exactement sur les précédents : les modifications dans la chevelure, dans les détails du vêtement, dans la représentation animale permettent de distinguer les coins et d'essayer de les classer.

La nature et la qualité du métal sont aussi des éléments intéressants, en même temps que le poids de la pièce ; quelques cités, comme Athènes, ont su donner à leurs pièces, comme les tétradrachmes athéniens à la chouette, une valeur internationale ; pour beaucoup d'autres, la pesée était le seul moyen d'en apprécier la valeur. Le monnayage d'or a été longtemps le monopole des Perses, puis les Macédoniens y sont venus à l'époque de Philippe II ; les cités grecques préféraient le monnayage d'argent, mais les échanges quotidiens reposaient sur la monnaie de bronze et bien des petits Etats se sont limités à la frappe de bronze.

L'IMAGE

Une définition

On peut rassembler, sous ce titre général, toutes les représentations figurées, qu'elles soient peintes sur des vases ou sur des surfaces plus étendues, comme les parois de chambres funéraires, ou qu'elles soient sculptées. Comme l'ont bien souligné Pauline Schmitt-Pantel et Françoise Thélamon, dans *Image et céramique grecque*, Rouen, 1983, p. 9-20, trop souvent l'image est utilisée seulement « comme illustration d'un discours historique entièrement construit à partir d'autres documents, soit pour corroborer les sources écrites, soit pour étayer telle hypothèse de l'historien. Au pis, elle n'a qu'une fonction d'illustration esthétique ». Cette utilisation part de l'idée que ces images sont des figurations directes de la réalité, à la manière de la photographie ; on relève dès lors parfois que ces images donnent une vue d'une société de riches, donc pas de la société entière, les scènes représentées correspondant essentiellement à ces activités du gymnase, du stade, du banquet, de la guerre, du gynécée, qui sont caractéristiques de la bonne société, beaucoup plus que des petites gens ; on utilise les images pour y chercher les représentations de tel objet de la vie quotidienne, du vêtement, des armes, du mobilier, etc. ; le caractère superflu de l'image apparaît clairement lorsque le même livre peut être édité avec les images ou, en édition de poche, sans celles-ci ; leur présence ou leur absence ne modifie en rien le texte de l'ouvrage, preuve que les images sont bien ici seulement une illustration photographique, en rien un document à partir duquel l'histoire est construite.

Un premier progrès est atteint par la constitution de *corpus* autour de thèmes précis, qui rassemblent des documents pour l'histoire, mais il est nécessaire de veiller à prendre la scène dans sa totalité et non pas seulement de chercher à détacher des détails de la vie quotidienne dans chaque image. François Lissarrague, dans *L'Autre Guerrier, archers, peltastes, cavaliers dans l'imagerie attique*, Paris, 1990, définit les images comme « des monuments d'une culture passée, produits par une société déterminée conformément aux goûts et à l'idéologie de cette société ». Les images sont donc porteuses de significations, à travers un type de discours différent du discours écrit ; dans son autre livre intitulé *Un flot d'images. Une esthétique du banquet grec*, Paris, 1987, le même auteur observe que la vaisselle utilisée au banquet représente souvent les buveurs eux-mêmes : vin, poésie, musique, discours, images se mêlent ainsi et circulent parmi les convives. Les vases ne sont pas de simples potiches, sagement rangées sur des étagères, mais des objets quasi vivants, riches de sens et de poésie. Ce n'est pas la réalité ordinaire de la scène de banquet qui est ici représentée, mais tout un cadre évocateur qui renvoie au convive les reflets possibles et multiples de la fête à laquelle il participe.

La céramique

Quel est dès lors le statut de l'image figurée sur la céramique ? Sur ce type de support, les représentations fonctionnent surtout de manière réflexive : images-miroirs ou contre-modèles. Aussi la forme et l'usage des vases doivent-ils être liés étroitement à l'étude des images : pour des banquets, sur ces vases à mélanger, à verser ou à boire, sur ces supports tenus en main et échangés, on trouve fréquemment des satyres, des Scythes qui boivent le vin pur ou des hommes travestis, représentations symboliques de cette autre expérience de l'altérité qu'est l'ivresse. Dans sa contribution à *Histoire des femmes*, Plon, 1991, François Lissarague donne un bel exemple de ces images-miroirs : sur le médaillon central d'une coupe du Louvre, une femme est vue de face, se regardant dans un miroir, et en même temps tournée vers le spectateur de l'image, ce qui est tout à fait inhabituel car, dans le code graphique des vases attiques, tous les personnages sont de profil. « La confrontation avec soi-même dans le miroir, note François Lissarague, est ici redoublée par la rencontre avec le regard de l'utilisateur du vase, le buveur : la femme vérifie au miroir sa beauté ; elle est en même temps belle à voir. »

Il est certain que ces représentations figurées ont beaucoup varié d'une époque à l'autre, d'un atelier de fabrication à l'autre : l'art géométrique, l'art corinthien visaient certainement davantage au décor, à l'illustration, mais, avec les représentations animales, toute une symbolique, souvent difficile à interpréter aujourd'hui, devait être plus suggestive pour les utilisateurs de ces vases. Progressivement, et notamment avec le développement de la céramique attique au VIᵉ siècle, la surface des vases fait large place aux représentations anthropomorphiques, figurant les activités divines, héroïques et humaines ; c'est l'image de l'homme qui est privilégiée, mais cet homme apparaît plus souvent représenté dans certaines activités que dans d'autres, tout aussi indispensables à la vie économique et sociale : le banquet, les exercices athlétiques, certaines formes de la guerre sont les plus courants ; en revanche, les activités moins nobles, comme le commerce, la production, les échanges, sont plus rarement figurées et même l'activité politique, que ce soient la vie de l'Assemblée, les votes, les débats qui les précèdent, n'a guère sa place dans l'imagerie de ce temps, tout en étant essentielle dans la cité classique.

Potiers et peintres nécessairement associés travaillent pour une clientèle donnée, à un moment donné ; la demande varie dans les modèles comme dans le choix et le traitement des sujets ; mais il faut être prudent dans l'analyse des rapports entre clientèle et production, comme le montre l'exemple du peintre de Micali (cf. encadré ci-dessous).

LE PEINTRE DE MICALI, PEINTRE DE LA MORT OU PEINTRE DE LA VIE ?

A titre d'exemple, nous prendrons le cas de l'interprétation des vases du peintre de Micali, peintre étrusque anonyme du dernier tiers du VIᵉ siècle av. J.-C., auquel J. D. Beazley a donné ce nom, en hommage à l'historien et archéologue toscan Giuseppe Micali qui avait le premier publié quelques-uns de ces vases au XIXᵉ siècle. A l'occasion de l'exposition « Les Etrusques à Vulci. Le peintre de Micali et son monde » prêtée par le Musée Etrusque de Villa Giulia et présentée à Clermont-Ferrand en 1989-1990, N. J. Spivey, dans le catalogue de l'exposition, p. 22, souligne que la richesse des tombes de Vulci, qui ne présentaient pas de murs décorés de fresques comme c'était le cas à Tarquinia, vient de l'accumulation de vases peints, importés d'Athènes pour la plupart et il poursuit : « Durant la période qui s'étend environ de 550 à 480 av. J.-C. les tombes de Vulci absorbent à peu près 60 % des importations attiques à figures noires en Etrurie et 40 à 50 % de celles à figures rouges. Or, l'activité du peintre de Micali intervient dans ce laps de temps (dernières décennies du VIᵉ siècle et peut-être la première décennie du siècle suivant). Les vases déposés dans les sépulcres engendrent deux sortes de problèmes. Le premier est relatif à leur usage pratique car ils font partie du mobilier et des accessoires de la tombe. Le meuble destiné à la vaisselle qui sert pour boire, le kylikeion, apparaît comme étant bien fourni dans quelques-unes des peintures tombales de Tarquinia ; les vases qui y sont disposés étaient des objets de luxe ; véritables témoignages de la richesse, ils étaient ensevelis avec le défunt et probablement destinés aux repas de ce dernier dans l'au-delà. Mais lorsque les vases sont décorés de figures, nous sommes en droit de nous demander si oui ou non leurs sujets ont un rapport quelconque avec leur destination et leur disposition à l'intérieur de la tombe. Certains spécialistes de la céramique attique peinte estiment qu'il est difficile d'admettre que les ateliers athéniens aient pu vendre leurs produits de première main aux Etrusques et qu'ils aient programmé le choix des sujets dans le seul but de satisfaire les coutumes funéraires de ce peuple ; il y a néanmoins consensus sur le fait que certaines formes étaient produites à Athènes sur les demandes spécifiques du marché étrusque (...). Aucune des œuvres du peintre de Micali n'a été, jusqu'à présent, retrouvée hors d'une tombe ou d'une nécropole : il n'y a donc pas lieu de supposer que ses vases aient été conçus pour un autre motif que celui d'être déposés dans le sépulcre, à l'exception de deux exemplaires particulièrement élaborés, produits peut-être à l'occasion de fêtes ou de circonstances spéciales. S'il est donc nécessaire d'insérer les vases du peintre de Micali dans leur contexte, c'est justement dans la sphère funéraire qu'il conviendra de le faire. Un tel phénomène n'implique pas que chacun des vases se réfère de façon spécifique à un rite comme la *prothesis* (exposition du défunt) (rares sont les scènes ainsi définies même dans les peintures tombales) ; il s'agira plutôt d'une série d'allusions à caractère général se rapportant au monde souterrain. » Dès lors, N. J. Spivey interprète sphinx, lions, griffons représentés sur les vases du peintre de Micali comme autant de gardiens du passage qui conduit de la vie à la mort, « créatures liminaires » chargées d'éloigner le mal ; de même, le satyre, mi-homme mi-cheval, est entre deux mondes et marque un temps de passage de l'un à l'autre ; il en va de même pour la sirène, hybride entre l'animal et l'homme. Il souligne que les vases du peintre de Micali révèlent la croyance des Etrusques en une renaissance dans une vie nouvelle après la mort ; ce serait le sens de nombreux symboles, mamelons souvent utilisés comme décoration, représentation d'une tête humaine émergeant de la ligne de sol, véritable *anodos* comparable à celle de Gaia portant Erichthonios sur de nombreux vases attiques, représentation aussi de satyres ithyphalliques. Le savant anglais ajoute prudemment que nous ignorons trop de la tradition culturelle et religieuse des Etrusques pour être sûrs de l'interprétation exacte de leurs représentations préférées ; mais il n'est sans doute pas faux de leur attribuer au moins une interrogation légitime sur l'au-delà. Travaillant essentiellement pour des commandes à caractère funéraire, le peintre de Micali apporterait ainsi sa contribution à l'expression des croyances qu'il partage avec ses contemporains de Vulci.

Jacques Heurgon, dans le même catalogue, publie une étude intitulée« Stéphane Gsell et le peintre de Micali », p. 11-16 et répond en quelque sorte à N. J. Spivey, à partir d'un exemple précis, celui de la tombe 34, située dans la zone dite de la Polledrara, pour arriver à une conclusion bien différente. Cette tombe, fouillée au printemps 1889 par Stéphane Gsell, contenait onze objets dont Jacques Heurgon retient quatre vases : une amphore du peintre de Micali, une hydrie, une coupe attique, un *kyathos* de bucchero. L'étude des formes et de la décoration conduit à des datations qui ne coïncident pas exactement : le *kyathos* de bucchero date du début de la deuxième moitié du VIᵉ siècle ; la coupe attique correspond au dernier quart du VIᵉ siècle ; l'amphore date d'environ 510, mais l'hydrie du peintre de Kyknos est de 490-480. C'est dire que l'offrande des vases, faite en une seule fois, n'est pas antérieure au début du Vᵉ siècle, et donc que l'amphore du peintre de Micali n'a pas été peinte à l'intention de la mort du défunt, mais vingt ans plus tôt, pour orner la demeure de riches Etrusques, bien vivants.

« Nous ne pouvons croire que tous les vases du peintre de Micali aient été dès l'abord destinés à des sépultures, et que les ailes dont il affuble les danseuses de notre amphore en fassent des créatures hybrides qui expriment le passage dans l'autre monde, de vie à trépas. » La joie de vivre qui ressort de ses œuvres ne s'accorde pas avec un art purement funéraire. Le peintre de Micali, conclut Jacques Heurgon, est « un peintre heureux, qui devait s'amuser beaucoup en traduisant au pinceau l'opulence de Vulci à son apogée ». La démonstration est convaincante et oblige à renoncer à l'idée d'une peinture à finalité purement funéraire. Ce simple exemple montre la prudence avec laquelle il est indispensable d'interpréter les images peintes sur les vases antiques et les erreurs qu'on risque de faire, à partir d'une étude incomplète, notamment hors du contexte dans lequel chaque vase a été trouvé.

Si nous avons privilégié, ici, la céramique grecque dont la richesse est extraordinaire, les mêmes observations pourraient être faites à propos d'autres images comme celles de la peinture murale ou de la sculpture, qui ne sauraient être, non plus, considérées comme simple décor que l'historien peut utiliser pour l'illustration d'un texte élaboré à partir des seuls documents écrits. Dans *Histoire et imaginaire de la peinture ancienne (Ve siècle av. J.-C. — Ier siècle apr. J.-C.)*, Paris, 1989, Agnès Rouveret insiste bien sur le traitement différent qui doit être appliqué aux textes et aux monuments : « Les deux sources de documentation — textes et monuments —, si elles se réfèrent à la même réalité, n'en tiennent pas moins un langage propre pour lequel il est nécessaire de définir des méthodes spécifiques d'analyse et d'interprétation. »

L'interprétation de l'image

L'historien a donc tout un apprentissage à faire pour redonner à l'image la place qui doit être la sienne. C'est vrai pour la frise des Panathénées, arrachée au Parthénon et installée au *British Museum* : œuvre politique, à la gloire de l'impérialisme athénien, sans doute ; vision utopique d'une cité idéale regroupée autour de ses dieux, œuvre de Phidias et de ses collaborateurs dans l'Athènes de Périclès ; enfin représentation d'une humanité très idéalisée jusqu'à ressembler aux divinités. Les bas-reliefs de l'*Ara Pacis Augustae* (l'Autel de la Paix d'Auguste) à Rome sont sans doute plus directement le témoignage d'une volonté politique qui veut conjuguer la fidélité à la tradition de la vie exemplaire du paysan pacifique et l'admiration pour l'excellence du nouveau régime qui se met en place à Rome et dans l'Empire : cortège des membres de la famille impériale et dignitaires, sacrifice d'Enée réunissant autour du même autel le passé et le présent de Rome ; le jeune Caius César est représenté s'accrochant à la toge de son père Agrippa ; son frère et lui sont sans doute dépeints comme de jeunes Troyens par leurs vêtements et le collier qu'ils portent autour du cou (torques), comme l'a bien relevé Paul Zanker, *The Power of Images in the Age of Augustus*, Ann Arbor, 1988, p. 217. Plusieurs approches sont donc possibles pour l'historien.

• *Il peut mettre en parallèle les changements politiques et l'apparition de nouvelles formes d'expression artistique et visuelle.* Ainsi Paul Zanker retrace le tournant artistique que fut le *saeculum augustum* : l'empereur et l'Etat se retrouvent au centre d'un langage visuel standardisé, et dans le cadre privé, les portraits sculptés prennent parfois les traits d'Auguste ou des princes julio-claudiens (p. 293) ; les thèmes militaires se développent et les vertus d'un défunt sont ainsi commémorées sur son sarcophage par l'intermédiaire d'une scène de bataille dans laquelle il est représenté comme un général victorieux, même s'il n'a jamais servi sous les armes (p. 336). Au total, le siècle d'Auguste consacre la domination de l'héritage artistique grec combiné avec l'idéologie impériale, dont la statuaire est l'expression la plus fidèle.

• *L'historien doit chercher à distinguer les formes originales* de celles qui sont plus stéréotypées. Ainsi, une statue honorifique d'un général romain, vers 180-150 av. J.-C., reproduite par Paul Zanker, p. 4, fig. 1, représente ce personnage comme un roi hellénistique et sa nudité le rapproche des images des dieux et des héros.

• *Enfin, il doit attacher de l'importance à la « visibilité »* de l'image dans son cadre originel ; celle-ci prend un autre sens si elle est changée de place pour bénéficier d'un meilleur éclairage. Très différente est la disposition de telle et telle œuvre : les tombeaux, disposés le long des voies à la sortie des villes, comme les Alyscamps près d'Arles, sont faits pour être vus de tous et non pas seulement dans le cadre de l'intimité familiale ; ces images empreintes de *gravitas*, laissées en héritage aux vivants, s'adressent à tous. En revanche, les œuvres d'art masquées, les images dérobées au regard posent problème, celles que Paul Veyne qualifie d'« œuvres d'art sans spectateurs », dans un article publié dans *Diogène*, 143, juillet-septembre 1988, p. 3-22 ; c'était le cas, il faut le rappeler, d'une frise comme celle des Panathénées sur le mur du Parthénon, à une grande hauteur, à l'intérieur de la colonnade ; sa situation est toute différente aujourd'hui au British Museum où elle court à hauteur d'homme tout autour d'une salle. C'est le cas aussi des reliefs de la colonne Trajane, à Rome, qui racontent la conquête de la Dacie sur une frise de 184 scènes qui tourne en spirale autour de la colonne, sur vingt-trois spires, jusqu'à trente mètres de hauteur, si bien que seules les deux premières spires étaient visibles pour les spectateurs intéressés. Elle témoigne de la puissance du souverain qui l'a érigée, sans que personne puisse examiner en détail la totalité des scènes, que l'artiste a soignées quel que soit leur emplacement sur la frise. Selon Paul Veyne, qui précise son étude dans *La Société romaine*, Paris, 1991, au total, la colonne Trajane est un « monument-cérémonial » : cérémonial qui « s'exprime par-devant les populations », s'accomplit devant elles pour leur faire sentir qu'il ne daigne pas s'adresser à elles ; monument qui recherche l'immortalité de la mémoire.

Le problème est justement là : faut-il juger de la « visibilité » de l'œuvre en fonction d'une lecture totale, détaillée et en fin de compte idéale ? Dans un article des *Annales ESC*, septembre-octobre 1985, Salvatore Settis avance deux éléments nouveaux : il rappelle d'abord les présupposés de l'observateur contemporain qui connaît les guerres daciques, c'est-à-dire le début et le terme de la narration, et accède sur le forum de Trajan, à partir de l'arc de triomphe, entre statues et trophées tirés du butin ; en outre l'attention est attirée par plusieurs correspondances verticales entre les images de la colonne, par exemple trois traversées du Danube, qui constituent un véritable point d'appui pour le regard. Avec des principes de contiguïté et de similarité, ce sont donc les thèmes topiques de la propagande impériale qui sont manifestés, et cette manifestation a valeur d'*exemplum*, de représentation morale imagée. A partir d'une œuvre — la colonne Trajane — et d'une difficulté de lecture — la hauteur, la forme en spirale — l'historien de l'Antiquité ne peut franchir l'obstacle initial qu'en élargissant le champ de son investigation à la représentation du pouvoir impérial, à sa réception, l'anthropologie politique épaulant et prolongeant l'histoire de l'art.

Euripide, dans *Ion*, v. 190-218, confie au chœur le soin de faire connaître les réactions du public devant un monument figuré : « Vois, donc ici, regarde, voici l'hydre de Lerne, qu'abat le fils de Zeus, armé de ses faucilles d'or. Regarde donc, amie. — Je vois. Et, près de lui, un autre héros élève une torche enflammée. N'est-ce point celui-là dont, en tissant la toile, on conte chez nous la légende, le brave Iolaos, le porte-bouclier, compagnon dévoué, dans leurs communs travaux, d'Héraclès, fils de Zeus. — Ah ! vois donc celui-ci sur son cheval ailé ! Il égorge le monstre à trois corps, le monstre à l'haleine de flamme ! — De toutes parts, je promène mes yeux. Vois, sur ces murs de marbre le combat des Géants. — Nous regardons par ici, mes amies. — La vois-tu donc contre Encélade, brandissant son écu à tête de Gorgone ? — Je vois Pallas, notre déesse. Eh bien, et la foudre au double tranchant de flamme, la foudre terrible, que lance au loin le bras de Zeus ? — Je le vois : il embrase, il réduit en cendres, le farouche Mimas. — Et Bromios, Bromios le Bacchant avec son arme peu guerrière, son thyrse aux festons de lierre, abat sur le sol un autre Géant ! » Après la description de métopes, le chœur passe à l'examen d'un fronton qui peut être le fronton ouest du temple de Delphes, décoré d'une gigantomachie ; le chœur se borne, ici, à une description sans interprétation : à chacun des spectateurs il appartient de comprendre le sens des scènes représentées.

L'EXPLICATION DE DOCUMENT

La méthodologie

Elle constitue l'exercice fondamental du métier d'historien, car c'est d'abord par l'analyse précise et rigoureuse des sources que le chercheur est le plus proche de la réalité historique. Le futur historien doit donc s'astreindre à la pratiquer avec méthode, tout en étant conscient des distorsions que l'exercice universitaire, pratiqué dans les concours, fait subir à l'examen des documents : en particulier, la mise en série indispensable au métier de chercheur ne peut être exigée dans les limites d'un devoir. Dans le cadre de cet ouvrage qui est d'abord un manuel, c'est bien entendu de l'exercice universitaire qu'il va s'agir.

Trop souvent, l'étudiant imagine que l'explication d'un document est un exercice périlleux, dont la méthode varie avec la période concernée ou avec le professeur qui le propose. La règle principale est la suivante : le document n'est pas proposé à l'étudiant pour illustrer une brillante dissertation, construite à partir de connaissances apprises dans des manuels ou des ouvrages modernes. Le document est, en lui-même, l'objet de l'examen.

On vient de voir en outre, tout au long de la deuxième partie de ce livre, que le document peut prendre des formes très variées : série de monnaies, vases, statues, temples, dédicaces ou décrets gravés sur pierre ou sur bronze, texte d'un historien de l'Antiquité, d'un orateur athénien, d'un poète latin, plan de villes ou cadastre rural, photo aérienne, etc. Chacun peut être suggestif, à condition de savoir l'interroger, c'est-à-dire d'abord à condition de lui rendre le code qui lui est propre. En bref, on jugera de la qualité d'une explication de document suivant trois critères : l'aptitude à mettre en évidence la structure interne du document et du type de document ; la connaissance du contexte, le repérage des allusions ; enfin l'esprit critique, l'évaluation de la portée du document, de ses limites.

Le premier temps consistera en une observation soigneuse du document, sous tous ses aspects : s'il s'agit d'un vase, le décor, sur le col, l'épaule, les anses, la panse du vase, est un des éléments mais il n'est pas le seul ; sa forme, son utilisation, la qualité de sa peinture, de son vernis doivent être considérées pour aboutir à une datation et à l'identification du lieu de fabrication ; s'il s'agit d'un texte écrit, qui peut apparaître au départ comme le type de document le moins déroutant, le lecteur doit s'efforcer de pénétrer méthodiquement le texte, pour bien le comprendre, pour bien suivre le développement de la pensée exposée au long du texte, observer les articulations.

• *Tout de suite, des interrogations* vont surgir, qu'il faut organiser tout en essayant de leur donner réponse : quel est l'auteur ? — pour qui écrit-il ? — s'agit-il d'un texte destiné à être lu en public, un discours, une plaidoirie ? — un extrait d'une comédie, d'une tragédie ? — une inscription qui fait connaître un décret émanant de quelles institutions, de quelle cité, de quel Etat ? — où était-elle placée, dans quel sanctuaire ? — quelle est la date du document ? Les réponses ne sont pas toujours simples à trouver, car les éléments de datation figurant sur des inscriptions ne sont pas faciles à interpréter exactement : telle décision d'un roi Antiochos peut être attribuée indifféremment à Antiochos Ier, à Antiochos II ou à Antiochos III. L'important est de bien poser les questions : la réponse vient ou ne vient pas, il vaut mieux une hésitation qu'une affirmation fausse. Si l'explication de documents doit être rédigée, ce qui constitue un excellent exercice, il est évident qu'une biographie développée de l'auteur ne s'impose absolument pas ; le rédacteur de l'explication de document a naturellement tout intérêt à connaître son auteur, mais la vie de celui-ci n'a d'intérêt dans la présentation du texte que dans la mesure où certains éléments de cette biographie peuvent aider à mieux comprendre le texte : savoir que Tacite a épousé la fille de Julius Agricola peut être utile si le texte traite de la conquête de la Bretagne et de son gouvernement. Le contexte politique, économique, social peut aussi avoir son importance : la situation des paysans athéniens repliés dans la ville pour échapper aux incursions péloponnésiennes explique souvent le thème et le ton de certaines comédies d'Aristophane qui cherche à satisfaire son public, en s'en prenant aux hommes politiques, jugés responsables de cette situation.

• *Il faut ensuite procéder à l'analyse* ; une bonne analyse ne laisse rien échapper des renseignements contenus dans le texte ; ils n'ont pas tous la même importance, ils doivent tous être retenus. L'exercice de contraction de textes est excellent, s'il est bien conduit, car il permet d'évacuer les redites, le verbiage, tout en obligeant à classer les arguments contenus dans le texte. Il faut, bien sûr, penser aussi que notre mode de raisonnement n'est pas forcément celui de l'auteur : interrogeons-nous sur la signification possible de l'ordre différent suivi par l'auteur pour introduire les éléments de sa réflexion, de sa démonstration ; il s'adresse à un auditoire qu'il faut savoir manœuvrer, ménager pour mieux le convaincre, ou bien, auteur comique, il doit faire rire tout en suggérant un certain message politique. Pour être efficace, cette analyse doit se faire la plume à la main ; elle aboutit à une série d'éléments disparates, mais que l'auteur avait organisés pour en faire un tout logique et homogène.

• *Il importe, ensuite, de présenter le développement* de tous ces éléments en les organisant suivant un plan logique ; ce plan n'est pas forcément celui qu'a suivi l'auteur, il n'est pas non plus nécessairement différent. Il convient, en effet, de bien rendre la volonté de l'auteur qui veut convaincre son auditoire, le faire passer d'un certain niveau de réflexion à un autre. C'est dire que le développement ne doit en rien briser la dynamique de l'auteur, il doit rendre ce mouvement de la pensée. Sont souvent à éviter des plans qui seraient purement analytiques, sans tenir compte du but recherché par l'auteur ; toutes les paraphrases qui n'aboutissent qu'à répéter ce que dit l'auteur dans un style différent doivent être rejetées. Le plan sera structuré en deux, trois, quatre parties si nécessaire, puis en paragraphes, dont chacun marque une progression dans le raisonnement, dans l'étude. Bien des aspects du texte vont nécessiter une explication, à cause d'une allusion qu'il faut éclaircir, d'une chronologie qu'il faut établir, etc. C'est à chacun d'entre eux qu'il faut être attentif pour que la compréhension du texte devienne totale.

Naturellement, depuis la première approche du document, depuis la première lecture du texte, l'esprit critique de l'historien est en éveil ; il enregistre ce que dit l'auteur, il suit attentivement son raisonnement, mais il ne lui fait crédit qu'à bon escient. Le rôle du lecteur est d'apprécier la crédibilité de l'auteur : est-il bien renseigné, a-t-il été témoin direct de ce qu'il rapporte ? Si c'est le cas, quelle est son intention en écrivant ? Sinon, quelles sont ses sources d'information ? On a vu déjà, à propos des discours en style direct, les explications fournies par Thucydide qui les a composés lui-même tout en les attribuant à Périclès, au roi de Sparte ou au délégué corinthien.

• *La critique du document* est certainement la partie la plus délicate à mener, car elle suppose une bonne connaissance des autres documents fournissant des informations sur la même période et le même pays ; par là même, l'étudiant débutant ne doit pas s'alarmer de ne pas pouvoir conduire très loin la critique du texte, faute de connaissances suffisantes, notamment sur les différentes sources existantes ; c'est en travaillant avec méthode qu'il arrivera progressivement à connaître les documents qu'il faut mettre en parallèle avec celui qu'il cherche à commenter complètement. La critique du document doit être conduite par confrontation des sources entre elles, pour essayer de dégager la vérité historique, ou au moins essayer d'approcher la réalité autant que faire se peut. Il n'y a pas à s'étonner que les représentants de deux partis opposés, Eschine et Démosthène, par exemple, fournissent des interprétations contradictoires

ATHÈNES. DÉCRET EN L'HONNEUR DE KALLIAS DE SPHETTOS, 270/69

A. L'intitulé : sous l'archontat de Sosistratos, alors que la tribu Pandionis exerçait la sixième prytanie pour laquelle Athénodôros, fils de Gorgippos, d'Acharnes, était secrétaire, le 18 de Posidéon qui était le 21 de la prytanie, assemblée principale ; parmi les proèdres mettait aux voix Epicharès, fils de Pheidostratos, d'Erchia, en compagnie de ses collègues à la proédrie ; il a plu au Conseil et au peuple ; Eucharès, fils d'Euarchos, de Konthylè, a fait la proposition :

B. Les considérants : attendu que Kallias, — lors du soulèvement du peuple, contre ceux qui occupaient la cité, qui a chassé les soldats mercenaires de la ville, alors que le fort du Mouseion était encore occupé et que le territoire était en état de guerre aux mains des troupes du Pirée et que Démétrios avec son armée s'approchait à travers le Péloponnèse pour attaquer la ville —, Kallias vit le danger qui menaçait la cité, choisit un millier de soldats mercenaires stationnés avec lui à Andros, paya leurs soldes et assura leur ravitaillement et vint directement dans la ville pour secourir le peuple, agissant en accord avec la bienveillance du roi Ptolémée envers le peuple ; et il envoya ses troupes dans le territoire et fit tous ses efforts pour protéger la récolte de blé afin de permettre d'apporter dans la ville le plus de grain possible ; et attendu que, lorsque Démétrios arriva devant la ville et mit le siège, Kallias combattit au côté du peuple et marcha avec ses soldats contre lui et malgré une blessure il ne recula devant aucun danger ni à aucun moment pour sauver le peuple ; et quand le roi Ptolémée envoya Sostratos pour défendre les intérêts de la cité et que Sostratos manda une ambassade pour le rencontrer au Pirée, avec laquelle il conviendrait des termes de la paix avec Démétrios dans l'intérêt de la cité, Kallias se conforma à la demande des stratèges et du Conseil, participa à la délégation pour le peuple et fit tout dans l'intérêt de la cité ; il resta dans la ville avec ses soldats jusqu'à ce que la paix fût conclue ; après avoir rejoint le roi Ptolémée, il continua à coopérer avec les délégations envoyées par le peuple en tout et travailla dans l'intérêt de la cité ; et lors de l'avènement au trône du jeune roi Ptolémée, Kallias qui résidait dans la ville, — quand les stratèges l'appelèrent pour lui expliquer la situation dans laquelle se trouvait la cité et lui demander de se rendre auprès du roi Ptolémée dans l'intérêt de la cité pour qu'un secours très rapide en grains et en argent soit fourni à la ville —, Kallias se rendit à ses frais à Chypre et après une rencontre avec le roi dans une conversation favorable à la cité il rapporta au peuple cinquante talents d'argent et un don de vingt mille médimnes de froment qui ont été mesurés à Délos aux envoyés du peuple ; et lorsque le roi établit pour la première fois les Ptolemaia, le sacrifice et les concours en l'honneur de son père et que le peuple décréta d'envoyer une délégation sacrée en estimant que Kallias devait être le chef de la délégation (*archithéore*) et prendre la tête de la délégation du peuple, Kallias accepta avec zèle et refusa les cinquante mines affectées par le peuple pour la conduite de l'archithéorie, pour les donner au peuple, en s'occupant du sacrifice au nom de la cité et de tout ce qu'il convenait de faire avec les délégations ; et comme le peuple était sur le point de célébrer les Panathénées pour Athéna Archégète pour la première fois après la libération de la ville, Kallias parla au roi des équipements nécessaires pour préparer le *péplos*, et comme le roi les donna à la cité, il veilla à ce qu'ils soient les plus beaux pour la déesse et à ce que les théores élus par lui les rapportent directement ici ; et, maintenant, placé par le roi Ptolémée à Halicarnasse, Kallias ne cesse de montrer son zèle pour les ambassades et les délégations sacrées envoyées par le peuple auprès du roi Ptolémée et, en privé, il prend tout le soin nécessaire de chaque citoyen qui vient à lui et fait tout son possible aussi pour les soldats mercenaires qui sont avec lui, son but principal étant l'intérêt et la dignité de la cité ; [...] pour sa patrie, il ne supporta jamais jusqu'ici, [...] et quand la démocratie était renversée, il laissa ses propres biens être confisqués au temps de l'oligarchie plutôt que d'agir contrairement aux lois et à la démocratie qui est celle de tous les Athéniens.

C. La formule hortative : afin donc que tous ceux qui veulent rivaliser d'ardeur envers notre cité sachent que le peuple se souvient toujours de ses bienfaiteurs et manifeste à chacun sa reconnaissance ;

D. La formule de résolution : à la Bonne Fortune, plaise au Conseil que les proèdres qui auront été désignés par tirage au sort pour présider à l'assemblée légale mettent aux voix et présentent la proposition du Conseil au peuple, à savoir qu'il plaît au Conseil :

E. Les décisions : d'accorder l'éloge à Kallias, fils de Thymocharès, de Sphettos, pour sa valeur et le dévouement qu'il ne cesse de montrer pour le peuple d'Athènes, et de le couronner d'une couronne d'or selon la loi et de proclamer la couronne aux grandes Dionysies au concours des tragédies nouvelles ; que les magistrats chargés de l'administration s'occupent de la fabrication de la couronne et de sa proclamation ; que le peuple lui élève aussi une statue de bronze sur l'agora, qu'il ait la proédrie dans tous les concours que la cité organise et que l'architecte élu qui a en charge les sanctuaires lui attribue le siège de proédrie ; que le peuple élise immédiatement trois hommes d'Athènes qui s'occuperont de la fabrication de la statue et de sa consécration ; que les thesmothètes introduisent pour lui l'examen (*dokimasie*) de la récompense à l'Héliée, lorsque le délai légal sera expiré ; afin que demeure aussi un souvenir du zèle de Kallias pour le peuple, que le secrétaire de la prytanie fasse transcrire ce décret sur une stèle de pierre et qu'il la fasse placer auprès de la statue ; que pour la transcription et la stèle les magistrats chargés de l'administration règlent la dépense engagée.

Inscription trouvée le 20 mai 1971 à l'agora d'Athènes et publiée par T. Leslie Shear, *Hesperia*, Supplément XVII, Princeton, 1978, p. 2-4.

Cet exemple de décret honorifique athénien révèle bien le mode de construction d'un tel décret, bien daté, dès le début du texte, par la mention de l'archonte, de la prytanie, du jour du mois et du jour de la prytanie ; ces éléments chronologiques sont suivis de la formule de sanction (il a plu...) et du nom de l'auteur de la proposition. Les considérants sont là pour justifier la proposition : il convient donc de rappeler tous les bienfaits du personnage qui doit être honoré ; c'est souvent la partie la plus riche de renseignements pour l'histoire : ici, on découvre le rôle de cet Athénien Kallias qui sert comme chef de mercenaires pour le compte des rois lagides et qui intervient dans les affaires de sa cité natale, pour la libérer des garnisons macédoniennes ; ce décret est le seul témoignage d'une activité aussi grande des rois lagides à Athènes même, contre l'Antigonide Démétrios le Poliorcète.

d'une même paix conclue avec Philippe II de Macédoine, mais il peut être intéressant de chercher à comprendre les conditions dans lesquelles cette paix a été jurée par les deux camps.

• *Conclure une explication de documents* fournit l'occasion de rappeler brièvement les apports du document : en quoi modifie-t-il notre connaissance sur telle période ou telle institution ? En même temps, ce document, qui a pu être, au cours de l'explication, confronté à d'autres, peut se révéler partisan, inexact, mal informé et par là nous renseigner sur la crédibilité à accorder à son auteur.

Pour passer de la théorie à la pratique et fournir aux lecteurs de ce livre un exemple concret d'explication de document, prenons le texte de l'inscription d'Athènes : Décret en l'honneur de Kallias de Sphettos, 270/69 (cf. encadré p. 82), pour montrer comment on peut procéder dans les différentes étapes évoquées, sans rédiger le développement complet, mais en indiquant le contenu de chaque démarche.

Un exemple : explication du décret en l'honneur de Kallias de Sphettos

● *L'Introduction* : Ce décret, gravé sur une stèle de pierre trouvée en 1971 à l'agora d'Athènes, et publié seulement en 1978, honore un citoyen dont les bienfaits et les relations ont contribué à restaurer la liberté de la cité d'Athènes, face aux garnisons de Démétrios le Poliorcète, mais avec l'aide des rois Lagides. Voté en 270/69, il fait appel à des actions de Kallias très antérieures, du temps où Démétrios pouvait agir en Grèce (donc avant 285) et du vivant de Ptolémée Ier (mort en 283). La décision émane des instances normales à Athènes, le Conseil et le peuple (c'est-à-dire l'Assemblée ou Ecclesia) ; la stèle devait être placée auprès de la statue de bronze de Kallias sur l'agora, donc elle a été pratiquement retrouvée là où elle avait été élevée en 270 av. J.-C. ; nous avons ici un document de première main, qui nous parvient sans autre intermédiaire que le lapicide.

Le décret est construit comme tous les décrets athéniens (on a pris soin de donner le titre de chacune des parties du texte : l'intitulé, les considérants, la formule hortative, la formule de résolution et les décisions).

[Il importe de montrer clairement que le plan du décret vous est bien connu, ce qui ne signifie pas du tout que vous allez expliquer le document en suivant cette construction, sinon toutes les explications de décret seraient construites sur le même schéma.]

● *L'Analyse* :

— L'intitulé fournit les éléments de datation du décret : pour bien comprendre les institutions mentionnées, il suffira de se reporter à la *Constitution des Athéniens* d'Aristote, deuxième partie à partir du ch. 42, et on peut consulter Cl. Mossé, *Les Institutions grecques*, Paris, A. Colin, coll. U[2], 1967, pour bien définir : archonte, tribu, prytanie, dème, secrétaire, assemblée principale, proèdres, rôle du Conseil et de l'Assemblée (précisé dans la formule de résolution) ; voir aussi le rôle des thesmothètes et de l'Héliée dans les décisions.

— Les considérants constituent l'apport essentiel du texte, en présentant l'action de Kallias dans des circonstances précises :

– soulèvement de la ville contre les garnisons étrangères à la solde de Démétrios, donc séparation de l'Attique en deux parts : la ville d'un côté, le territoire et le Pirée de l'autre, et avance de Démétrios venant du Péloponnèse pour tenter de reprendre la ville. Kallias, citoyen athénien, officier au service de Ptolémée Ier, commandant une troupe de mercenaires lagides à Andros, débarque en

Attique avec mille soldats ; ceux-ci assurent la protection des moissons pour le ravitaillement de la ville ;

– siège de la ville par Démétrios, la ville résiste grâce aux renforts amenés par Kallias qui est blessé ;

– conférence de paix au Pirée entre Démétrios et l'envoyé de Ptolémée Ier, Sostratos qui fait appel à Kallias désigné pour diriger la délégation de la ville ; la paix est conclue ;

– Kallias rejoint le roi Ptolémée ;

– en 283, à l'avènement de Ptolémée II, la ville envoie Kallias demander au jeune roi un secours en grains et en argent ; il le rencontre à Chypre et rapporte 50 talents d'argent et 20 000 médimnes de froment ;

– en 279, Kallias dirige, à ses frais, l'ambassade religieuse à Alexandrie pour les premiers Ptolemaia et assure le sacrifice au nom de la cité ;

– il obtient du roi le don du matériel nécessaire pour célébrer dignement les Panathénées pour la première fois depuis la libération de la ville ;

– en 270, Kallias est à Halicarnasse au service de Ptolémée II, à la tête de mercenaires dont certains paraissent athéniens ;

– au temps de l'oligarchie, il a eu ses biens confisqués et n'a rien tenté pour les protéger.

— Les décisions énumèrent les honneurs attribués à Kallias : l'éloge, la couronne d'or, une statue de bronze sur l'agora, la proédrie, la stèle.

N.B. : Cette analyse n'est pas nécessairement recopiée dans l'explication de texte rédigée sous forme d'un devoir écrit ; mais l'étudiant doit s'appliquer à la faire très soigneusement pour ne rien laisser échapper des informations fournies par le document.

● *Le développement* : après réflexion sur les résultats de l'analyse du décret, il semble qu'on puisse construire un plan logique sous la forme suivante :

I — Le contexte international et la situation d'Athènes :

– Démétrios le Poliorcète, fils d'Antigone le Borgne, tient Athènes et l'Attique par des garnisons et contrôle le Péloponnèse, dans cette période qui précède sa chute et son incarcération par Séleucos à partir de 285 ; on sait, par ailleurs, qu'il a perdu la Macédoine à la suite d'une attaque conduite par Pyrrhos et Lysimaque (il est à noter que le décret ne parle jamais de Démétrios avec le titre royal, alors que ce sont les Athéniens qui l'ont salué de ce titre en 306, selon Plutarque, *Vie de Démétrios*, 17-18, voir aussi la divinisation de Démétrios par les Athéniens rapportée par Démocharès, *Hist.*, 21, et l'hymne des Athéniens à Démétrios, cité par Douris de Samos, dans Athénée, VI p.253 ; en revanche, les Lagides sont toujours qualifiés comme le roi Ptolémée ; cette discrimination est voulue et manifeste l'hostilité des Athéniens à l'égard de Démétrios et, en 270/69, à l'égard de son fils Antigone Gonatas qui règne sur la Macédoine) ;

– Il a contre lui Ptolémée Ier et ce décret est le premier document qui révèle l'intervention active du roi lagide en 287/6 en faveur d'Athènes ; les forces lagides contrôlent la mer Egée, puisqu'elles sont établies à Andros, île située au nord des Cyclades, entre le sud de l'Eubée et Ténos ; cette présence est durable puisqu'en 270/69, au moment du vote du décret, Kallias tient garnison à Halicarnasse pour le compte de Ptolémée Philadelphe ; Chypre est également lagide, c'est dire qu'il serait tout à fait inexact de considérer les Lagides enfermés dans la seule Egypte et à Alexandrie. Notons que cette puissance lagide semble toujours représentée par des soldats mercenaires commandés par des officiers étrangers, comme l'Athénien Kallias.

– Dans ce combat des chefs, Athènes paraît en situation bien difficile : le peuple souffre de la faim : on le voit lors de l'intervention de Kallias et de ses soldats venus d'Andros ; leur premier souci est de protéger la moisson pour ravitailler la ville ; après l'avènement de Ptolémée II (mort de son père en 283), la ville a besoin d'un secours d'urgence en grains et en argent et Ptolémée se montre généreux ; on notera le rôle de Délos comme centre d'échange.

• Le peuple de la ville d'Athènes s'est soulevé en 287/6, a réussi à chasser la garnison de la ville, mais la colline des Muses est toujours occupée par une garnison de soldats de Démétrios (regarder un plan d'Athènes pour voir que cette colline est très proche de l'acropole, à l'ouest) ; on est donc frappé de la faiblesse, de l'impuissance des Athéniens, une génération après la guerre lamiaque ; la cité pouvait, à cette époque, lutter, presque d'égal à égal, avec les armées macédoniennes d'Antipatros et de Cratère ; maintenant elle en est réduite à supporter la présence de garnisons étrangères sur son sol sans parvenir à les chasser. Cet affaiblissement s'explique certainement, en bonne partie, par la réduction du corps civique, à partir de 322, du fait des dispositions oligarchiques qui ont exclu du corps civique 12 000 citoyens pauvres ; certes, ces dispositions ont été annulées par la suite, mais le mal était fait et beaucoup d'exclus ne sont pas revenus, ce qui explique qu'on en trouve parmi les mercenaires au service des Lagides.

• La cité d'Athènes est coupée en deux parties : la ville d'une part, le Pirée et le territoire tenu par les forteresses d'autre part. Cette situation pose des problèmes pour le fonctionnement des institutions, car ne peuvent assister aux séances de l'Assemblée, être choisis comme bouleutes, juges ou magistrats que les habitants de la ville ; elle en pose aussi pour la vie économique, car la séparation entre le port et la ville interrompt tous les échanges intérieurs, interdit le ravitaillement de la ville assiégée et prive les commerçants du Pirée de leurs débouchés naturels.

II — Le rôle de Kallias :

– Il est athénien : Kallias, fils de Thymocharès, du dème de Sphettos, et il reste attaché à sa cité, mais il a accepté de servir les rois lagides, comme officier commandant des troupes de mercenaires ; pourquoi ce choix ? Sans doute parce qu'à Athènes même il ne trouvait pas d'activités qui lui conviennent ; il n'est pas une exception, il est plutôt un exemple de ces nombreux Athéniens qui prennent du service à l'extérieur, pour le compte de l'un ou de l'autre des puissants de l'époque. Grâce à cette activité, Kallias est quelqu'un de puissant et d'efficace : il paraît assez libre à l'égard du roi lagide (son départ d'Andros avec 1 000 hommes semble presque une initiative personnelle, mais « il agit en accord avec la bienveillance du roi ») ; il obtient du roi ce qu'il lui demande : argent, blé, matériel nécessaire à la célébration des Panathénées. Kallias paraît riche à ses compatriotes : il se rend à ses frais à Chypre ; désigné comme archithéore à l'occasion des Ptolemaia, il restitue au peuple les 50 mines prévues à cet effet et prend à sa charge les frais de cette liturgie et du sacrifice au nom d'Athènes. Kallias a toujours été loyal à l'égard d'Athènes et de ses institutions démocratiques ; il n'a jamais pactisé avec l'oligarchie (sans doute celle imposée par Démétrios de Phalère (317-307), peut-être s'agit-il aussi du régime tyrannique (299/8-294) de Lacharès), même quand ses biens en Attique étaient confisqués.

– Son intervention sauve les Athéniens de la ville, en 286 : l'expédition est intéressante, elle suppose que Kallias dispose d'une flotte pour transporter mille soldats, leur armement et leur ravitaillement d'Andros en Attique ; on peut penser qu'ils ont débarqué sur la côte orientale, peut-être près de Marathon, puisque le Pirée est aux mains de la garnison de Démétrios ; de là, ils ont gagné la ville et protégé les récoltes de blé pendant la moisson ; cette troupe combat au côté des gens de la ville contre Démétrios et son armée venus du Péloponnèse, combat qui se livre le long des remparts d'Athènes. Mais Kallias ne peut agir que grâce au soutien du roi Ptolémée Ier ; c'est finalement l'intervention de ce roi qui impose à Démétrios une paix précaire, puisqu'elle ne règle pas la situation de la cité d'Athènes, qui reste éclatée entre la ville libérée d'une part, le Pirée et le territoire occupés par les garnisons macédoniennes d'autre part ; l'envoyé de Ptolémée Ier, Sostratos, est connu comme un riche habitant de Cnide, ami du roi ; dans les négociations du Pirée, Kallias représente les Athéniens de la ville.

– Kallias reste ensuite au service du roi lagide : il le rejoint après conclusion de la paix ; mais, à l'avènement du jeune roi Ptolémée II, il habitait Athènes. Il semble que cet avènement soit plutôt à interpréter, ici, comme l'accession de Ptolémée II au trône à la mort de son père, en 283 ; il était associé à la royauté depuis 285, mais Ptolémée Ier gardait le pouvoir. Il semble, donc, que le voyage de Kallias à Chypre se situe en 283 : il y va à la demande des stratèges athéniens, la ville toujours séparée de son port et de son territoire a besoin de grains et d'argent. Ces secours peuvent répondre à un besoin urgent des habitants affamés ; le don en argent peut aussi laisser penser que les gens de la ville essaient de négocier le départ de la garnison du Pirée contre une somme d'argent, faute de réussir à la déloger par les armes (une tentative a échoué un peu plus tôt, lorsque l'officier Hiéroklès, avec qui les Athéniens s'étaient entendus, ouvrit les portes du Pirée pour y introduire le groupe de soldats de la ville mais après avoir prévenu la garnison qui les massacra, selon Polyen V, 17) ; d'autres dons ont été obtenus par les Athéniens auprès du roi Lysimaque (Pseudo-Plutarque, *X Orat. Vitae*, 851e, et décret pour le poète Philippidès (283/2), *IG* II² 657, traduit par J. Pouilloux, *Choix d'inscriptions grecques*, Paris, 1960, n° 1), auprès d'Antipatros, fils de Cassandre, auprès de Spartokos IV (*IG* II² 653) et d'Audoléon, roi des Péoniens (*IG* II² 654). La ville vit réellement de mendicité, elle est assistée.

– En 279, Ptolémée II institue, à Alexandrie, une fête en l'honneur de son père, les Ptolemaia, à la fois sacrifice religieux et concours, qui sont égaux en honneur aux concours olympiques ; ce sont les premiers concours stéphanites (qui donnent comme récompense une couronne de feuillage) ou concours sacrés créés hors de Grèce ; Athènes doit y être représentée, c'est Kallias qui est choisi et qui offre le sacrifice (bœufs ou taureaux) digne de la cité. Le décret ne dit rien de la réunification de la cité qui s'est effectuée au printemps 281, lorsque le Pirée est évacué par sa garnison macédonienne, sans doute parce que Kallias n'est pas intervenu dans cette opération qui a dû se régler sans violence, par la négociation (cf. le décret en l'honneur de l'ancien archonte Euthios (282/1), publié par B. D. Meritt, *Hesperia*, 7 (1938), p. 100-109). C'est à cause de cette réunification de la cité que les Athéniens veulent célébrer avec un faste particulier les Grandes Panathénées et font encore appel à la diplomatie de Kallias pour obtenir la générosité du roi lagide.

– Au moment du vote du décret, Kallias sert Ptolémée II comme commandant de la garnison lagide installée à Halicarnasse, sur la côte sud de l'Ionie. Ainsi le pouvoir en place à Athènes, à cette date, est favorable à l'alliance avec le roi lagide : Athènes, libre depuis 281, a choisi, dans la tension constante qui oppose Antigone Gonatas à Ptolémée Philadelphe, le camp lagide.

III — La reconnaissance des Athéniens :

– Elle se manifeste dans le cadre des institutions traditionnelles de la cité et par l'attribution d'honneurs soigneusement dosés :

– Le décret est voté par le Conseil, puis par le peuple sur la proposition du Conseil, conformément à la *Constitution des Athéniens* d'Aristote, XLV, 4, qui prévoit la délibération préalable du Conseil. Le vote se déroule au cours de l'Assemblée principale (Aristote, *id.*, XLIII, 4), sous la présidence des proèdres (Aristote, XLIV, 2) choisis à raison d'un par tribu qui n'exerce pas la prytanie ; mais, à la différence du texte d'Aristote, à l'époque du décret, les Athéniens sont répartis en douze tribus, et non plus en dix comme l'avait voulu Clisthène, depuis la création des tribus Antigonis et Démétrias en 306. On est dans la sixième prytanie, donc presque au milieu de l'année, et celle-ci commence à la nouvelle lune qui suit le solstice d'été ; le mois Posideion correspond effectivement à la période décembre-janvier ; c'est donc une séance de l'assemblée qui se déroule en hiver. L'année est indiquée par le nom de l'archonte éponyme (Aristote, LVI). A côté des magistrats ordinaires d'Athènes qui figurent dans le décret (l'archonte, les thesmothètes, les stratèges, le secrétaire de la prytanie), il faut noter le rôle financier attribué à ceux que la traduction française appelle les magistrats chargés de l'administration (en grec c'est le terme de *dioikèsis* qui les désigne), magistratures courantes à l'époque hellénistique et qui échappent sans doute aux règles habituelles par la durée de leurs fonctions supérieure à un an. L'examen (*dokimasie*) des récompenses devant l'Héliée est introduit par les thesmothètes, après l'expiration du délai légal, ce délai correspondant à la période durant laquelle les accusations d'illégalité pouvaient être déposées ; ce délai est différent de celui qui séparait la demande des honneurs de la mise en délibération du décret devant l'Assemblée, qui est ici qualifiée d'« Assemblée selon la loi », c'est-à-dire l'Assemblée qui se tenait après l'expiration du délai dont on ignore la durée ; on n'a pas, ici, la preuve certaine que Kallias a sollicité officiellement les honneurs, comme on le sait pour son frère par exemple, mais il est très vraisemblable qu'il en était de même pour Kallias. En fait, en 270, malgré les difficultés traversées par la cité, les institutions fonctionnent à Athènes comme en pleine période classique.

– Les honneurs attribués pour témoigner de la reconnaissance de la cité envers Kallias sont habituels : l'éloge public proclamé par le héraut de la cité, la couronne d'or, la statue de bronze sur l'agora, la proédrie et la stèle. Pour atteindre les plus grands honneurs, il manque à Kallias l'invitation permanente pour lui et l'aîné de ses descendants au prytanée. Pourquoi cette restriction dans les récompenses accordées à ce bienfaiteur de la cité ? Est-ce parce qu'il est alors à Halicarnasse ? Ou bien y a-t-il eu quelques réticences pour lui accorder les plus grands honneurs ? On ne peut le dire précisément à travers le décret.

• *La conclusion* : Ce décret est surtout intéressant parce qu'il apporte des informations sur la situation d'Athènes dans une période durant laquelle les sources littéraires manquent presque complètement. C'est par lui que nous apprenons le rôle actif des Lagides dans la Grèce centrale dès 286, leur hostilité envers Démétrios et leur soutien actif aux Athéniens désireux de se libérer de l'occupation des garnisons de Démétrios. En le rapprochant d'autres décrets athéniens déjà cités (décret pour le poète Philippidès, décret pour Euthios), on peut suivre les efforts des Athéniens pour leur liberté et pour la réunification de leur cité déchirée. Le personnage de Kallias est aussi digne de retenir l'attention : certes, dans un décret en son honneur, ne sont retenus que les actes qui peuvent justifier la reconnaissance de ses concitoyens ; l'originalité du personnage est encore plus étonnante lorsqu'on rapproche ce décret de celui que les Athéniens votent en l'honneur de son frère, Phaidros, fils de Thymocharès, de Sphettos, en 255/54 (*IG* II² 682) ; celui-ci a systématiquement pris le contre-pied des positions de Kallias : autant Kallias choisit toujours le camp lagide et le soutien des Ptolémées à Athènes, autant son frère Phaidros est toujours l'allié du camp antigonide et le défenseur de l'alliance macédonienne. Donc nous sommes là en présence de choix politiques radicalement inverses ; il est normal que Kallias soit honoré par l'Athènes libre avant le déclenchement de la guerre de Chrémonidès contre Antigone Gonatas ; en revanche, son frère l'est alors qu'Athènes, vaincue, est à nouveau aux mains des garnisons macédoniennes. S'agit-il d'une habileté politique, qui permet à une famille et à la cité de surnager en toute circonstance, en plaçant l'un de ses membres auprès du roi lagide, l'autre auprès du roi antigonide ? Peut-être, mais il peut s'agir aussi d'une rivalité entre frères qui se traduit par des choix aussi opposés. Quoi qu'il en soit, Athènes n'apparaît plus libre de ses orientations de politique extérieure ; trop faible, elle utilise tour à tour ceux de ses citoyens qui ont fait le choix favorable, quitte à récompenser successivement les tenants de politiques inconciliables.

On lira avec profit le livre de Philippe Gauthier, *Les Cités grecques et leurs bienfaiteurs (IVᵉ-Iᵉʳ siècle av. J.-C.). Contribution à l'histoire des institutions*, supplément 12 du *BCH*, Paris, 1985, et son article « La réunification d'Athènes en 281 et les deux archontes Nicias », *REG*, 92, 1979, p. 348-399, en plus du livre accompagnant la publication de ce décret, T. Leslie Shear Jr. « Kallias of Sphettos and the Revolt of Athens in 286 B.C. », *Hesperia Suppl.*, XVII (1978), 117 p.

LE RÔLE DE L'HISTORIEN

Les divers documents indispensables au travail de l'historien de l'Antiquité, que nous venons de décrire, n'isolent pas celui-ci des historiens des autres périodes, si ce n'est sans doute par le volume de la documentation disponible et, parfois, par la nature de celle-ci. Mais l'enquête est tout à fait semblable pour un spécialiste de l'époque médiévale, de la période moderne ou du monde contemporain. François Hartog, dans un article des *Annales ESC* de 1982, « Histoire ancienne et Histoire », p. 687-696, insiste avec raison sur cette communauté, craint l'isolement des historiens de l'Antiquité et souligne le danger que serait l'érudition pure.

La rencontre de l'historien et du document

Il est, en effet, indispensable de rappeler que la mise en série des divers documents, leur confrontation ne suffisent pas à constituer l'histoire ; celle-ci se fait par la rencontre de toute cette documentation avec une personne, l'historien dont le rôle est à préciser. Dans le même article, François Hartog veut opposer la conception d'Henri Irénée Marrou, dans son article « Comment comprendre le métier d'historien », *L'Histoire et ses méthodes*, p. 1516 : « L'historien nous apparaît un peu comme l'architecte qui, pour réaliser son plan, doit faire appel à toute une série de corps de métiers..., employés chacun à son rang », et celle de Louis Robert, *ibid.*, p. 475, qui écrit à propos de l'épigraphie : « L'épigraphie ne saurait s'isoler de l'histoire faite avec les autres documents, de la linguistique et de la philologie, de la papyrologie et de la paléographie, de la numismatique. L'historien est un homme-orchestre qui sait jouer de chaque instrument disponible et tirer de tous une symphonie. Il est, selon les moments, linguiste ou numismate ; il est épigraphiste s'il s'est rendu capable d'utiliser les inscriptions directement et avec critique, de les interpréter et de les lier aux autres documents. » Je ne suis pas sûr que les deux présentations soient si radicalement inconciliables ; la querelle des « sciences auxiliaires » est sans intérêt, chacun des domaines différents de la documentation est digne d'attention et rien de péjoratif ne doit peser dans cette expression commode de « sciences auxiliaires » de l'histoire. Se représenter l'Histoire comme une science par elle-même, séparée de tout apport documentaire, ne saurait tenir, pas plus qu'une étude hermétiquement cloisonnée de chaque source documentaire, sans liaison solide entre elles, que ce soit pour bâtir une maison comme le fait l'architecte ou pour composer une symphonie comme l'homme-orchestre, si on veut bien attribuer à ce terme la noblesse du musicien-compositeur ; on pourra, évidemment, dire que celui-ci est un artiste alors que l'historien ambitionne d'être un scientifique.

Le traitement du document

« L'histoire est inséparable de l'historien », disait Henri Irénée Marrou, en ce sens que c'est lui qui est capable de redonner vie au document inerte, c'est lui qui peut le modeler pour le rendre plus suggestif, mais naturellement le résultat dépend de la culture, des qualités et des limites de la personnalité de l'historien. Il ne peut se contenter de faire de l'histoire événementielle, à partir de faits historiques établis ; il doit, d'abord, faire une sélection, ne pas retenir nécessairement toutes les anecdotes ou les explications morales d'un Plutarque, par exemple ; il doit, surtout, construire, c'est-à-dire passer de faits indépendants à des réalités plus larges : le récit d'une bataille par Thucydide, Xénophon, Polybe ou Salluste peut conduire à des comparaisons entre les unes et les autres et, de là, à une définition de la tactique militaire, de l'organisation de l'armée grecque ou romaine ou numide. L'historien doit s'intéresser à des mouvements de longue durée, concernant la démographie, le régime politique, l'organisation sociale, l'activité économique, les courants artistiques, la vie religieuse, les systèmes de pensée ; c'est par là qu'il peut arriver à définir la cité antique ou d'autres modes d'organisation des collectivités humaines. Simplement l'historien est limité dans ses constructions par les éléments documentaires dont il dispose : vouloir faire une étude de la démographie de l'Antiquité est souvent très risqué ou fantaisiste, car les estimations ne reposent que sur des informations très lacunaires ou imprécises, qu'il s'agisse des effectifs de soldats mobilisés dans les armées ou de la dimension des enceintes et de la superficie des villes ainsi délimitée. Parfois, les historiens antiques fournissent assez d'indications pour qu'on puisse tenter une évaluation précise de la population d'une cité et suivre son évolution sur une longue période, mais c'est l'exception, comme on le verra dans le cas de Sparte (cf. encadré p. 92). L'utilisation des superficies entourées par une enceinte fortifiée est souvent très imprécise, car elle suppose la fixation d'un nombre d'habitants à l'hectare, mais il faut savoir que bien des enceintes entourent non seulement des surfaces bâties, mais aussi des zones vides de toute construction qui devaient servir à des populations du voisinage cherchant refuge derrière le rempart avec leur bétail au moment d'une menace extérieure. D'autres indices peuvent être retenus à partir du dynamisme de tel ou tel Etat qui suppose une population en croissance (on pense à la Macédoine de Philippe II et d'Alexandre le Grand, à l'Epire de Pyrrhos) ; la construction de villes nouvelles indique aussi une croissance démographique, mais l'évaluation précise, comme à l'époque moderne ou contemporaine, n'est pas possible.

Pour en revenir à l'historien, il est certain qu'il ne saurait être seulement un spécialiste, un érudit ; son raisonnement, son exploitation des documents seront d'autant plus féconds qu'ils reposeront sur une large culture ; c'est là se montrer sans doute très exigeant à l'égard de l'historien, mais c'est assurément la condition d'une histoire de qualité. En même temps, l'historien gagne à être un homme de son temps, engagé dans la vie de son époque, habitué aux difficultés de la vie sociale par les responsabilités assumées. Il manifeste aussi une curiosité constante, une ouverture à l'observation, au dialogue ; c'est bien le contraire de l'érudit isolé dans sa tour d'ivoire, s'il veut être capable de poser avec précision les problèmes du passé et, pour nous, d'un passé lointain, l'Antiquité.

La définition du vrai problème est capitale

C'est ce que Karl Polanyi appelait « les questions opératoires » qu'évoque à son tour Moses I. Finley, *Mythe, mémoire, histoire*, p. 256 ; l'historien doit éviter les faux problèmes pour concentrer son attention sur ceux qui peuvent réellement éclairer le passé, permettre de le mieux comprendre, qui correspondent à des réalités vécues par les anciens. Bien souvent, la documentation guide l'historien de l'Antiquité vers tel ou tel problème : lorsqu'il a la chance, comme à Bouthrôtos, de disposer d'une centaine d'actes d'affranchissement inédits permettant de connaître les noms de plus de cinq cents esclaves et de groupes familiaux de maîtres, dans un site donné et sur une durée précise, l'historien peut examiner les problèmes liés au monde des propriétaires et à la communauté familiale des biens, à la place de la femme dans cette société de libres, aux esclaves, à leurs origines, à leur répartition par sexe, par âge, par activité, également aux conditions de l'affranchissement : rôle de la divinité, statut de l'affranchi, clauses de cet affranchissement ; c'est toute la vie sociale d'une petite région qui revit, en même temps que ses pratiques juridiques. A partir de là, l'historien peut faire des comparaisons avec les affranchissements pratiqués dans d'autres sanctuaires,

LA POPULATION CIVIQUE À SPARTE, DU Vᵉ AU IIIᵉ SIÈCLE AV. J.-C.

– Aristote, *Politique*, II, 1270 a, parlant de la Laconie et de la Messénie, avant la bataille de Leuctres (371), évoque « ce pays capable de nourrir 1 500 cavaliers et 30 000 hoplites », ces nombres s'appliquant naturellement à la fois aux périèques et aux *Homoioi* ;

– Plutarque, *Vie d'Agis,* 8, 1-2, indique que la réforme d'Agis, au milieu du IIIᵉ siècle av. J -C., prévoyait 4 500 lots spartiates et 15 000 lots périèques, pour la seule Laconie ;

– Plutarque, *Vie de Lycurgue,* 8, donne des chiffres identiques : 30 000 lots pour les périèques, 9 000 lots pour les Spartiates ; il ne peut s'agir de la seule Laconie, comme l'auteur le dit, mais bien de l'ensemble Laconie-Messénie, à une époque où, cependant, la Messénie n'est pas encore entrée dans le domaine spartiate ; c'est là une des nombreuses confusions chronologiques de Plutarque qui écrit fort longtemps après la fondation de la cité spartiate par le légendaire Lycurgue. On peut donc retenir, comme base de départ, cette évaluation du corps civique spartiate formé de 9 000 citoyens, nombre dont Agis IV se souvient bien au milieu du IIIᵉ siècle quand il veut réformer la cité en pleine décadence, notamment en raison de la diminution du corps civique ;

– Hérodote, VII, 234, après la bataille des Thermopyles qui vit la mort de 300 Spartiates, rapporte le dialogue entre Xerxès et Démarate qui explique : « Il y a en Lacédémone une *polis* Sparte qui fournit environ 8 000 hommes ; tous ceux-là sont *homoioi* (semblables) à ceux qui ont combattu (aux Thermopyles), les autres Lacédémoniens ne leur sont pas *homoioi* (semblables) mais sont braves cependant » ; il s'agit des périèques, qui sont lacédémoniens mais pas spartiates. Le nombre de 8 000 citoyens, mentionné ici, correspond à une légère baisse des effectifs du corps civique qui n'atteint plus le nombre idéal de 9 000 ;

– Hérodote, IX, 28, l'année suivante, lors de la bataille de Platées, décrit ainsi le contingent lacédémonien : « A l'aile droite étaient dix mille Lacédémoniens ; dans le nombre, 5 000 Spartiates, ayant une garde de 35 000 hilotes armés à la légère, à raison de sept attachés à chacun d'eux » ; l'infanterie lourde lacédémonienne compte une moitié de Spartiates et l'autre moitié de périèques, sans parler des très nombreux hilotes armés à la légère ; on peut sans doute admettre que les 5 000 Spartiates, présents à Platées, représentent environ 60 % des 8 000 cités ci-dessus, les autres correspondant au contingent laissé à la garde de la Laconie et de la Messénie, y compris les soldats plus âgés qui ne servent pas hors du territoire national ; c'est dire qu'en 479 la population civique de Sparte restait voisine de 8 000 hommes ;

– Thucydide, V, 68, décrit l'armée lacédémonienne à la bataille de Mantinée, en 418 ; au § 64, il a indiqué que Sparte a effectué une levée en masse (*pandémos*), puis a renvoyé un sixième des effectifs, comprenant les plus jeunes et les plus âgés, à la garde du territoire ; les autres sont engagés dans la bataille : « Furent engagés sept *lochoi*, outre les Skirites qui étaient 600 ; chaque *lochos* comprenait quatre *pentécostyes* ; chaque *pentécostye* quatre *énomoties* ; au premier rang de l'*énomotie*, il y a avait quatre hommes ; en profondeur, bien que chaque formation dépendît des décisions du *lochage*, ils formaient en principe huit rangées. La première ligne était formée par 448 hommes, en dehors des Skirites » ;

on a donc, à la base, l'*énomotie* ou section de 32 hommes (= deux syssities),
puis, la *pentécostye* = 4 *énomoties* = 128 hommes,
le *lochos* = 4 *pentécostyes* = 512 hommes,

soit, pour 7 *lochoi* = 3 584 hommes ; on obtient le même résultat sur la base de 8 rangs de 448 hommes = 3 584 hommes. Sur ce nombre, une part, au moins égale à la moitié, est formée de périèques, c'est dire que les Spartiates fournissent un contingent inférieur à 2 000 combattants ; même en y ajoutant ceux qui ont été laissés ou renvoyés en Laconie, on reste très en dessous de 3 000 hommes, autour de 2 100 citoyens, ce qui paraît indiquer une diminution considérable du corps civique entre 479 et 418. Cette diminution du nombre des citoyens, cette oliganthropie, est un trait majeur de l'évolution de la cité spartiate durant le Ve siècle. Un épisode de la guerre du Péloponnèse illustre bien le souci de Sparte devant cette baisse d'effectifs : alors qu'aux Thermopyles 300 Spartiates sont tombés au côté de Léonidas, sans murmure dans la cité, l'inquiétude est vive à Sparte en 424, lorsque les Athéniens réussissent à encercler dans l'îlot de Sphactérie un contingent lacédémonien ; tout de suite, les Spartiates envoient une ambassade auprès des Athéniens pour négocier l'arrêt des combats et la restitution des soldats encerclés (Thucydide, IV, 19, 1) ; finalement, les opérations militaires se poursuivent jusqu'à la reddition des Lacédémoniens, ainsi présentée par Thucydide, IV, 38, 5 : « Le chiffre des hommes tués dans l'île ou faits prisonniers fut le suivant : il était passé 420 hoplites en tout ; sur ce nombre, on en ramena vivants 292, le reste avait été tué ; quelque 120 d'entre ces survivants étaient des Spartiates » ; c'est pour ces 120 citoyens que Sparte est prête à beaucoup de concessions ; il est vrai que Thucydide, V, 15, 1, ajoute : « Les Spartiates, parmi eux, étaient des hommes de premier rang », ce qui est confirmé par Plutarque, *Vie de Nicias*, 10, disant que les prisonniers de Pylos étaient des premières familles de Sparte « ayant des parents parmi les plus puissants ». Le sort de ces 120 Spartiates paraît tout à coup de première importance ; leurs liens familiaux peuvent expliquer partiellement cette préoccupation de la cité, mais on peut y voir aussi la volonté de ne pas amputer encore le corps civique d'un pourcentage non négligeable de ses membres (de 4 à 5 % par rapport au nombre de combattants spartiates à la bataille de Mantinée). C'est si vrai que ces citoyens qui auraient dû, en vertu de la tradition spartiate, périr au combat ou être exclus définitivement de la cité, car aucun combattant spartiate ne pouvait rendre ses armes, la cité va progressivement les réintégrer pleinement dans leurs droits. C'est là une grave entorse au droit coutumier lacédémonien, mais l'oliganthropie est trop grave pour que la cité puisse d'un cœur léger perdre encore 120 parmi les meilleurs des citoyens.

Le déclin démographique paraît se poursuivre dans les deux premiers tiers du IVe siècle ; on ne peut pas tirer d'informations utiles du récit de Xénophon, *Helléniques*, IV, 2, 16, qui rapporte la bataille de Némée, en 394, où il dénombre un corps d'hoplites des Lacédémoniens de 6 000 hommes ; il est sûr que, même en enlevant une moitié de périèques, le nombre est encore trop grand pour s'appliquer aux seuls Spartiates ; Xénophon paraît avoir compté parmi les Lacédémoniens les hoplites fournis par Tégée et Mantinée. Plus clairs sont les renseignements donnés par Xénophon, *Helléniques*, VI, 4, 15, sur la bataille de Leuctres, en 371 : « Les polémarques voyaient que sur l'ensemble des Lacédémoniens il y avait près de 1 000 morts, et que sur les Spartiates proprement dits, qui avaient été présents au nombre de 700 environ, près de 400 étaient tués » ; pour faire face au danger thébain, après la défaite de Leuctres : « Les éphores décrétèrent la mobilisation pour les deux *morai* qui restaient, jusqu'à la quarantième classe (jusqu'à 60 ans) ; et ils expédièrent les hommes des *morai* en campagne jusqu'à cet âge, car auparavant seuls les hommes des 35 premières classes étaient partis pour l'expédition de Phocide ; même ceux qui avaient été laissés sur place à ce moment pour s'occuper des fonctions publiques reçurent l'ordre de partir avec eux. » On peut donc conclure que les 700 Spartiates présents à Leuctres représentaient les 35 premières classes d'âge de quatre *morai*, moins quelques magistrats laissés en Laconie-Messénie ; il faudrait y ajouter, pour avoir le nombre des *homoioi*, les 35 premières classes des deux autres *morai* (environ 350 hommes) plus les cinq dernières classes d'âge (entre 55 et 60 ans) ainsi que les vieillards de plus de soixante ans, dégagés de toute obligation militaire ; au total, on ne doit guère dépasser 1 200 citoyens, dont 400 ont péri à Leuctres. De 8 000 citoyens en 480, Sparte tombe à moins de 1 000 après Leuctres, en 371 ; on est, finalement, très proche du chiffre fourni par Plutarque, *Vie d'Agis*, 5, qui donne, au milieu du IIIe siècle av. J.-C., le nombre de 700 Spartiates, dont seulement une centaine possédait encore un lot de terre ; il semble donc que l'hémorragie de citoyens se soit arrêtée entre 370 et 250, mais il n'y a eu aucun relèvement du corps civique, ce qui explique la faiblesse de Sparte durant la fin du IVe siècle et à l'époque hellénistique.

Il resterait à expliquer cette diminution brutale du corps civique au cours du Ve siècle, entre Platées (479) et Mantinée (418) ; les causes en sont certainement multiples : surmortalité masculine due à la guerre, la mort de jeunes combattants suscitant une baisse de la natalité, inégalité sociale qui entraîne l'exclusion des citoyens ruinés du corps civique, et très probablement pertes liées au tremblement de terre de 464.

dans d'autres régions et parvenir, par exemple, à une révision de l'opinion jusque-là admise sur la place de la femme dans la société grecque, trop longtemps comprise seulement à travers la seule documentation athénienne. Rien ne sert de poser des problèmes théoriques, pour la solution desquels la documentation ne fournit aucun élément ; mais l'examen attentif de la documentation, dans sa grande diversité, procure parfois des pistes nouvelles et des éléments de réponse à des questions qu'on n'avait pas jusqu'alors posées. Les concepts, qui rendent intelligible la réalité historique, doivent surgir de l'examen du document. L'historien doit promouvoir, en même temps, l'utilisation de nouveaux documents jusqu'alors inaccessibles : on pense aux progrès que permet la photographie aérienne, non seulement dans la recherche archéologique, mais dans l'étude des plans parcellaires et des cadastres anciens.

Ce souci de la définition de vrais problèmes ne doit pas conduire au mépris de l'érudition, qui est indispensable pour une exploitation optimale de la documentation, à condition de ne pas s'arrêter à ce stade. Ici, comme ailleurs, un juste équilibre doit être recherché, qui permette, à partir d'une utilisation approfondie de la documentation, de replacer les résultats obtenus dans une perspective plus large. Dans son essai *Sur l'histoire ancienne*, trad. fr., Paris, 1987, p.118-124, Moses I. Finley s'en prend vigoureusement à l'ouvrage de Peter M. Fraser, *Ptolemaic Alexandria*, 1972, dont il salue « l'érudition fabuleuse » pour mieux le critiquer — querelles d'écoles ou de personnes ? — à coups de citations très courtes qui, isolées de leur contexte, peuvent ne pas refléter exactement la pensée de leur auteur ; il ajoute : « Inutile aussi d'expliquer longuement que cette érudition anachronique n'a pas été contaminée par le moindre contact avec la littérature abondante et souvent intelligente sur la sociologie et l'histoire des villes en général. » On accordera volontiers à Moses I. Finley que l'étude de l'urbanisme dans l'Antiquité et au-delà est importante pour poser les questions de l'origine des habitants venus peupler une ville nouvelle, de leur mode de recrutement, de leurs ressources et notamment de leur approvisionnement, de leurs activités et de leurs relations avec l'arrière-pays. Ce sont là des interrogations qui viennent naturellement à l'esprit de l'historien, mais faut-il, pour autant, suivre Max Weber, cité par Finley : « Si l'historien (...) écarte la tentative de formuler de tels idéals-types sous prétexte qu'ils sont des "constructions théoriques" (...) il en résulte en règle générale ou bien qu'il applique consciemment ou inconsciemment d'autres constructions analogues sans les formuler explicitement et sans élaboration logique, ou bien qu'il reste enfoncé dans la sphère de ce qui est "vaguement senti". » Cette construction de modèles, Finley l'oppose nettement à ce qu'il qualifie d'érudition pure ; il a la prudence d'ajouter : « Il est dans la nature des modèles d'être constamment sujets à réajustement, correction, modification ou remplacement pur et simple. (...) La vieille peur de l'*a priori* est mal placée : toute hypothèse peut être modifiée, ajustée ou écartée s'il le faut. Mais sans hypothèse, il n'y a pas d'explication ; il n'y a que du reportage et de la taxinomie brute, de l'érudition au sens le plus étroit. » L'important, nous semble-t-il, est de ne pas déformer les informations recueillies dans les documents anciens pour essayer de les faire coïncider avec le modèle ; c'est là problème d'honnêteté et de rigueur intellectuelle et l'historien a vraiment le devoir d'associer l'érudition, qui ne doit en rien apparaître sous un sens péjoratif, avec la conception intelligente des vrais problèmes qu'il doit toujours adapter, c'est-à-dire faire surgir de temps fort anciens et de sociétés bien différentes de la nôtre.

Au terme de ce portrait, sans doute idéal de l'historien, le lecteur ne doit pas se sentir accablé par la difficulté de la tâche. Il est sûr que l'historien n'est pas seulement un érudit qui se livre à une tentative de synthèse, mais qu'il est d'abord un spécialiste de l'histoire qui est capable d'acquérir les compétences nécessaires dans les différentes sciences auxiliaires, qui lui permettent d'avoir accès aux documents primaires. Simplement, son travail bénéficie naturellement des recherches, des travaux des différents spécialistes d'épigraphie, de numismatique, de philologie, etc. ; sa synthèse n'est pas véritablement un travail individuel mais le résultat d'un effort collectif, dont il a su bénéficier et utiliser les résultats, tout en étant apte à les vérifier, à les critiquer. Travail passionnant que cette quête du document, de son exploitation, de sa compréhension, de sa critique et de la confrontation avec les autres sources, appuyées sur une vaste culture, sur une expérience humaine et sur le travail d'autres chercheurs en vue de la construction d'une synthèse, assurément incomplète du fait des lacunes de la documentation, mais curieuse de tous les aspects de la vie dans le passé lointain de l'Antiquité.

3 Les grandes étapes de l'Antiquité : protohistoire et époque archaïque

Il n'est pas question, dans cette troisième partie, de prétendre rédiger un manuel d'histoire de l'Antiquité ; il en existe de nombreux qui traitent tout ou partie de cette période historique, et la place nous manquerait pour réaliser un tel ouvrage. Notre projet est, plus modestement, de donner une introduction à l'histoire de l'Antiquité ; il convient donc, ici, de fournir une présentation rapide des événements dans leur déroulement chronologique et dans leur cadre géographique. Le plus souvent, cette présentation s'effectuera sur un fond de tableau chronologique, en essayant de bien marquer le caractère contemporain d'événements qui se situent dans des mondes que nous avons trop l'habitude de considérer comme hermétiquement séparés : si Hérodote, VII, 166, a pris soin de souligner que c'était dans la même journée, à la fin de septembre 480, que les Grecs vainquirent les Perses à Salamine, Gélon et Théron les Carthaginois à Himère, c'est que les deux batailles concernaient, l'une et l'autre, le monde grec à ses deux extrémités ; on sait, du reste, que ce rigoureux synchronisme a été probablement imaginé par les Grecs de Sicile et Hérodote a voulu y voir le témoignage d'un complot ourdi entre Perses et Puniques d'Occident contre l'hellénisme ; Diodore, XI, 24, place la bataille d'Himère le même jour que le combat des Thermopyles ! D'autre part le synchronisme entre la chute de la royauté à Rome (509) et le renversement de la tyrannie d'Hippias à Athènes (510) passe généralement totalement inaperçu ; il en va de même pour les guerres samnites et l'expédition d'Alexandre le Grand.

Ce tableau chronologique sera interrompu par de courtes synthèses sur certains temps forts de l'histoire grecque et romaine, qu'il est nécessaire de connaître avec plus de précisions ; en particulier, la description des institutions, de la vie culturelle et artistique se prête mal à de simples tableaux et sera donc l'objet de développements plus marqués.

Mais, avant de nous limiter aux mondes grec et romain, il est nécessaire de faire place aux civilisations qui les ont précédés et beaucoup marqués, en Orient, que ce soit en Mésopotamie, en Egypte ou en Anatolie.

HISTOIRE DE LA MÉSOPOTAMIE AUX IIIᵉ, IIᵉ ET Iᵉʳ MILLÉNAIRES

Elle ne se limite pas au pays compris entre le Tigre et l'Euphrate, mais englobe leurs bassins respectifs ; elle est peuplée de populations sédentaires, agriculteurséleveurs des plaines, comme les Sumériens, et de nomades ou semi-nomades, qui se déplacent dans la zone désertique entourant la plaine de Mésopotamie, en pratiquant l'élevage transhumant et en contrôlant les pistes commerciales : Sémites (Amorites, Araméens) ; les montagnards du Zagros et du Kurdistan (Guti, Kassites, Elamites) font fréquemment des incursions dévastatrices (on verra, en particulier, « Mille et une capitales de Haute-Mésopotamie », *Les Dossiers d'Archéologie,* 155, décembre 1990, volume qui fait le point des recherches de la Mission archéologique française du Habour ; en outre, on peut lire Sylvie Lackenbacher, *Le Palais sans rival, le récit de construction en Assyrie*, Paris, La Découverte, 1990 ; consacré aux textes qui sont intégrés dans les palais de brique dont ils commémorent la construction, cet ouvrage est surtout une réflexion sur l'idéologie des bâtisseurs assyriens et, au-delà, sur le rapport entre le texte et l'objet, entre l'idée et la réalité fugitive : « Chaque récit de construction avait été rédigé pour remplacer un jour un monument de brique que l'on savait condamné, et lui donner un autre type d'existence, éternelle celle-là »).

IVᵉ millénaire	Essor de la civilisation sumérienne en Basse-Mésopotamie ; premières tablettes écrites au niveau IVa d'Uruk.
Début du IIIᵉ millénaire	Epoque des dynasties archaïques.
2800	Des dynasties locales contrôlent la Mésopotamie : rois de Kish ; des cités rivales s'opposent, la plus connue est Uruk et son roi le plus renommé est Gilgamesh, héros d'une épopée célèbre en Mésopotamie ; autres cités importantes : Ur, Lagash. Palais le plus ancien de Mari.
2600-2400	Dynastie de Lagash. Archives royales d'Ebla, en Syrie du Nord.
2340-2100	L'Empire d'Akkad, fondé par Sargon (2340-2284), s'étend à toute la Mésopotamie, à Mari et jusqu'à la côte méditerranéenne, et dure deux siècles ; les Guti, venus du Nord-Est, s'établissent en Babylonie et font disparaître l'empire d'Akkad. Prospérité de Lagash sous son prince Goudéa qui domine une bonne partie du pays de Sumer.
2100-2000	Empire d'Ur, dont l'autorité s'étend jusqu'à Mari. Les Amorites, semi-nomades du moyen Euphrate, provoquent l'effondrement de l'Empire d'Ur.
2000-1800	Période agitée durant laquelle la Mésopotamie est divisée en une mosaïque de petits Etats rivaux : dynastie amorite d'Isin, dynastie de Larsa, dynastie amorite de Babylone ; épanouissement commercial de l'Assyrie. Début de la migration du clan d'Abraham, parti d'Ur, vers 1850.
1800	Hammourabi (1792-1750), roi de Babylone, conquiert toute la Mésopotamie ; ses lois font connaître les structures sociales de l'époque, où s'opposent libres et non-libres.
1650	Ancien Empire hittite (1650-1500). Prise de Babylone par les Hittites (1595), suivie de l'établissement de la dynastie kassite en Mésopotamie du Sud (1595-1155).
1500	Empire mitannien en haute Mésopotamie, qui exerce sa suzeraineté sur l'Assyrie.
1400	Renaissance de l'Assyrie. Déclin du Mitanni.
1286	Bataille de Qadesh sur l'Oronte qui oppose les Hittites à Ramsès II.

1200	Fin des Kassites en Mésopotamie du Sud. Destruction d'Ugarit sur la côte de Syrie. Invasion des Peuples de la mer. Fin de l'Empire hittite.
1150	IIe dynastie d'Isin. Nabuchodonosor Ier (1126-1105) : renaissance de Babylone.
1100	Téglath-Phalasar Ier (1115-1077) refait de l'Assyrie une grande puissance ; il pille Babylone. Infiltrations araméennes en Mésopotamie.
Après 900	Fondation du royaume d'Urartu qui lutte contre l'Assyrie.
884-858	Règne d'Assur Nasir-Apli II en Assyrie.
858-824	Règne de Salmanassar III en Assyrie.
748-734	Nabonassar fonde la IXe dynastie de Babylone.
722-705	Sargon II, roi d'Assyrie ; il triomphe en Palestine et détruit l'Urartu. Construction du palais de Khorsabad.
689	Destruction de Babylone par Sennachérib.
669-626	Assurbanipal, roi d'Assyrie.
633-584(?)	Cyaxare, roi des Mèdes.
612	Prise et destruction de Ninive par Nabopolassar, fondateur de la dynastie chaldéenne à Babylone.
587	Nabuchodonosor II s'empare de Jérusalem.
557-529	Règne de Cyrus le Grand.

HISTOIRE DE L'ÉGYPTE AUX IIIe, IIe et Ier MILLÉNAIRES

Elle ne se limite pas à l'histoire de la vallée du Nil et du Delta ; elle intéresse toutes les régions voisines : Libye à l'ouest, Nubie au sud, presqu'île du Sinaï et Palestine vers l'est ; elle concerne aussi la vie des mers voisines comme la mer Rouge et le bassin oriental de la Méditerranée (on verra, en particulier, le livre récent et bien documenté de Nicolas Grimal, *Histoire de l'Egypte ancienne*, Paris, Fayard, 1988, et le petit livre, très illustré, de Jean Vercoutter, *A la recherche de l'Egypte oubliée*, Paris, La Découverte Gallimard, 1986 ; sur le pharaon, ses fonctions, les rites de la royauté, on peut se reporter à Marie-Ange Bonhême et Annie Forgeau, *Pharaon, les secrets du Pouvoir*, Paris, A. Colin, 1988).

3150-2925	Période thinite : 1re dynastie.
2925-2700	Période thinite : 2e dynastie.
2700-2190	**L'Ancien Empire ou Empire memphite**
2700-2625	3e dynastie : pyramide à degrés de Djéser à Saqqarah.
2625-2510	4e dynastie, à laquelle appartiennent Chéops, Chéphren et Mykérinos, constructeurs des grandes pyramides sur le plateau de Gîza.
2510-2460	5e dynastie.
2460-2200	6e dynastie : expéditions vers la mer Rouge et la Nubie.

2200-2061	**Première période intermédiaire** : période d'anarchie, des dynastes locaux tentent de reprendre le pouvoir qui a échappé aux souverains memphites ; le pays est divisé entre le Delta, les rois de Memphis, les princes d'Hérakléopolis en Moyenne-Egypte et ceux de Thèbes en Haute-Egypte ; c'est l'époque des 7e, 8e, 9e et 10e dynasties.
2061-1785	**Le Moyen Empire ou premier Empire thébain**
2061-1991	11e dynastie : Montouhotep II fixe la capitale à Thèbes et réunifie l'Egypte ; temple funéraire à Deir el-Bahari.
1991-1785	12e dynastie.
1785-1560	**Deuxième période intermédiaire**, qui sépare le Moyen Empire du Nouvel Empire ; elle se prolonge plus de deux siècles et la première période d'un siècle est très mal connue sous la XIIIe dynastie qui compte une cinquantaine de rois ! L'invasion des Hyksôs par le nord s'étend sur un demi-siècle, à partir de 1720 ; il s'agit de populations asiatiques qui adoptent le moule politique égyptien, l'écriture hiéroglyphique et fournissent la XVe et la XVIe dynastie, qui gouvernent parallèlement à la XVIIe dynastie thébaine.
1570-1085	**Le Nouvel Empire ou deuxième Empire thébain** Il commence sous le règne d'Ahmosis (1570 ou 1551 jusqu'à 1546 ou 1527), qui met fin à la domination hyksôs sur Memphis et le Nord, puis reconquiert la Nubie.
1546 (ou 1526) -1320	18e dynastie : dynastie des Thoutmosides ; règnent successivement Amenhotep Ier, les trois premiers Thoutmosis, la reine Hatchepsout (corégente avec Thoutmosis III de 1478 à 1458) qui fait construire son temple funéraire dans le cirque de Deir el-Bahari ; après sa mort, Thoutmosis III mène de nombreuses campagnes en Syrie-Phénicie contre le Mitanni : achèvement du grand temple d'Amon à Karnak. Règnent ensuite Amenhotep II, Thoutmosis IV, Amenhotep III ; Amenhotep IV (ou Aménophis IV) règne seul à partir de 1378 (ou 1352) ; il épouse Néfertiti et, dès la deuxième année de son règne, il donne à Aton la place qu'occupait Amon-Rê, d'où le changement de nom du roi en Akhenaton, « agréable à Aton » et le changement de capitale puisque le roi construit à Amarna une ville neuve sur la rive orientale du Nil. Après lui, Toutankhamon restaure la priorité d'Amon ; il meurt à 19 ans après neuf ans de règne et est surtout connu par la richesse de sa tombe dans la vallée des Rois. Horemheb, chef de l'armée, bien qu'extérieur à la famille royale, clôt l'histoire de la dynastie.
1320 (1295) -1209 (1196)	19e dynastie : dynastie des Ramessides connue surtout par Ramsès Ier, Séthi Ier et Ramsès II qui accède au trône vers 1304 (ou 1279) pour 67 ans. C'est le pharaon le plus connu de l'histoire égyptienne, notamment par la bataille de Qadech livrée aux Hittites, souvent décrite comme une grande victoire de l'Egypte alors que Ramsès II a seulement réussi à sauver son armée. Ce règne correspond aussi probablement à l'Exode des Hébreux sous la conduite de Moïse. C'est l'époque de l'achèvement du temple de Karnak, de l'élévation des obélisques et colosses de Louqsor, du Ramesseum à Thèbes, des temples d'Abou-Simbel en Nubie, du temple d'Abydos, de la réalisation des grandes tombes de la vallée des Rois et de la vallée des Reines.
1188-1069	20e dynastie qui voit se succéder les Ramsès de III à XI : Ramsès III lutte contre l'invasion des Peuples de la mer ; après lui, la dynastie s'affaiblit et son pouvoir s'effrite ; constructions de Medinet Habou, de sanctuaires et de temples à Karnak et à Louqsor.
1069-715	**Troisième période intermédiaire** : l'unité de l'Egypte n'existe plus ; le pays est divisé de fait entre le Nord, où règnent les pharaons « tanites », et le Sud sous l'autorité des grands prêtres d'Amon. La 21e dynastie (1069-945) est contemporaine du règne de David et de Salomon en Palestine. La 22e dynastie (945-730) est libyenne ; elle voit s'établir, en face d'elle, la 23e dynastie dans le Delta même (818-754). C'est ensuite la lutte entre la 24e dynastie de Saïs (730-715) et les Ethiopiens qui, venus de Nubie, dominent la Haute-Egypte jusqu'à Thèbes.

Renaissance ethiopienne et saïte : la 25e dynastie doit lutter contre les Assyriens ; Assurbanipal prend Memphis et Thèbes et favorise la 26e dynastie saïte de Nékao Ier et de son fils Psammétique Ier (664-610) ; la ruine de Ninive en 612 libère la dynastie saïte de la tutelle assyrienne ; la prise de Jérusalem par Nabuchodonosor en 597 et le siège qui s'achève en 587 témoignent de la faiblesse des Egyptiens dans cette région face à la puissance chaldéenne. Sous Nekao II (610-595) a lieu le périple africain de marins phéniciens. Psammétique II (595-589) fait campagne en Nubie (graffiti de mercenaires cariens à Abou-Simbel). D'autres Grecs, commerçants, sont établis à Naucratis depuis Psammétique Ier et Amasis (570-526) leur accorde des privilèges commerciaux ; il contribue à la reconstruction du temple d'Apollon à Delphes.
En 525, le successeur de Cyrus, le Perse Cambyse, anéantit l'armée de Psammétique III à Péluse ; l'Egypte devient une province de l'Empire achéménide.

LES ÉGÉENS ET LES MYCÉNIENS

Dates	Minoen	Cycladique	Helladique	Evénements
3250				
3000	M Ancien	C Ancien I	H Ancien I	Fondation de Memphis
2750				
2500	M A II	C A II	H A II	Les grandes Pyramides
2300	....	....	....	
2200	MA III			
2100	....	CA III	HA III	
2050				
2000	MM I A		....	
1950				Premiers palais minoens
1900	....		HM I	Linéaire A
1850	MM I B		....	
1800	....	CM		Hammourabi
1750	MM II		HM II	
1700	....			
1650	MM III		....	Eruption de Théra
1600	....		HM III	Linéaire B
1550	MR I A			
1500	....	CR I	HR I	
	MR I B	CR II	HR II A	
1450				
	MR II		HR II B	
1400	....		....	
1350	MR III A		HR III A	
	....		....	
1300				
1250	MR III B	CR III	HR III B	Prise de Troie
1200	....		....	
1150				Destruction des palais mycéniens
1100	MR III C		HR III C	
1050				

L'histoire de ces régions est le plus souvent une préhistoire, tant que le Linéaire A n'est pas déchiffré ; la documentation est essentiellement archéologique et la chronologie est le plus souvent établie par rapprochement d'objets d'importation étrangère (Mésopotamie, Egypte) avec les produits locaux trouvés dans les mêmes couches ; l'utilisation de termes chronologiques différents suivant les régions rend indispensable un tableau de concordance (voir tableau ci-dessus).

LA GRÈCE DU XIIᵉ AU VIᵉ SIÈCLE

Les âges sombres en Grèce (XIIᵉ-IXᵉ siècle)

Durant quatre siècles, l'histoire de la Grèce est très mal connue, d'où le nom de « Dark Ages » qui est souvent donné à cette période. Elle est marquée par un certain nombre de traits qui méritent de retenir l'attention sans qu'on puisse toujours établir des liens de cause à effet entre les uns et les autres. Elle s'ouvre sur l'écroulement d'une civilisation qui avait organisé la vie des Grecs autour du système palatial, et aucune explication ne s'impose plus qu'une autre ; Pascal Darcque, dans l'ouvrage collectif *Les Civilisations égéennes du néolithique et de l'âge du bronze*, Nouvelle Clio, 1ter, Paris, PUF, 1989, présente les différentes hypothèses formulées pour rendre compte de ces changements :
– la première privilégie les mouvements de populations, « Doriens » ou « Peuples de la mer » ; les Doriens, venus de Grèce du Nord-Ouest, seraient arrivés dans le Péloponnèse, alliés aux descendants d'Héraklès, les Héraklides, venus affronter les Atrides de Mycènes ; cette hypothèse était utilisée pour expliquer l'originalité linguistique des Grecs parlant le dialecte dorien dans le Péloponnèse, en dehors de l'Arcadie, à Mélos, à Théra, à Rhodes et sur les côtes de Carie ; l'archéologie ne soutient guère cette hypothèse et la civilisation de la Grèce continentale reste largement mycénienne. L'invasion des « Peuples de la mer » a laissé des traces dans l'histoire égyptienne et a provoqué la ruine de l'Empire hittite, mais leur passage en Grèce n'est pas assuré ;
– l'explication par un changement climatique brutal ne peut, non plus, être établie avec assurance ; on ne peut démontrer l'existence d'une sécheresse grave ruinant l'agriculture ; si des tremblements de terre ont pu contribuer à la destruction de certains bâtiments comme à Tyrinthe, on ne peut les étendre à tout le Péloponnèse ;
– les conflits internes, opposant soit les Etats mycéniens entre eux, soit différentes catégories sociales, pourraient fournir une autre explication, les Doriens étant alors des populations anciennement établies dans les Etats mycéniens et utilisées comme des esclaves, qui se seraient révoltés contre leurs maîtres et auraient détruit leurs palais ; l'hypothèse a le mérite d'expliquer, en même temps, la destruction du système palatial et la continuité culturelle observée entre le XIIIᵉ et le XIIᵉ siècle ; les linguistes sont réticents dans la mesure où ils ne peuvent assimiler le mycénien « spécial » parlé par cette catégorie sociale à un proto-dorien.
Il est possible que plusieurs facteurs aient combiné leur action pour mettre fin à l'organisation bureaucratique de la société : surpopulation entraînant la

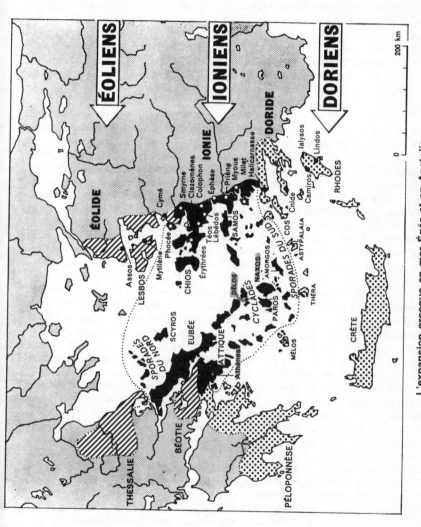

ÉOLIENS

IONIENS

DORIENS

ÉOLIDE

IONIE

DORIDE

Assos
Cymé
Mytilène
Phocée
Smyrne
Clazomènes
Colophon
Éphèse
Priène
Myous
Millet
Halicarnasse
Érythrées Téos
Lébédos
Cnide
Ialysos
Lindos
RHODES
LESBOS
CHIOS
SAMOS
Cos
ASTYPALAIA
SPORADES DU SUD
DÉLOS
NAXOS
AMORGOS
SCYROS
SPORADES DU NORD
EUBÉE
CYCLADES
PAROS
THÉRA
MÉLOS
ATTIQUE
Athènes
BÉOTIE
THESSALIE
PÉLOPONNÈSE
CRÈTE

0   200 km

L'expansion grecque en mer Égée et en Anatolie

Source : P. Lévêque, *L'Aventure grecque*, Paris, A. Colin, 1964, p. 100.

rupture de l'équilibre entre production et consommation, difficultés dans les échanges extérieurs, tensions internes, pressions sur les frontières.

La fin du système palatial et les changements culturels conduisant à l'époque protogéométrique sont séparés par un siècle (fin XIIIe-début XIe siècle) ; ces changements se marquent, notamment, par la disparition de certaines pratiques : inhumation collective dans des tombes à chambre et leur remplacement par des sépultures individuelles dans des cistes ou des puits, et par la crémation des cadavres. C'est le passage progressif à l'âge du fer, avec la poterie de style dit protogéométrique (1050-900 av. J.-C.) qui annonce l'essor des styles géométriques (900-700). Les cultes héroïques apparaissent au IXe siècle, cultes familiaux ou propres à une communauté plus large qui annonce la cité peut-être, cultes en rapport avec la diffusion de la poésie épique assurément.

• *Le premier grand mouvement colonial.* Les âges sombres sont aussi marqués par les migrations de Grecs sur les côtes d'Anatolie, durant le XIe siècle, avec une répartition par dialectes : Eoliens au Nord, Ioniens au Centre, Doriens au Sud, qui s'applique également dans les grandes îles bordières : Lesbos est éolienne, Chios et Samos sont ioniennes, Rhodes est dorienne. C'est le premier grand mouvement colonial des Grecs, qui précède le mouvement plus vaste du VIIIe au VIe siècle, puis celui qui accompagne la conquête d'Alexandre le Grand. L'origine de ce mouvement migratoire est difficile à déterminer, d'autant qu'elle paraît correspondre à une période de recul de la population en Grèce, avec de petites localités non fortifiées ; c'est l'ancienne Smyrne qui, la première, reçoit une enceinte au milieu du IXe siècle. La disparition de l'écriture est aussi caractéristique de cette période.

• *L'épopée.* Peut-on faire appel à l'épopée pour mieux connaître ces siècles obscurs qui séparent l'époque mycénienne de la Grèce archaïque ? Quel est *Le Monde d'Ulysse*, étudié notamment par M. I. Finley (éd. française, Paris, deuxième éd. 1978) ? Celui-ci estime que le récit homérique ne donne pas une vision exacte du pouvoir des rois et de l'organisation des palais mycéniens, contemporains de la guerre de Troie ; mais il ne reflète pas non plus le monde dans lequel aurait vécu le poète ; il vaudrait mieux dire : le monde dans lequel le poème est passé de sa forme orale à une transcription qui le figeait définitivement. La réponse de l'auteur est que « la société décrite dans les poèmes a existé dans les siècles qui ont suivi la chute du monde mycénien, mais précédé la venue de cette civilisation grecque des cités, au début de laquelle il (lui) semble que *L'Iliade* et *L'Odyssée* ont reçu pour l'essentiel la forme que nous leur connaissons aujourd'hui ». C'est une société dans laquelle de petites communautés s'organisent autour d'un roi, le *basileus* au pouvoir assez faible, et de l'aristocratie qui l'assiste. On tend désormais à nuancer cette thèse : il peut y avoir place pour des emprunts faits aux différentes époques qui ont précédé la mise en forme écrite des poèmes et aussi place pour l'imaginaire de l'aède et de son auditoire qu'il doit satisfaire ; l'épopée ne peut pas être un document historique.

• *La céramique* est, sans doute, le domaine le plus riche en innovations, même si le protogéométrique emprunte formes et décors aux dernières productions mycéniennes, sans rupture brutale avec les productions antérieures. Le décor s'enrichit de cercles et de demi-cercles concentriques faits au compas ; mais il faut attendre le géométrique pour voir réapparaître des représentations figurées sur les poteries, après plusieurs siècles de décors purement géométriques : courses de chars, défilés de guerriers, scènes de combat, scènes de funérailles sont des thèmes déjà représentés à l'époque mycénienne ; leur réapparition au VIIIe siècle peut-elle s'expliquer par une transmission de tels décors entre période mycénienne et période archaïque ? Ou s'agit-il d'une nouveauté indépendante de ce lointain passé ?

La Grèce archaïque (VIIIe-VIe siècle)

• *Un monde nouveau* émerge progressivement de l'obscurité antérieure, vers la fin du IXe siècle av. J.-C. ; là encore, des divergences existent entre spécialistes, les uns, avec A. Snodgrass, *La Grèce archaïque, le temps des apprentissages*, Paris, Hachette, 1986, mettent l'accent sur « la révolution structurale » qui marque cette époque, ce qui suppose que rien ne subsiste de la civilisation mycénienne disparue depuis quatre siècles, d'autres, comme H. Van Effenterre, *La Cité grecque*, Paris, Hachette, 1985, insistent, en revanche, sur la continuité depuis l'âge du bronze. Faire table rase totalement d'un passé mal connu est sans doute excessif, mais il est vrai que le monde grec qui émerge au VIIIe siècle présente bien des traits nouveaux, dont la mise au point lente au temps des siècles obscurs reste pour nous insaisissable.

On suppose, au départ de cette élaboration d'un monde nouveau, une croissance notable de la population, dont les causes restent à imaginer mais dont les conséquences sont, entre autres, la nécessité d'une organisation sociale plus diversifiée qui conduit à une agriculture sédentaire plus étendue et à l'adoption de la *polis*, de la cité-Etat, comme cadre de la vie des communautés de Grèce du Sud et de Grèce égéenne. Henri Van Effenterre a insisté avec raison sur les liens existant entre l'époque mycénienne et l'époque archaïque, sur les permanences et voit dans la cité archaïque le prolongement de l'occupation des terres à l'époque mycénienne. Il semble que la formule de la cité ait réussi essentiellement dans des régions d'agriculture sédentaire où la communauté d'habitants utilise au mieux le terroir rural qui lui appartient ; elle groupe autant d'habitants que la terre peut en nourrir, elle est par là un monde plein, mais aussi un monde clos sur son territoire, isolé radicalement des voisins par des frontières bien défendues. C'est cet isolement de la communauté civique qui permet le développement d'une cité autonome ; elle réunit tout à la fois les fonctions de marché, de centre religieux, de centre de la défense militaire et de l'administration indispensable à une collectivité et se dote d'institutions qui lui sont propres. La cité n'existait pas avant le VIIIe siècle, elle devient progressivement le cadre normal de vie des Grecs de l'Egée, alors que les Grecs du Nord et du Centre optent souvent pour une autre forme d'organisation collective, l'*Ethnos*, qui convient mieux à une économie pastorale fondée sur la transhumance, comme on l'a signalé dans la première partie.

• *Des changements institutionnels* accompagnent le développement des cités : disparition progressive de la royauté et partage du pouvoir entre les aristocrates, riches propriétaires fonciers, suivis bientôt de la contestation de ce pouvoir oligarchique, ce qui aboutit à la mise en place de gouvernements personnels forts, qualifiés de tyrannie, parce que instaurés en dehors des normes légales. Ici et là, on revendique la publication des lois afin de ne plus dépendre d'une justice aveugle entièrement entre les mains des *aristoi* : à Athènes, Dracon essaie de répondre à cette demande par la publication des lois, dont on a retenu seulement l'aspect rigoureux, mais dont la nouveauté tient avant tout à cet accès aux lois ouvert à tous. Ces tyrannies qui fleurissent au VIIe siècle et au début du VIe siècle dans les cités de l'Isthme : Cypsélides à Corinthe, Orthagorides de Sicyone, Phidon d'Argos, tyrans de Sicile et de Grande Grèce, puis tyrans d'Ionie et Pisistratides d'Athènes dans la seconde moitié du VIe siècle, sont souvent une étape intermédiaire de l'évolution du pouvoir oligarchique vers un pouvoir plus largement partagé. C'est un phénomène qui touche les cités commerciales bien avant les petites communautés rurales dans lesquelles la naissance et la richesse foncière demeurent les fondements du pouvoir de la classe dirigeante.

● *Des changements dans l'art militaire.* On a souvent voulu associer le développement de l'usage du fer avec celui d'une transformation dans l'art de la guerre, marquée par l'armement et la tactique hoplitique utilisés à partir de la première moitié du VIIe siècle ; ce combat en phalange, dont les membres sont étroitement solidaires puisque chaque combattant est protégé par le bouclier rond que porte son voisin de droite, a été considéré tantôt comme une cause, tantôt comme une conséquence de l'élargissement du corps civique participant réellement à la gestion des affaires communes. Le changement dans l'art militaire est attesté et fait le succès de certaines cités comme Sparte ; il est vrai aussi que les guerriers ainsi exposés pour la défense de la cité ont leur mot à dire dans l'orientation politique de la communauté à laquelle ils appartiennent. Mais il est certainement trop simple de considérer ces transformations dans l'art de la guerre comme le signe du déclin de l'aristocratie ; comme le note Marcel Détienne, « La Phalange : problèmes et controverses », dans *Problèmes de la guerre dans la Grèce ancienne*, publié sous la direction de Jean-Pierre Vernant, Paris, 1968, p. 119-142 : « Progressive sur le plan technologique, la réforme hoplitique ne s'est pas faite d'un coup ; elle est née d'aménagements successifs, apportés par les nobles à leur équipement guerrier ; elle ne s'est pas faite contre les aristocrates qui l'ont eux-mêmes conduite ; elle n'est pas nécessairement liée à certaines transformations politiques et sociales, qui s'inscrivent dans une histoire plus complexe et plus longue. »

● *La vie économique* est difficile, en particulier, si l'on suit le tableau laissé par Hésiode dans *Les Travaux et les jours* : le paysan travaille, de l'aube au crépuscule, une terre ingrate pour gagner bien peu. Cette description vivante est à rapprocher de celle qu'Aristote a transmise, au début de la *Constitution des Athéniens*, de la situation de crise sociale dans l'Athènes de la fin du VIIe siècle, à l'époque qui précède Solon : dans une économie, qui n'est pas encore monétaire, bien des paysans sont contraints à l'emprunt (en nature) et à l'endettement ; ils deviennent fermiers de leurs créanciers, sous le nom d'*hectémores* (ils versent un sixième de leurs récoltes au maître, ce qui peut paraître peu, mais dans une agriculture où les rendements sont de quatre pour un, la semence à garder pour l'année suivante représente déjà le quart de la récolte) ; d'autres sont vendus en esclavage alors que la propriété de la terre se concentre en peu de mains. Solon, à Athènes, essaie d'apaiser la crise sociale par l'abolition des dettes, mais ses efforts ne réussissent pas à éviter à Athènes une longue période de troubles sociaux avant l'instauration de la tyrannie de Pisistrate.

• *La colonisation.* Dans ce monde plein, où la terre ne nourrit pas bien une population trop nombreuse à cause d'une répartition de la propriété peu satisfaisante, bien des pauvres cherchent une réponse à leur soif de terre dans l'aventure de la colonisation : entre le VIIIe et le milieu du VIe siècle se déroule le deuxième mouvement de colonisation grecque qui touche l'Italie méridionale (la Grande Grèce), la Sicile et l'Occident jusqu'à Marseille, la Cyrénaïque, la côte septentrionale de la mer Egée (Chalcidique, côte de Thrace) puis les rives du Pont-Euxin. S'y joignent naturellement les bannis, les exclus obligés de quitter leur cité d'origine parce qu'ils en sont chassés par le parti au pouvoir. C'est tout un monde nouveau qui s'organise suivant le modèle hérité de leurs métropoles ; il ne s'agit en rien de la conquête territoriale d'un vaste domaine continental, mais simplement de la création de cités suivant un tissu très discontinu le long des côtes, chacune contrôlant le terroir agricole qui lui est nécessaire. Les colons viennent surtout des régions les plus actives du monde grec archaïque : cités de l'Isthme, comme Mégare, Corinthe, Egine, cités d'Eubée comme Chalcis et Erétrie, îles de la mer Egée comme Paros, cités de la côte anatolienne comme Milet, mais aussi de régions pauvres de Grèce centrale comme la Locride, l'Achaïe. On constate l'absence de cités comme Athènes dont la population n'a pas besoin de chercher ailleurs un remède à ses maux. Il faut, en revanche, noter le rôle important joué par un sanctuaire comme celui de Delphes fréquemment consulté par les candidats au départ qui désirent recevoir d'Apollon des indications sur la direction à prendre, sur la zone où il convient de s'établir. Même si les colonies corinthiennes gardent durablement des liens étroits avec leur métropole (Potidée, fondée en 600, recevait encore chaque année un magistrat envoyé par Corinthe, au début de la guerre du Péloponnèse), chaque colonie devient une cité nouvelle, pleinement indépendante, un morceau de Grèce en quelque sorte fixé en pays barbare qui garde de sa métropole les divinités et les cultes transportés avec les premiers colons conduits par l'*oikiste*, chargé d'effectuer la répartition des lots de terre attribués à chaque nouvel arrivant. (Sur tous ces problèmes, l'ouvrage de référence et le plus maniable reste celui de John Boardman, *The Greeks Overseas*, Pelican, Londres, 1964.)

• *C'est une carte nouvelle de l'hellénisme* qu'il faut tracer à la fin de l'époque archaïque. Les Grecs, profondément divisés entre eux en une multitude de petits Etats, notamment de cités, et incapables de s'unir dans une structure politique unique, ont en commun une culture fondée sur la tradition épique de la guerre de Troie, transmise par Homère, une langue (malgré bien des nuances dialectales), un mode de vie et des croyances religieuses, qui font qu'ils se savent différents des barbares : l'appartenance à une communauté des Hellènes se manifeste notamment dans de grandes fêtes religieuses qui comprennent procession, sacrifice et concours ; c'est en 776 qu'on place la fondation des concours olympiques, qui se déroulent tous les quatre ans, suivis en 582 par les concours pythiques à Delphes, puis par les concours de l'Isthme et de Némée. Les premiers temples s'édifient dans ces grands sanctuaires : vers 600, reconstruction du temple d'Héra à Olympie et, à la fin du siècle, reconstruction du temple d'Apollon à Delphes, construction du temple d'Artémis à Corcyre, et des temples d'Apollon à Corinthe, Syracuse et Ambracie ; vers 570 édification de l'Artémision d'Ephèse et de l'Héraion de Samos. Dès la fin du VIIe siècle, la sculpture sur pierre produit des œuvres remarquables selon deux types, l'un masculin, l'autre féminin, le *kouros* et la *korè*, qui font la richesse du musée de l'Acropole et du musée national à Athènes, tout comme les statues de Kléobis et Biton à Delphes. La céramique, au sortir de la phase géométrique, connaît au cours du VIIe siècle un renouveau considérable, marqué par un art orientalisant riche en représentations d'animaux réels ou imaginaires, dont les grands centres de production se situent à Rhodes, dans les Cyclades, à Corinthe. L'Attique, au VIe siècle, commence une lente conquête des marchés, notamment en Etrurie, avec les vases à figures noires, qui font une place plus grande aux représentations humaines : Sparte, Corinthe résistent à la concurrence athénienne, mais les grands noms d'artistes, potiers ou peintres, apparaissent sur les vases attiques, comme le peintre Exèkias. Avant la fin du siècle, la figure rouge permet beaucoup plus de finesse dans le drapé, l'anatomie et même l'expression des personnages. C'est un grand moment de la vie artistique, avant même le début de l'époque classique.

Cette Grèce archaïque n'est évidemment pas un monde fermé, en particulier en raison du commerce marchand et du mouvement de colonisation, qui conduisent les Grecs loin de chez eux et les mettent en contact avec d'autres civilisations : l'Egypte assurément, mais aussi la Mésopotamie et les grands Empires orientaux qui se succèdent en Asie Mineure, le monde barbare du Pont-Euxin, de Thrace, des côtes illyriennes et adriatiques, de l'Italie méridionale et de la Sicile, de la Gaule du Sud et même de l'Espagne méridionale. Deux domaines méritent une particulière attention : le monde phénicien et punique d'une part, Rome et l'Italie centrale, notamment l'Etrurie d'autre part.

LES PHÉNICIENS ET CARTHAGE

On touche, ici, à un monde qui a souffert longtemps du dédain, voire de l'hostilité des sociétés marquées profondément par la tradition judéo-chrétienne ; très curieusement, l'antisémitisme du XIXe siècle assimilait Juifs et Phéniciens dans la même opprobre, alors que la tradition biblique rangeait Phéniciens et Cananéens dans le même groupe des exemples à ne pas suivre ; la Phénicie est le pays des Baals qui attiraient parfois les disciples de Yahvé, donc le pays du mal que l'historiographie moderne dédaignait, même si c'est lui qui a transmis l'alphabet aux Grecs. S'est ajouté à cette indignité le tableau brossé par G. Flaubert de l'horreur des sacrifices d'enfants dans le *tophet* de Carthage, dans *Salammbô*. De nos jours, les Phéniciens font l'objet de nouvelles recherches et d'importantes fouilles ont été conduites sur le site de Carthage : citons le beau livre de Michel Gras, Pierre Rouillard et Javier Teixidor, *L'Univers phénicien*, Arthaud, Paris, 1989, et « Les Phéniciens à la conquête de la Méditerranée », *Dossiers Histoire et Archéologie,* n° 132, novembre 1988, qui complète bien le livre cité précédemment.

Les Phéniciens

Les Phéniciens sont une population sémite établie au cours du IIIe millénaire, sur plus de 300 kilomètres du nord au sud, le long de la côte syro-libanaise, répartis en cités indépendantes, qui n'appartiennent pas à un Etat phénicien doté d'une autorité centrale : Byblos, Sidon, Sarepta, Tyr ont vécu, chacune, leur histoire, même si elles ont en commun une vie culturelle originale avec une langue et une écriture alphabétique qui leur sont propres. C'est avant la conquête assyrienne que des Phéniciens partent fonder de nouvelles cités dans le bassin méditerranéen, à l'image des futures colonies grecques ; la fondation la plus célèbre est celle de Carthage, traditionnellement datée de 814, mais certainement précédée par des établissements phéniciens en Espagne et en Tunisie.

Chypre a constitué le premier terrain de rencontre des cultures grecque et phénicienne ; les Phéniciens y sont solidement implantés, notamment dans le royaume de Kition. Mais le marchand phénicien, amateur de métaux précieux, circule bien au-delà ; *L'Odyssée,* au chant XV, les décrit fort crûment : « ces fameux marins de Phénicie, de vrais rapaces, avec leur cargaison de camelote » ; ils séjournent longuement dans l'île natale du jeune Eumée, Syra, y retrouvent une jeune femme de Sidon « ville du bronze », enlevée par des pirates et vendue comme esclave au père d'Eumée ; elle convient, avec les marins, qu'elle s'embarquera avec eux, non sans entraîner le fils de son maître. « Eux, demeurés encore chez nous toute une année, dans le profond navire arrimèrent plus d'un achat. Quand fut chargé le creux vaisseau, ils étaient pour partir et envoyèrent un des leurs en avertir la femme. Cet homme, fort adroit, s'en fut au palais de mon père, raconte Eumée, avec un collier d'or paré de perles d'ambre. Les servantes dans la grande salle et ma royale mère le palpaient dans leurs mains, l'examinaient des yeux, disaient un prix. Lui, sans un mot, fit un signe à la femme, puis, là-dessus, il regagna le creux navire ; elle me prit la main et m'emmena dehors. »

Ezéchiel, XXVII, 3-24, dans le premier quart du VIe siècle, trace un tableau saisissant de la prospérité de Tyr, peu avant sa chute : « Tyr, toi qui disais : Je suis un navire merveilleux de beauté. En haute mer s'étendait ton empire, tes constructeurs t'ont faite merveilleuse de beauté. En cyprès de l'Hermon ils ont construit tous tes bordages. Ils ont pris un cèdre du Liban pour te faire un mât. Des plus hauts chênes du Bashân ils t'ont fait des rames. Ils t'ont fait un pont d'ivoire incrusté dans du cèdre des îles de Kittim (Chypre). Le lin brodé d'Egypte fut ta voilure pour te servir de pavillon. La pourpre et l'écarlate des îles d'Elisha formaient ta cabine. Les habitants de Sidon et d'Arvad étaient tes rameurs. Et tes sages, ô Tyr, étaient à bord comme matelots. Les anciens de Byblos et ses artisans étaient là pour réparer tes avaries. Tous les navires de la mer et leurs marins étaient chez toi pour faire du commerce. Ceux de Perse et de Lud et de Put servaient dans ton armée, étaient tes gens de guerre. Ils suspendaient chez toi le bouclier et le casque. Ils te donnaient de la splendeur. Les fils d'Arvad et leur armée garnissaient tes murailles tout autour et veillaient sur tes bastions. Ils suspendaient leurs boucliers à tes murailles, tout autour, et contribuaient à parfaire ta beauté. Tarsis (c'est-à-dire Tartessos, l'Andalousie) était ton client, profitant de l'abondance de tes richesses. On te donnait de l'argent, du fer, de l'étain et du plomb contre tes marchandises. Yavân (l'Ionie), Tubal et Méshek (dans le Pont-Euxin) trafiquaient avec toi. Contre des hommes et des ustensiles de bronze, ils échangeaient tes denrées. Ceux de Bet-Togarma (probablement l'Arménie) te pourvoyaient de chevaux, de coursiers et de mulets... Juda et le pays d'Israël eux-mêmes trafiquaient avec toi : ils t'apportaient en échange du grain de Minnit, de la cire, du miel, de la graisse et du baume. Damas était ton client grâce à l'abondance de tes produits, à la multitude de tes richesses : il te fournissait du vin de Helbôn et de la laine de Cahar... L'Arabie et tous les princes de Qédar eux-mêmes étaient tes clients : ils payaient en agneaux, béliers et boucs. Les marchands de Seba et de Rama trafiquaient avec toi : ils te pourvoyaient d'aromates de première qualité, de pierres précieuses et d'or contre tes marchandises. Harân, Kanné et Eden, les marchands de Sheba, d'Assur et de Kilmad trafiquaient avec toi. Ils faisaient trafic de riches vêtements, de manteaux de pourpre et de broderie, d'étoffes bigarrées, de solides cordes tressées, sur tes marchés. »

Carthage

A Carthage, sous les ruines de la ville punique, elle-même recouverte par la colonie romaine, des vestiges archéologiques permettent d'entrevoir l'organisation de la fondation phénicienne, au cours des premiers siècles de son histoire, sur la colline de Byrsa et dans la partie basse de la ville avec ses ports, ses cimetières, son *tophet*. A partir du VIIᵉ siècle, les Carthaginois se tournent vers l'Espagne, l'Etrurie, la Sardaigne, la Sicile et entrent donc en relations, souvent 9conflictuelles, avec les Grecs ; le premier affrontement entre Grecs et Phéniciens d'Occident a lieu à Alalia, en 540 av. J.-C., au moment où Carthage s'affranchit de ses liens avec la métropole tyrienne. Les Carthaginois sont alors alliés aux Etrusques de Caere pour repousser les Phocéens

Si les institutions carthaginoises sont surtout décrites, pour des époques plus tardives, par Aristote, Polybe et par les auteurs latins, avec les Suffètes, magistrats les mieux connus, un Conseil des Anciens et une Assemblée populaire, ce sont les pratiques sacrificielles qui ont le plus retenu l'attention ; on ne sait pas beaucoup sur les Phéniciens d'Orient, et c'est à travers la tradition concernant Carthage que s'est constitué le mythe du grand Moloch mangeur d'enfants. Les recherches archéologiques menées par des chercheurs américains dans le *tophet* de Carthage, c'est-à-dire dans une aire de dépôt d'urnes funéraires, montrent une grande abondance d'urnes évaluées à 20 000 déposées entre 400 et 200 av. J.-C., mais certaines remontent au VIIIᵉ siècle. Faut-il conclure, comme les archéologues américains : « Ce témoignage prouve que le sacrifice d'enfants à Carthage était une pratique systématique plutôt qu'une forme de culte sporadique et non institutionnalisée » ? Ou préférer l'interprétation des auteurs de *L'Univers phénicien* qui écartent les écrits de Diodore de Sicile et estiment que des sacrifices d'enfants et d'adultes ont eu lieu dans des circonstances exceptionnelles et rares, comme dans d'autres civilisations ? Pour eux, les *tophets* ne sont que des cimetières d'enfants morts-nés ou prématurément décédés ; « ce lieu périphérique est celui des individus qui n'ont pas encore été intégrés dans la communauté », qui sont ainsi marginalisés. La distance est grande entre les deux interprétations, et la solution ne peut venir que d'un travail très méthodique des archéologues, à l'abri d'une tradition qui privilégie l'imagination ou la propagande, souvent anticarthaginoise.

LES ÉTRUSQUES ET LA NAISSANCE DE ROME

L'époque dite villanovienne

Au IX⁰ siècle av. J.-C. s'ouvre en Italie centrale l'époque dite villanovienne, qui tire son nom du site de Villanova, proche de Bologne, où ont été identifiés les principaux caractères d'une culture qu'on peut qualifier de protoétrusque. La civilisation étrusque se constitue progressivement et à partir de 700 fournit les premières inscriptions rédigées dans cette langue. Elle n'est pas apportée par l'arrivée massive d'un peuple nouveau sur le sol de l'Italie centrale : l'union de villages villanoviens donne progressivement naissance aux métropoles étrusques, en particulier en Etrurie méridionale. Ce sont surtout les nécropoles qui fournissent des renseignements sur le mode de vie des Villanoviens : ils pratiquent l'incinération et certaines urnes en forme de cabane donnent une idée du cadre réel de leur vie, de leur habitat, avec des détails précis concernant la toiture, les portes et fenêtres. Elles rappellent aussi les cabanes du Palatin dont ne subsistent plus que quelques modestes trous de poteaux creusés dans la roche.

A la fin du VIII⁰ siècle, les nécropoles contiennent davantage d'objets de provenance orientale (période orientalisante) : certains ont voulu y voir le témoignage de l'arrivée d'un peuple venu d'Orient — de Lydie ? — alors que ces mêmes objets présents ailleurs ne conduisent pas à la même conclusion. L'inhumation remplace l'incinération. Dans le second quart du VII⁰ siècle apparaissent à Caere d'énormes tumulus, tombes de la caste dominante, tombes très riches à Caere comme à Préneste (Palestrina), au sud-est de Rome, donc hors de l'Etrurie, mais sur la route reliant l'Etrurie à la Campanie ; ces tombes princières sont entourées de tombes plus modestes abritant les clients de l'aristocratie étrusque. Les fabrications locales apparaissent dans les tombes sous forme de céramique noire, le *bucchero*, et d'objets d'orfèvrerie décorés grâce à la technique de la granulation, à côté d'importations d'ivoire notamment venant d'Orient, de Syrie ou de Chypre. Les premières tablettes inscrites sont aussi dans ces tombes de la période orientalisante, écrites en caractères grecs empruntés aux voisins grecs établis à Cumes.

A la fin du VII⁰ siècle, les grandes cités étrusques sont définitivement constituées et les auteurs anciens parlent souvent d'une dodécapole étrusque, même si la liste de ces douze cités n'est pas immuable ; on peut penser que la première fédération étrusque était composée de Caere, Tarquinia, Vulci et Vetulonia en Etrurie maritime, Véies, Volsinies, Chiusi, Pérouse en Etrurie intérieure, Volterra, Arezzo, Cortone, Fiésole en Etrurie septentrionale. Son centre religieux est le sanctuaire de Voltumna sur le territoire de Volsinies ; des concours panétrusques y sont organisés. Ces cités ont connu un régime monarchique, les rois étant souvent appelés Lucumons, mais des régimes républicains naissent dès le VI⁰ siècle.

La naissance de Rome

L'exposition présentée au Petit Palais, en 1977, après Rome, et consacrée à *La Naissance de Rome* permet de faire le point de la recherche sur ce thème, notamment sous la plume de M. Pallottino et de J. Heurgon, et de sortir des récits légendaires sur Enée et les origines troyennes de Rome, comme sur la lutte fratricide de Romulus et Remus (voir aussi Alexandre Grandazzi, *La Fondation de Rome*, Paris, 1991). Des témoignages archéologiques nombreux révèlent l'existence d'habitats de l'âge du bronze moyen et récent à Rome, sur les monts Albains, à Préneste, etc., ce qui permet de reculer de quelques siècles le début des établissements humains sur le site de Rome, par rapport à la date traditionnelle de fondation, en 753 av. J.-C. ; les trouvailles de fragments de céramique de type mycénien le long des côtes tyrrhéniennes, à Ischia et dans l'Etrurie méridionale indiquent des contacts avec le monde égéen à l'époque des migrations héroïques dans le Latium ; elles donnent consistance aux navigations légendaires d'Ulysse, de Diomède et d'Enée en Occident. Aux VIIIe-VIIe siècles, des communautés latines s'épanouissent dans la plaine, à l'époque du développement de la civilisation villanovienne en Etrurie, qui correspond au début de la colonisation grecque en Campanie, et à la descente des Sabins le long de la vallée du Tibre. Au moment où l'incinération cède la place aux inhumations, dans des tombes à fosse parfois couvertes de tumulus, les centres albains semblent connaître une certaine perte de vitalité (tradition de la destruction d'Albe la Longue par les Romains) et Rome fournit une documentation beaucoup plus riche que ses voisines.

Avec ses sept rois de 753 à 509, et spécialement à partir de l'avènement de la dynastie étrusque à la fin du VIIe siècle, Rome entre dans l'histoire ; de nombreuses coïncidences entre l'archéologie et l'histoire issue de la tradition littéraire ont conduit à prendre celle-ci davantage en considération : J. Heurgon cite en exemple la nécropole de Castel di Decima, fouillée par F. Zevi, qui cesse d'être utilisée à la fin du VIIe siècle, alors qu'à cet emplacement la ville de Politorium est anéantie par Ancus Marcius, quatrième roi de Rome (640-617) et la population transférée sur l'Aventin ; les fouilles du Palatin, en exhumant près de l'endroit où les anciens vénéraient la maison de Romulus un village de cabanes remontant au VIIIe siècle, s'accordent avec la date varronienne de la fondation de Rome en 753. C'est surtout Q. Fabius Pictor, le premier annaliste romain, qui, à la fin du IIIe siècle av. J.-C., a tenté en grec de réunir les matériaux d'une histoire nationale ; son œuvre suscite, de nos jours, beaucoup de passions chez ses détracteurs comme parmi ses défenseurs ; il se trouvait en présence de deux légendes de fondation : l'une, grecque, qui affirmait les origines troyennes de Rome dès le XIIe siècle ; l'autre, romaine, qui revendiquait pour fondateur un héros national, Romulus, mais seulement au VIIIe siècle ; certains faisaient de Romulus le petit-fils d'Enée ; Fabius choisit d'étaler sur quatre siècles l'intervalle séparant Enée de Romulus. C'est aussi Fabius qui établit les sept règnes, entre la fondation de Rome et l'avènement de la république en 510/09 : après Romulus, il plaçait trois rois d'origine latine et sabine, élus chaque fois par le Sénat, Numa Pompilius, Tullus Hostilius, Ancus Marcius. A chacun de ces rois revint un rôle spécial, ce qui a inspiré la théorie « fonctionnelle » de Georges Dumézil : le pieux Numa créa la religion, le calendrier et les collèges sacerdotaux ; Tullus Hostilius, « plus belliqueux encore que Romulus » selon Tite-Live, I, 22, 1, eut la tâche ingrate de détruire Albe, il symbolise la force militaire, alors qu'Ancus Marcius représente la fécondité, conquiert le Latium et fonde Ostie.

Les trois derniers rois de Rome sont des rois étrusques : Tarquin l'Ancien (616-579), Servius Tullius (578-535), Tarquin le Superbe (534-510). C'est la période de l'apogée étrusque, Rome est, selon l'expression de Denys d'Halicarnasse, I, 29, 2, une *polis Tyrrhènis*, une cité étrusque. Fabius Pictor est bien le défenseur de la fierté romaine en se refusant à présenter la domination étrusque comme une conquête et sa restitution des événements est fort inexacte. En réalité, à partir de la fin du VIIe siècle, Rome a été à plusieurs reprises soumise à des tentatives de conquête de chefs de guerre venant de différentes cités étrusques : à la fin du VIe siècle, c'est Porsenna, roi de la lointaine Chiusi, qui tente le siège de Rome ; avant lui, Tarquinia et Vulci se sont tour à tour emparées de Rome. Les tables de bronze du musée de la civilisation gallo-romaine de Lyon, montrent que l'empereur Claude savait que Servius Tullius était un Etrusque qui, dans leur langue, portait le nom de Mastarna ; il est inséparable de la légende de deux frères, Aulus et Caelius Vibennae de Vulci, dont le premier est connu historiquement par la dédicace qu'il fait à Véies, au milieu du VIe siècle. La tombe François, à Vulci, contient une fresque peinte vers 300 av. J.-C. qui représente la délivrance de Mastarna enchaîné dont Caelius Vibenna tranche les liens alors qu'autour d'eux des amis, dont Aulus Vibenna, massacrent les ennemis ; l'un de ces derniers n'est autre que Tarquin de Rome ; la lutte des princes de Vulci avec les Tarquins de Rome reste, à la fin du IVe siècle, le fondement de l'épopée locale représentée face au sacrifice des prisonniers troyens aux funérailles de Patrocle. Mastarna, venu de Vulci à Rome, et ayant pris le nom latin de Servius Tullius, y exerça le pouvoir royal, sans doute comme un usurpateur alors que les Tarquins étaient déjà établis à Rome ; un Tarquin lui succéda et sa tyrannie provoqua la chute de la royauté.

Qu'elle soit aux mains de chefs venus de Tarquinia ou de Vulci, Rome est, à partir du dernier quart du VIIe siècle, une ville étrusque : les Etrusques parviennent à réunir les villages de cabanes dispersés sur les collines, assèchent le marécage qui devient le *forum*, bientôt le centre politique d'une cité unifiée : des constructions de pierre remplacent les cabanes de bois : le Comitium au pied du Capitole, la Regia au pied du Palatin, le Grand Cirque entre Palatin et Aventin et le grand temple du Capitole édifié par les Tarquins ; au *forum boarium*, près de l'église Sant'Omobono, des fouilles ont permis de retrouver des éléments des deux temples édifiés par Servius Tullius aux déesses Mater Matuta et Fortuna. Rome doit beaucoup à cette présence étrusque, dans les signes extérieurs du pouvoir (faisceaux, chaises curules, toges prétextes), mais aussi dans la défense de la cité (première enceinte attribuée à Servius Tullius) ; ces rois essaient de lutter contre les revendications de l'aristocratie patricienne, et la révolution de 510/09 est la victoire du patriciat oligarchique sur le pouvoir royal, ce qui entraîna, peu après, par réaction, la constitution de la plèbe avec ses magistrats propres.

La présence grecque, tant en Etrurie qu'à Rome, est rendue manifeste par le nombre et la qualité des objets d'art importés de Grèce ; c'est dans les tombes d'Etrurie qu'ont été conservés les vases de céramique attique les plus nombreux ; les terres cuites de Sant'Omobono, représentant un buste d'Athéna, un torse d'Héraklès ou un défilé de chars, semblent avoir été réalisées sur place par un artiste venu de Grèce de l'Est, vers 540.

En peu d'années, les Grecs marquent l'arrêt de la domination des Carthaginois et des Etrusques en Méditerranée occidentale, qui s'était manifestée, face aux

Phocéens, à Alalia en 540. C'est en 480 la victoire de Gélon sur les Carthaginois de Sicile, à la bataille d'Himère, victoire qu'on a voulu contemporaine de la bataille de Salamine ; six ans plus tard, Hiéron de Syracuse l'emporte sur les Etrusques dans les eaux de Cumes (474), ce qui marque le début du déclin de la puissance étrusque, mais cela ne saurait signifier la rupture de Rome avec la seule grande forme de civilisation qui existait alors en Italie centrale.

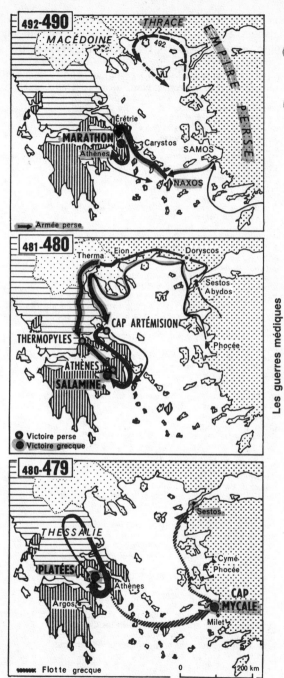

en 484. B.C.
construction
de
Bitaure
(petits et nobiles)

Les guerres médiques

Source : P. Lévêque, *L'Aventure grecque*, Paris, A. Colin, 1964, p. 252.

492-490

THRACE
MACÉDOINE
492
EMPIRE PERSE
Érétrie
MARATHON
Athènes
Carystos
SAMOS
NAXOS

➤ Armée perse

481-480

Therma
Eion
Doryscos
Sestos
Abydos
CAP ARTÉMISION
THERMOPYLES
Phocée
ATHÈNES
SALAMINE

◉ Victoire perse
● Victoire grecque

480-479

Sestos
THESSALIE
PLATÉES
Cymé
Phocée
Athènes
CAP
MYCALE
Argos
Milet

⌇⌇⌇ Flotte grecque

0   200 km

Les grandes étapes de l'Antiquité : protohistoire et époque archaïque   115

RAPPEL CHRONOLOGIQUE SUR LA PÉRIODE ARCHAÏQUE

circa 900	Début de la céramique géométrique.
c. 800 ?	Composition des poèmes homériques. Législation de Lycurgue à Sparte.
776	Fondation des concours olympiques.
c.750	Vie d'Hésiode ; début de la céramique protocorinthienne.
735-716 ?	Première guerre de Messénie.
733	Fondation de Syracuse par les Corinthiens.
c.700	Guerre lélantine entre Chalcis et Erétrie, en Eubée.
682-668 ?	Seconde guerre de Messénie.
664	Bataille navale entre Corcyre et Corinthe.
657	Cypsélos, tyran de Corinthe (selon la chronologie haute), mais seulement 620 (selon la chronologie basse).
c.653-585	Cyaxare, roi des Mèdes.
c.640	Fondation de Naukratis en Egypte.
632/631	Conjuration de Kylon à Athènes.
c.625	Début de la céramique corinthienne ; fondation de Cyrène.
621	Législation de Dracon à Athènes.
601-570 ?	Clisthène, tyran de Sicyone.
c.600	Fondation de Marseille. Début de la céramique attique à figures noires.
594/93	Archontat de Solon à Athènes.
c.585	Astyage, roi des Mèdes.
561-546	Crésus, roi de Lydie.
561/0	Première prise de pouvoir par Pisistrate à Athènes.
c.560	Premières *Corai* de l'Acropole d'Athènes.
557-530	Règne de Cyrus le Grand, qui renverse Astyage en 549.
c.550	Chilon, éphore à Sparte ; début de la Symmachie péloponnésienne.
c.550-530	Carrière du céramiste Exèkias, à la fois peintre et potier.
546	Conquête de la Lydie de Crésus par les Perses de Cyrus.
540	Bataille d'Alalia, défaite des Phocéens face aux Carthaginois alliés aux Etrusques de Caeré.
534	Institution des concours de tragédies aux Dionysies d'Athènes.
533-522	Polykrate, tyran de Samos.
530-522	Règne de Cambyse.
c.530	Début de la céramique à figures rouges à Athènes.
528/7	Mort de Pisistrate, remplacé par ses fils Hippias et Hipparque.
c.525	Trésor de Siphnos à Delphes.
522-486	Règne de Darius Ier.
c.520	Cléomène, roi de Sparte.
519 ?	Bataille de Sépeia (peut-être seulement en 494).
514	Complot d'Harmodios et Aristogiton, mort d'Hipparque à Athènes.
512	Campagne de Darius en Scythie.
510	Chute de la tyrannie à Athènes, et de Tarquin le Superbe à Rome ; destruction de Sybaris par Crotone.
508/7	Réformes de Clisthène à Athènes.
506	Victoire d'Athènes sur les Béotiens et les Chalcidiens.
c.500	Première tragédie d'Eschyle.
499	Début de la révolte de l'Ionie.
498	Expédition d'Athènes et d'Erétrie à Sardes ; première *Ode* de Pindare.
494	Bataille de Ladè ; prise de Milet par les Perses.
493	Archontat de Thémistocle à Athènes.
492	Expédition de Mardonios en Thrace et en Macédoine.
491	Gélon, tyran de Géla.
490	Première guerre médique, Marathon.
486	Avènement de Xerxès.
485	Gélon s'empare de Syracuse.
483/2	Loi navale de Thémistocle.
480	Seconde guerre médique : bataille des Thermopyles et de Salamine. En Sicile, bataille d'Himère, victoire de Gélon sur les Carthaginois.
479	Batailles de Platées et de Mycale.
474	Bataille de Cumes, victoire de Hiéron sur les Etrusques.

4 Les grandes étapes de l'Antiquité : le monde grec classique et hellénistique

LA PÉRIODE CLASSIQUE (V^e-IVe SIÈCLE)

Les années 510-480 marquent un changement profond dans le monde antique, tant dans la vie intérieure de certaines cités que dans les relations internationales. On a déjà noté la coïncidence, étonnante mais réelle, qui existe entre le renversement de la tyrannie à Athènes (chute d'Hippias en 510) et à Rome (chute de Tarquin le Superbe en 510/09). C'est aussi la génération qui voit s'affirmer l'autonomie et la puissance de l'hellénisme, tant en Asie Mineure qu'en Occident, face aux Perses d'une part, aux Carthaginois et aux Etrusques de l'autre. Mais il faut souligner aussi que ces mêmes dates ne voient pas de changements notables dans la vie intérieure de très nombreuses cités ou Etats grecs et que les changements, même à Athènes, ne sont pas immédiats, mais très progressifs, que ce soit dans l'évolution vers un régime démocratique ou vers l'établissement d'un Empire athénien en Méditerranée orientale ; de la même façon, l'autonomie de Rome par rapport aux voisins étrusques s'affirme aussi peu à peu et non du jour au lendemain, après la chute de Tarquin le Superbe, ou trente plus tard après la bataille de Cumes.

Les guerres médiques

Il convient, dès l'abord, de relativiser l'importance de ces deux guerres, qui sont devenues pour les Athéniens comme le point de départ de leur histoire, ou au moins d'une nouvelle naissance qui est célébrée durant les siècles suivants à chaque occasion difficile de l'histoire des cités grecques, comme le point de référence par excellence ; ces deux guerres, vitales pour l'autonomie des cités grecques, n'ont pas, dans l'histoire de l'Empire perse, une place considérable ; il serait tout à fait inexact de juger de leur importance à travers la lecture des *Perses* d'Eschyle, qui décrit à plaisir l'ambiance de catastrophe qui règne à la cour du Grand Roi à l'annonce de la bataille de Salamine. (Pour une bonne analyse des *Perses*, en particulier du lien entre la tragédie, les structures mentales des Athéniens et les guerres médiques, il faut se reporter à Christian Meier, *De la tragédie grecque comme art politique*, Les Belles-Lettres, Paris, 1991, p. 86-104.) Dans un Empire si vaste, un échec à l'extrême Occident n'a pas plus d'importance que le repli de Darius au sud du Danube après son expédition contre les Scythes ou qu'une péripétie aux confins de l'Arabie, de la Bactriane ou de l'Indus.

La Grèce d'Asie Mineure avait été soumise par Cyrus à partir de 546 ; certains habitants avaient préféré émigrer, telle une partie des Phocéens, ceux qui vont à Alalia, avant de se fixer à Elée, en Italie du Sud ; mais la majorité était restée sous la tutelle perse, représentée le plus souvent par des tyrans grecs établis dans chaque cité sous le contrôle des satrapes perses. Les historiens anciens, Hérodote d'Halicarnasse comme Thucydide, sont sévères à l'égard des Ioniens à qui ils reprochent de s'être aisément soumis à l'autorité du Grand Roi : ainsi Euphémos d'Athènes, parlant à Camarina en Sicile, en 415, porte un jugement sévère sur les services rendus aux Perses par les Ioniens dans les guerres médiques : « Nous n'avons rien fait d'injuste en réduisant ces Ioniens et ces insulaires que les Syracusains nous reprochent d'avoir asservis malgré notre parenté de race : ils avaient marché avec le Mède contre leur métropole, contre nous ; ils n'avaient pas eu le courage de se détacher de lui et de sacrifier leurs biens, comme nous avons, nous, abandonné notre ville ; ils voulaient être esclaves eux-mêmes, et nous en apporter autant » (Thucydide, VI, 82, 3-4). L'occupation perse ne paraît pas avoir bouleversé les activités économiques et l'équilibre social de ces cités, ouvrant même aux ports de la façade égéenne de l'Asie Mineure des activités nouvelles en liaison avec un vaste arrière-pays. La situation se détériore manifestement à la fin du VIᵉ siècle : autorité plus pesante de Darius Iᵉʳ, concurrence des ports de la côte phénicienne plus proches des centres de l'Empire, établis en Mésopotamie ; les causes de mécontentement peuvent être multiples. Elles aboutissent à la révolte de l'Ionie, à partir de 499, dans laquelle Milet joue le rôle moteur. Le soutien des Grecs de Grèce continentale est bien faible : Sparte refuse toute aide à Aristagoras de Milet, seules Athènes et Erétrie s'engagent à intervenir, mais bien modestement ; quelques trières débarquent un faible contingent de soldats qui vont incendier Sardes (498) avant de se rembarquer pour ne plus jamais intervenir. Livrés à eux-mêmes, les Ioniens sont vaincus à la bataille de Ladé en 494 et l'autorité perse se réinstalle sur toute la côte ionienne.

La suite est bien connue : la flotte perse, en 490, traverse la mer Egée, vient punir Erétrie, puis débarque à Marathon, guidée par l'ancien tyran Hippias, qui se met ainsi au service des envahisseurs. Seuls les Athéniens et les Platéens livrent combat sous les ordres de Miltiade et remportent la victoire avant l'arrivée des troupes lacédémoniennes.

Au terme de la première guerre médique, qui n'a concerné qu'une très faible partie des forces armées perses, deux éléments méritent surtout de retenir l'attention :

– l'histoire politique intérieure d'Athènes, durant la période qui va de 510 à 490,

– l'attitude de la grande majorité des Etats grecs.

• *L'histoire politique d'Athènes, de 510 à 480* : L'expulsion du tyran Hippias a été obtenue, en 510, par une coalition des forces armées lacédémoniennes et des émigrés athéniens, notamment le clan des Alcméonides très lié au sanctuaire de Delphes, au moment où il faut reconstruire le temple d'Apollon ; mais l'accord est rompu très vite entre les alliés, Cléomène de Sparte soutenant le clan oligarchique d'Isagoras, ce qui contraint Clisthène l'Alcméonide à s'appuyer sur le *dèmos* ; après un premier échec, Clisthène l'emporte, mais disparaît très vite de la scène politique, après une ambassade auprès du Grand Roi en vue d'obtenir son soutien contre une coalition redoutable pour Athènes puisqu'elle réunissait Cléomène, les Béotiens et les Chalcidiens. Avant même le retour de l'ambassade, Athènes l'emporte sur les Béotiens et les Chalcidiens (506) tandis que les Corinthiens dissuadaient les Lacédémoniens d'intervenir à nouveau à Athènes. L'effacement de Clisthène tient-il à sa participation à cette malheureuse ambassade à Suse ? C'est une hypothèse qu'il ne faut pas écarter.

Dès lors, la vie politique à Athènes appartient à trois tendances, pour ne pas dire « partis » : celle des amis des tyrans (Hippias est en exil dans l'Empire perse), celle des oligarques (d'Isagoras), et celle des Alcméonides soutenue par le *dèmos*. On peut penser qu'il n'y a de majorité que dans l'alliance de deux de ces partis : en 499, la décision d'envoyer vingt trières au secours des Ioniens vient d'une majorité unissant oligarques et partisans des Alcméonides ; cette majorité ne dure pas, et, à partir de 498, les amis des tyrans revenus au pouvoir (en 496, l'archonte est Hipparchos), Athènes laisse les Perses écraser les Ioniens sans réagir. Lorsqu'en 493 Phrynikos fait donner une pièce aux Dionysies sur les malheurs de Milet, il est poursuivi pour avoir fait pleurer les Athéniens : cette pièce et le succès qu'elle remporte constituent une attaque contre le gouvernement au pouvoir à Athènes depuis 498 ; la condamnation de Phrynikos traduit la riposte gouvernementale. C'est sans doute l'année suivante, en 493/92, que Thémistocle exerce l'archontat : on aimerait lui attribuer la responsabilité du soutien accordé à Phrynikos, mais les sources n'en disent rien. On attribue au même Thémistocle, durant son archontat, le début des travaux au Pirée, mais il est sûr qu'aucune flotte athénienne n'intervient pour entraver le débarquement perse à Marathon. La trahison d'Hippias vaut à son parti le déshonneur et la désaffection des Athéniens et les premiers citoyens frappés d'ostracisme sont précisément les chefs des amis des tyrans.

Mais d'autres changements interviennent dans la vie politique d'Athènes au lendemain de la première guerre médique, qui entraînent un renouvellement important des responsables politiques : en premier lieu, c'est l'affaire du signal du bouclier (Hérodote, VI, 122-123). Défaits à Marathon, les Perses auraient été prévenus par le signal d'un bouclier brillant au soleil que l'accès à la rade de Phalère était libre ; ils s'empressent effectivement de gagner cette plage en contournant par mer le cap Sounion. On ne peut livrer le nom du coupable, mais Hérodote, fervent défenseur du clan alcméonide, ne cache pas que l'accusation pesait sur eux dans l'opinion publique athénienne : Mégaklès est ostracisé en 487, Xanthippos, marié à une Alcméonide et père de Périclès, est ostracisé en 485. C'est dire que les Alcméonides sont exclus, au moins temporairement, de la vie politique, tout autant que les amis des tyrans.

Il en est presque de même du vainqueur de Marathon, Miltiade, qui en 489 demande aux Athéniens de lui confier une flotte de soixante-dix navires « sans leur dire dans quel pays il porterait la guerre, affirmant seulement que, s'ils le suivaient, il les rendrait opulents ; car il les mènerait en un tel pays qu'ils en rapporteraient sans peine de l'or en abondance » (Hérodote, VI, 132). C'est la malheureuse expédition de Paros, qui échoue lamentablement ; Miltiade rentre blessé, est condamné à une lourde amende qu'il ne peut payer et meurt peu après. Le but de cette expédition étonne ; l'explication paraît pourtant assez évidente si l'on s'interroge sur la région où les Athéniens pouvaient espérer se procurer aisément de l'or ; dès cette époque, l'or venait de Thrace, de la région du mont Pangée, à l'est du Strymon, par l'intermédiaire de Thasos, cité-fille de Paros. Les Athéniens avaient bien compris à demi-mot que Miltiade les conduisait dans cette région du nord de l'Egée ; Miltiade a-t-il jugé nécessaire d'affaiblir la métropole, Paros, avant de se diriger vers Thasos ? C'est possible ; ce qui est sûr, c'est qu'après la seconde guerre médique son fils Cimon part, lui aussi, en expédition précisément pour l'embouchure du Strymon, et Plutarque, *Vie de Cimon*, 12-13, souligne les honneurs extraordinaires accordés à Cimon à son retour à Athènes.

Dans l'entre-deux-guerres, Athènes ne parvient pas à l'emporter dans sa guerre navale contre Egine, ce qui confirme sa faiblesse sur mer, malgré un renfort de vingt navires fournis par Corinthe. Le changement intervient en 483/2, lorsque les mines de plomb argentifère du Laurion, en Attique centrale, procurent des revenus en augmentation considérable à la cité : Aristide propose de partager ce revenu imprévu entre les citoyens, mais Thémistocle suggère de l'utiliser pour la construction d'une nouvelle flotte de guerre ; son projet est approuvé et, en deux ans, Athènes fabrique deux cents trières, instruments de la victoire à Salamine. Bien entendu, cette politique de construction navale rend nécessaire l'appel à de nouveaux combattants, c'est-à-dire à la quatrième classe censitaire, celle des thètes, pour fournir les équipages de ces deux cents navires : à raison de 200 hommes par trière, ce sont 40 000 hommes qui sont nécessaires. Cette décision militaire a inévitablement des conséquences politiques, car ces marins qui assurent la victoire athénienne sont en droit de demander une participation plus active à la vie politique (cf. encadré p. 121).

Ce texte de Platon révèle bien le dédain, pour ne pas dire le mépris, de certains Athéniens pour le monde des rameurs, pour le combat qui fait appel à la ruse ou à la technique et non au courage et à la discipline de la phalange ; c'est l'opposition sociale entre les « honnêtes gens » qui fournissent les hoplites, c'est-à-dire les trois premières classes censitaires, et la multitude, c'est-à-dire les thètes, mais aussi les étrangers et peut-être les esclaves. Marathon était la victoire des premiers, Salamine, tout en sauvant la Grèce, marque le succès de « gens peu recommandables » et, par là, porte un coup sévère au fonctionnement même de la cité. Celle-ci reposait sur des valeurs morales, terriennes, Salamine manifeste une autre conception de la cité.

● *L'attitude des Etats grecs face aux Perses* : Il est d'usage de s'intéresser surtout aux cités qui ont tenu tête à l'envahisseur perse, à Athènes, à Platées, à Sparte, mais il reste une grande majorité d'Etats grecs dont on ne dit rien (voir Daniel Gillis, « Collaboration with the Persians », *Historia*, Einzelschriften. Heft 34, 1979). Il semble même qu'à l'intérieur de chaque cité, y compris à Athènes, les avis aient été partagés sur l'attitude à avoir face aux menaces d'invasions perses : le signal du bouclier, après la bataille de Marathon, est bien un témoignage de l'existence de partisans de la victoire perse, en dehors même des amis d'Hippias ; on a vu aussi qu'en 506 l'appel à l'aide perse ne paraissait pas scandaleux devant l'imminence du danger de la coalition nouée entre Lacédémoniens, Chalcidiens et Béotiens. Avant la première guerre médique, et sans citer le nom des cités soumises à la Perse, Hérodote, VI, 48-49, montre que « les hérauts arrivés en Grèce obtinrent de beaucoup de peuples du continent ce que le Perse réclamait dans sa communication ; ils l'obtinrent de tous les insulaires chez qui ils vinrent en faire la demande. Au nombre de ces insulaires qui accordèrent à Darius la terre et l'eau, il y eut les Eginètes ». Sparte, elle-même, ne s'engage guère contre les Perses : Cléomène a refusé toute aide à Aristagoras en 499, lors de la révolte de l'Ionie, et la bataille de Marathon se déroule en

MARATHON ET SALAMINE VUS PAR PLATON

« Minos un jour soumit les habitants de l'Attique au paiement d'un lourd tribut, puissant qu'il était sur mer, tandis que les autres n'avaient pas encore, comme maintenant, de flotte de guerre, ni non plus un pays assez riche en bois de construction pour équiper facilement des forces navales ; ils ne purent donc tout de suite imiter ses matelots en se faisant marins eux-mêmes et repousser alors les ennemis. En fait, il aurait mieux valu pour eux perdre encore plusieurs fois sept de leurs enfants que de se transformer, d'hoplites de terre et de pied ferme qu'ils étaient, en hoplites de marine, et prendre l'habitude de partir constamment, de se retirer, en toute hâte, au pas de course, sur leurs vaisseaux, de croire qu'il n'y a aucune honte à refuser de se faire tuer sur place devant l'attaque de l'ennemi, à trouver naturelles et tenir toutes prêtes leurs excuses quand ils perdraient leurs armes et fuiraient de ces fuites que l'on prétend sans déshonneur. Voilà les expressions qui se rencontrent ordinairement chez des hoplites de marine, et qui méritent non "une infinité de louanges", mais le contraire ; car jamais il ne faut laisser prendre à des citoyens des habitudes perverses, surtout quand ils sont l'élite. D'ailleurs, Homère lui aussi pourrait enseigner qu'une pareille pratique est sans honneur. Son Ulysse, en effet, gourmande Agamemnon quand celui-ci donne l'ordre, alors que les Achéens étaient pressés au combat par les Troyens, de tirer les vaisseaux à la mer ; il s'emporte contre lui et lui dit : "Toi, qui viens, à l'heure où le combat sévit avec sa huée, conseiller de mettre à l'eau les vaisseaux aux bons gaillards, pour que les Troyens, qui n'ont que ce désir, voient leurs souhaits exaucés plus complètement encore, et que le gouffre de la mort soit notre lot, à nous. Les Achéens, c'est clair, ne tiendront pas au combat s'ils voient tirer les vaisseaux à la mer : ils chercheront des yeux une issue et quitteront la mêlée ; alors, c'est ton conseil qui les aura perdus, avec ce beau discours" (*L'Iliade*, XIV, 96-102). Ainsi donc, il savait, lui aussi, que la proximité de trières à flot ne vaut rien pour des hoplites occupés à combattre : avec de pareilles mœurs, les lions eux-mêmes s'habitueraient à fuir devant des biches. En outre, les forces navales d'une cité, à l'heure du salut, attirent les honneurs vers ce qui n'est pas la fleur des hommes de guerre. Comme la victoire est due, en effet, à l'art du pilote, du maître d'équipage, du rameur, et en somme à des gens de toute espèce et peu recommandables, il est impossible de rendre correctement aux individus les honneurs qu'ils méritent. Et pourtant comment un régime pourrait-il encore être bon sans cette faculté ? Clinias : — C'est presque impossible. Mais cependant, étranger, nous disons, nous autres Crétois, de la bataille navale soutenue à Salamine par les Grecs contre les Barbares, qu'elle a sauvé la Grèce. L'Athénien : — C'est, en effet, ce que disent aussi la plupart des Grecs et des Barbares. Mais nous, mon cher, Mégillos que voici et moi, nous prétendons que les batailles livrées sur la terre ferme à Marathon et à Platées ont, l'une commencé à libérer les Grecs, l'autre achevé cette œuvre, et que celles-ci ont rendu les Grecs meilleurs, tandis que celles-là les ont rendus lâches, si je puis parler en ces termes des batailles qui nous ont tous sauvés en ce temps-là : pour te faire plaisir, en effet, à la bataille navale de Salamine j'ajouterai celle de l'Artémision. Il suffit : c'est par rapport à l'excellence du régime que nous examinons maintenant le caractère du pays et l'ordonnance des lois, en gens qui n'estiment pas que le plus précieux pour les hommes soit de sauver leur vie et de continuer à exister, sans plus, comme pense la multitude, mais bien de se rendre le meilleur possible et de le rester aussi longtemps qu'ils existent. »

Platon, *Les Lois*, IV, 706 a – 707 d.

l'absence du contingent lacédémonien, qui arrive en Attique après la bataille ; Platon fait état d'une révolte d'hilotes pour expliquer ce retard, ce n'est pas sûr du tout.

Avant la deuxième guerre médique, Xerxès est poussé à la guerre par les Aleuades de Thessalie et par des Pisistratides (Hippias est sans doute mort). Décidé à la guerre, Xerxès envoie une ambassade à tous les Etats grecs, sauf Athènes et Sparte (Hérodote, VII, 32) et les ralliements sont innombrables : les cités de la côte thrace et de Chalcidique fournissent soldats et navires. Plus au sud se rallient les Thessaliens, les Dolopes, les Aenianes, les Perrhèbes, les Locriens, les Magnètes, les Maliens, les Achéens de Phthiotide, les Thébains et les autres Béotiens, à l'exception des Thespiens et des Platéens. Hérodote comprend ce médisme généralisé : « L'expédition du Roi était soi-disant dirigée contre Athènes : mais c'était une menace contre toute la Grèce. Les Grecs, qui le savaient depuis longtemps, n'en étaient pas tous pareillement affectés ; ceux qui avaient donné aux Perses la terre et l'eau avaient confiance qu'ils n'auraient rien de fâcheux à souffrir de la part du barbare ; ceux qui ne les avaient pas données étaient au contraire plongés dans la terreur, la Grèce n'ayant pas des vaisseaux en nombre suffisant pour résister au choc de l'ennemi, et la masse ne voulant pas prendre part à la guerre, mais étant disposée à se soumettre aux Mèdes » (Hérodote, VII, 138). Le diagnostic est clair : dans chaque cité, les citoyens sont divisés sur le choix à faire et une grande majorité des Etats grecs a préféré se soumettre. La Pythie de Delphes, elle-même, paraît prête à « médiser » ; les Argiens se rallient aussi à l'alliance perse, probablement par hostilité à Sparte ; Gélon de Syracuse attend de voir l'issue du combat pour choisir son camp (Hérodote, VII, 163), mais il est vrai qu'il est aux prises avec le danger carthaginois en Sicile ; Corcyre, aussi, attend de voir et sa flotte jette l'ancre à Pylos, tout en espérant une victoire perse.

Bref, il faut bien voir que la résistance aux Perses, la volonté de lutte pour la liberté des Grecs n'appartiennent qu'à un très petit nombre d'Etats grecs, une petite minorité groupée autour d'Athènes, de Sparte, de Platées, et finalement d'Egine, alors que la grande majorité s'est soumise, bon gré mal gré, à l'autorité du Grand Roi.

La seconde guerre médique est, dans son déroulement, bien connue : l'armée d'invasion, accompagnée de la flotte perse qui longe la côte, progresse depuis l'Hellespont, en traversant la Thrace, la Macédoine ; une première tentative pour l'arrêter dans les gorges du Tempé (basse vallée du Pénée, en Thessalie) doit être abandonnée ; la deuxième tentative aux Thermopyles et, pour la flotte, au cap Artémision n'est pas couronnée de succès malgré le sacrifice de Léonidas et de ses trois cents compagnons, si bien que l'Attique est ouverte, Athènes occupée par l'envahisseur et sa population réfugiée au sud du golfe Saronique. La bataille de Salamine (septembre 480) est une victoire inespérée, imposée par Thémistocle, alors que les Péloponnésiens souhaitaient un repli sur l'Isthme ; elle marque un arrêt de la progression perse, mais n'entraîne pas l'évacuation de la Grèce centrale. C'est la bataille de Platées, au printemps 479, qui contraint les Perses au repli, confortée simultanément par la victoire grecque au cap Mycale, qui chasse la flotte perse de la mer Egée.

Il faut observer, durant cette seconde guerre médique, la primauté constamment laissée au combat d'infanterie et, donc, aux Spartiates pour exercer le commandement de l'armée des coalisés grecs, même lorsqu'il s'agit d'une bataille navale ; la flotte n'est pas autonome encore. Malgré le rôle capital joué par les Athéniens dans cette victoire, ce sont les chefs lacédémoniens qui dirigent les expéditions de 478 et de 477 en Asie Mineure. Un tournant majeur survient lorsque Sparte rappelle Pausanias et son contingent de soldats, Athènes est dès lors libre de diriger l'ensemble des Etats grecs désireux de chasser les garnisons perses, de libérer les Grecs d'Asie et de punir les envahisseurs perses. C'est ce repli spartiate qui permet la naissance d'une Symmachie athénienne, baptisée traditionnellement Ligue de Délos.

Les institutions d'Athènes, à partir de Clisthène

Après l'expulsion du tyran Hippias par une coalition rassemblant les Spartiates conduits par le roi Cléomène et les Athéniens partisans de l'Alcméonide Clisthène et de l'aristocrate Isagoras, Clisthène, ayant fait « entrer le *dèmos* dans son hétairie » selon l'expression d'Hérodote, réalise en 508/507 une vaste réforme des institutions athéniennes.

● *La réforme de Clisthène.* Il garde des institutions anciennes :
— les quatre classes censitaires, à l'intérieur du corps civique athénien, qui peuvent remonter à Solon, donc antérieures à l'utilisation de la monnaie et qui ont leur utilité pour le recrutement des magistrats :
– *pentacosiomédimnes* avec un revenu d'au moins 500 médimnes de grains (le médimne vaut environ un demi-hectolitre),
– *hippeis* ou chevaliers récoltant au moins 300 médimnes,
– *zeugites* récoltant au moins 200 médimnes,
– *thètes* au revenu inférieur à 200 médimnes ;
— l'archontat, qui regroupait neuf magistrats :
– l'archonte éponyme, qui donne son nom à l'année,
– le polémarque, chef des armées,
– le roi, dont le titre est une survivance d'une très ancienne fonction, devenue surtout religieuse,
— les six thesmothètes ;
— l'Aréopage, conseil siégeant sur la colline d'Arès, voisine de l'Acropole, regroupe les archontes sortis de charge et qui y siègent le reste de leur vie.
Mais il réorganise le corps civique :
— en élargissant le nombre des citoyens par l'entrée de *néopolitai,* de nouveaux citoyens recrutés parmi les étrangers surtout : Aristote, *Politique*, III, 1275 b, emploie une expression étonnante : « Il (Clisthène) introduisit sur la liste des tribus des étrangers et des esclaves métèques » (voir, sur les interprétations de ce passage, Pierre Lévêque et Pierre Vidal-Naquet, *Clisthène l'Athénien*, p. 45, et la note de J. Aubonnet, tome II de l'édition CUF de *la Politique*, p. 55, n. 5, p. 216-217) ; il est vraisemblable que ce passage souffre de copies défectueuses dans les manuscrits et son interprétation exacte est difficile. On ignore dans quelle proportion le corps civique s'élargit ;
— en créant de nouveaux cadres : Clisthène a voulu rompre avec les cadres aristocratiques de la vie politique, pour faciliter l'assimilation des nouveaux citoyens et pour limiter les pouvoirs de la noblesse. C'est le but de la création des dix nouvelles tribus (qui ne suppriment pas les quatre tribus ioniennes et

les phratries qui servent de cadres à la vie religieuse). Les dix tribus clisthénien-nes, qui n'ont pas d'unité géographique, comprennent, chacune, une trittye de l'intérieur (*mésogée*), une trittye de la côte (*paralie*), une de la ville (*asty*) ; comme l'a bien vu Edouard Will, un tel groupement vise à « noyer les intérêts régionaux dans les intérêts collectifs ». Chacune des trente trittyes comporte un certain nombre de dèmes, qui sont des circonscriptions bien plus anciennes, correspondant à des villages ou des quartiers, de dimensions très variables, certains très peuplés comme le dème d'Acharnes, qui envoie, vers 360, 22 repré-sentants au Conseil (sur les 50 fournis par sa tribu), alors que d'autres n'ont pas un bouleute tous les ans. J. S. Traill, « The Political Organization of Attica. A study of the Demes, Trittyes and Phylai and their representation in the Athenian council », suppl. XIV d'*Hesperia*, 1975, reconnaît 137 à 139 dèmes. Dès lors, chaque Athénien est désigné par son nom et son démotique.

Il crée le Conseil des Cinq Cents (*Boulè*) : destiné à balancer l'influence de l'Aréopage (qualifié parfois d'ancienne *Boulè*) et à assurer la permanence des intérêts généraux, il n'hérite pas, semble-t-il, d'une *Boulè* des 400 créée par Solon dont l'existence est très douteuse. Dans cette nouvelle *Boulè*, chaque tribu désigne 50 *bouleutes* qui assurent, durant un dixième de l'année, une *prytanie*, la permanence du pouvoir et l'expédition des affaires courantes ; chacune repré-sente également les intérêts moyens de toute l'Attique, sans privilégier telle ou telle région, comme c'eût été le cas si les tribus avaient eu une unité géographique réelle. Ce Conseil des Cinq Cents a un rôle fort important dans la vie politique d'Athènes : il examine normalement les propositions de lois et se prononce par un vote préalable (*probouleuma*) avant transmission à l'Assemblée populaire ou *Ecclesia*.

— L'*isonomie* : c'est le nom donné à ce nouveau régime issu de la réforme clisthénienne, c'est-à-dire une « égale répartition ». L'égalité complète entre citoyens n'est pas réalisée, mais Athènes s'y achemine progressivement. En 508/507, tous les citoyens n'ont pas le même rôle dans la vie politique d'Athènes, en dehors de l'Assemblée, du Conseil des Cinq Cents et du tribunal de l'Héliée, peut-être organisé au même moment : en effet, tous les citoyens siègent à l'Assemblée, tous ceux qui ont atteint trente ans peuvent participer au tirage au sort parmi les candidats choisis par les dèmes pour devenir bouleutes une fois dans leur vie (plus tard seulement il est possible d'être bouleute deux fois dans sa vie), tous peuvent siéger au tribunal populaire par tirage au sort. En revanche, les hautes magistratures continuent à être réservées aux classes censitaires les plus élevées :

– les archontes (non plus 9, mais 10 depuis la création du secrétaire des thesmothètes pour que chaque tribu en fournisse un, au moins en théorie) sont élus parmi les membres des deux premières classes, pentacosiomédimnes et hippeis, le tirage au sort remplaçant l'élection à partir de 487/6 ; il faut attendre 457/6 pour voir un zeugite accéder à l'archontat ; on ne sait quand les thètes accèdent à cette magistrature ;

– la gratuité des charges est aussi un élément qui limite pratiquement la participation des citoyens les moins riches aux magistratures ; elle se prolonge très avant dans le Ve siècle jusqu'à la création des *misthoi*, ou indemnités journa-lières versées aux magistrats, puis aux membres des tribunaux, du Conseil et de l'*Ecclesia*.

• *L'évolution après Clisthène* : — La création des dix *stratèges* intervient en 501/500, donc bien après la réforme de Clisthène ; ils sont, au début, cantonnés dans leur rôle militaire de commandants du détachement fourni par chaque tribu ; mais à partir de 487/6, le tirage au sort des archontes, donc du polémarque, transfère aux stratèges le commandement de l'armée et la direction des affaires politiques de la cité, les stratèges comme les magistrats financiers étant élus, pour leur part, en fonction de leurs compétences.

– L'*ostracisme* n'est utilisé qu'en 488/7, il est donc douteux qu'il soit de fondation clisthénienne et soit resté vingt ans sans servir ; il témoigne d'un progrès important dans la pratique des affaires politiques : un citoyen, qui peut présenter quelques dangers pour la cité, est frappé d'exil pour dix ans par un vote de l'Assemblée, alors que dans tant d'autres Etats la violence et la mort sont les seuls moyens du rétablissement de l'ordre ; il n'est utilisé qu'au Ve siècle.

Durant la première moitié du Ve siècle, la démocratie athénienne se met progressivement en place : à partir de la décision du tirage au sort des archontes (487/6), l'Aréopage perd inévitablement de sa qualité : fief des aristocrates, il reçoit dès lors des archontes sortis de charge qui sont des citoyens plus effacés que leurs prédécesseurs. Mais c'est seulement en 462 qu'Ephialtès, profitant de l'absence de Cimon et de quatre mille hoplites partis en Messénie, fait adopter une mesure capitale qui vise à réduire les pouvoirs attribués à l'Aréopage pour les transférer à la *Boulè*, non sans avoir épuré aussi le Conseil aristocratique. Christian Meier, dans *La Politique et la grâce*, trad. fr., Paris, 1987, p. 13-29, rappelle combien l'aristocratie continue à imposer sa marque dans la politique de la cité : l'éducation, l'expérience, les relations, l'aisance à parler en public donnent aux nobles la Persuasion — *Peithô* —, c'est-à-dire la capacité de séduire ; pour se convaincre de cette pérennité du pouvoir des grandes familles, il n'est que de voir la place des représentants des Alcméonides, des Bouzyges, des Philaïdes durant le Ve siècle, y compris la seconde moitié : Périclès, Cimon, Alcibiade ont tous des liens avec l'une ou l'autre de ces grandes maisons.

Le décret de Périclès adopté en 451/0 : « A cause du nombre croissant des citoyens et sur la proposition de Périclès, on décida de ne pas laisser jouir de droits politiques quiconque ne serait pas né de deux citoyens », dit Aristote, *Const. des Athéniens*, XXVI, 4 ; c'est un repli de la caste des citoyens sur les privilèges que leur procure leur statut ; désormais le fils de mère étrangère est un bâtard (*nothos*) : Thémistocle n'aurait pas été citoyen, pas plus que Clisthène et que Cimon ! C'est peut-être aussi le moyen d'interdire des unions extérieures à la cité et qui la menacent, ce qui frapperait surtout l'aristocratie.

• *Tableau des institutions athéniennes* : L'Assemblée populaire (*Ecclesia*) siège à la Pnyx ou au théâtre de Dionysos : l'absentéisme y est fréquent, et obligation est faite d'un *quorum* de 6 000 présents pour les décisions importantes (souvent plus d'artisans de la ville que de paysans) ; quatre séances par prytanie, donc quarante par an ; vote à main levée, sauf au Ve siècle pour l'ostracisme, vote sur des tessons. L'*Ecclesia* exerce le pouvoir législatif en votant sur les projets transmis par le Conseil des Cinq Cents ; elle élit à main levée les stratèges et les magistrats militaires et financiers, et, à chaque prytanie, elle les confirme si elle est d'avis qu'ils s'acquittent bien de leurs charges. Elle exerce aussi un pouvoir judiciaire, dans les procédures d'*eisangélie* (haute trahison), et au IVe s. dans les procédures contre les sycophantes, dans les actions publiques d'illégalité (*graphai para nomôn*), mais c'est normalement l'Héliée qui prononce la condamnation.

Le Conseil des Cinq Cents (*Boulè*) siège au Bouleuterion sur l'agora ; les conseillers sont tirés au sort parmi les candidats de chaque dème ; ses réunions sont quotidiennes sauf les jours fériés, mais la permanence est assurée par les cinquante bouleutes de la tribu qui exerce la prytanie (35 ou 36 jours), les *prytanes* siégeant au prytanée voisin de la salle du Conseil ; ce sont eux qui réunissent le Conseil et l'Assemblée et rédigent l'ordre du jour de ces réunions ; l'*épistate* des prytanes préside l'Assemblée au Ve s., mais au IVe s. l'épistate des *proèdres* est l'un des neuf présidents (*proèdres*) fournis par les neuf tribus n'exerçant pas la prytanie. Le Conseil prépare les décisions de l'Assemblée, contrôle les finances publiques, surveille la vie religieuse de la cité, procède à l'examen (*dokimasie*) des futurs bouleutes et archontes et s'intéresse à la défense de la cité, notamment aux trières et arsenaux. Ses pouvoirs judiciaires, larges au Ve s., sont réduits au IVe s. : il juge les magistrats sortant de charge qui peuvent faire appel au tribunal.

Les magistrats, tirés au sort ou élus à main levée :

– sont tirés au sort sur des listes établies dans les dèmes les magistrats, à l'exception de ceux qui ont une responsabilité militaire et financière ; ce sont en premier lieu les Archontes, à raison d'un par tribu ; avant d'entrer en fonction, ils subissent un examen (*dokimasie*) devant le Conseil, puis devant le tribunal ; depuis 487/6, leurs fonctions annuelles sont surtout religieuses et judiciaires :

– l'Archonte éponyme désigne les chorèges et organise les processions des grandes Dionysies, des Thargélies, celles en l'honneur de Zeus Sôter et d'Asclépios ; il instruit des actions publiques et privées avant de les introduire à l'Héliée, et gère les biens des mineurs et des épiclères ;

– le Roi veille à la célébration des Mystères d'Eleusis et des Dionysies du Lénaeon ; il intervient dans les procès religieux et transmet les affaires de meurtre et de blessure devant l'Aréopage s'il y a eu préméditation, devant le tribunal du Palladion si la victime est un étranger, un métèque ou un esclave et dans d'autres cas dans le Delphinion ou l'enceinte de Phréatos ;

– le Polémarque organise les concours funéraires et offre les sacrifices pour les morts à la guerre ; au tribunal du Palladion, il juge étrangers et métèques et sa compétence s'étend à toutes les actions privées de ceux-ci ;

– les six Thesmothètes et le secrétaire des thesmothètes fixent les séances des tribunaux, introduisent devant le tribunal les accusations d'illégalité, les *graphai para nomôn*, les actions en reddition de compte contre les stratèges ;

– sont élus les dix stratèges, qui ont hérité en 487/6 collégialement des responsabilités militaires du polémarque ; au Ve s. ils ne sont pas seulement chefs de guerre, mais aussi orateurs habiles et convaincants pour obtenir l'approbation de l'Assemblée à leur politique extérieure ; au IVe s., les deux fonctions de chef de guerre et d'orateur se séparent, les stratèges sont cantonnés dans leurs activités militaires, tandis que l'Assemblée est conduite par des orateurs sans responsabilité réelle et sans comptes à rendre ; Aristote indique même que chaque stratège reçoit, à son époque, une affectation particulière. S'ajoutent aux stratèges d'autres magistratures militaires : phylarques, taxiarques, hipparques.

Parmi les autres magistratures, la même opposition se retrouve entre élus et tirés au sort : sont élus, au IVe s., le préposé à la caisse du *théorikon* à partir de 394, le préposé à la caisse militaire (*stratiôtika*), fonctions qui perdent le caractère d'annalité et de collégialité ; sont tirés au sort les dix *polètes* ou vendeurs, les dix *apodectes* ou receveurs généraux, les dix *logistes* et les *euthynes* pour les redditions de comptes des magistrats, les *agoranomes* et les *astynomoi*, les *sitophylaques* qui veillent sur le commerce des grains.

Les tribunaux :

— Affaires criminelles :

– l'Aréopage, l'ancien Conseil, dépouillé de son rôle politique en 462 par Ephialtès, garde dans ses attributions les affaires de meurtres et de blessures prémédités ; or certains Athéniens regrettent de voir ce Conseil privé de rôle politique et songent à le lui rendre, pour renouer avec la *patrios politeia,* la constitution des ancêtres ;

– les Ephètes, au nombre de 51 membres âgés de plus de cinquante ans, constituent les tribunaux du Palladion, du Delphinion ou dans l'enceinte de Phréatos, suivant les causes.

— Affaires civiles :

– l'Héliée est le tribunal populaire par excellence : il compte 6 000 membres tirés au sort à raison de 600 par tribu ; ceux-ci sont répartis en sections qui siègent, suivant l'importance du procès, par groupe de 201, 501, 1001, 1501 membres, et très rarement en séance plénière ; Aristote décrit les précautions prises pour éviter la corruption des juges par les plaideurs qui ne savent qu'à la dernière minute la composition du tribunal devant lequel ils comparaissent. Les séances sont très fréquentes à Athènes où l'on aime la chicane et les juges, s'il faut en croire Aristophane, dans *Les Guêpes*, se pressent pour gagner le tribunal de peur de perdre la triobole qui leur permet de vivre chichement. L'appel à un avocat ou à un logographe, qui rédigeait la plaidoirie pour le compte de l'accusé ou de l'accusateur, était courant ;

– les Quarante, qui sont trente jusqu'en 403, étaient d'abord des juges itinérants dans les dèmes ; sortes de juges de paix, tirés au sort, ils tranchent les affaires civiles inférieures à dix drachmes ;

– les arbitres publics (*diétètes*), tirés au sort parmi les citoyens d'au moins soixante ans, jugent les affaires civiles supérieures à dix drachmes et les transmettent au tribunal de l'Héliée s'il y a appel.

Sparte : société, éducation et institutions

La cité de Laconie peut être prise comme type de cité aristocratique, c'est-à-dire des cités dans lesquelles les magistratures et parfois le pouvoir législatif n'étaient réservés qu'à un petit nombre de citoyens, par opposition à l'Athènes démocratique, qui n'est pas unique en son genre puisque Chios possédait la démocratie avant Athènes et que la majorité des membres de la ligue de Délos, au Ve s., a adopté cette forme de constitution ; mais son histoire est beaucoup moins bien connue que celle d'Athènes et bien des secteurs d'ombre demeurent, dans la mise en place des institutions lacédémoniennes en particulier (on verra essentiellement la *Constitution des Lacédémoniens* de Xénophon et la *Vie de Lycurgue* de Plutarque).

• *Structure de la société spartiate* : Les *Homoioi* (semblables) ou Spartiates sont une caste de guerriers, numériquement restreinte (pas plus de neuf mille membres à la fin du VIᵉ s., comme on l'a vu dans l'encadré sur l'évolution du corps civique à Sparte), théoriquement égaux entre eux et soumis au même genre de vie militaire. Trois conditions sont nécessaires pour être admis en leur sein :

– être de naissance spartiate et être accepté par les anciens de la tribu (sinon, c'est l'exposition) ; la naturalisation d'étrangers est pratiquement impossible à l'époque classique ;

– avoir reçu l'éducation spartiate (l'*agôgè*) : ceux de santé fragile, ceux qui refusaient la discipline pouvaient en être exclus, mais des fils d'hilotes pouvaient la recevoir (les Mothaces) sans devenir pour autant citoyens spartiates ;

– prendre part aux repas communs du soir, les *syssities*, c'est-à-dire être accepté par les autres membres du groupe de combat, de la tablée, appelés à lutter côte à côte dans la phalange ; ce n'est qu'au IVᵉ s. que l'inégalité croissante contraint certains citoyens ruinés à renoncer aux syssities, donc à leur citoyenneté, faute de pouvoir payer leur écot ; le *syssition* est d'abord le groupe de combat qui n'admet de nouveaux membres que s'ils ont fait leurs preuves au cours de l'*agôgè*.

Ces citoyens consacrent tout leur temps à la préparation de la guerre et aux campagnes ; leurs familles et eux-mêmes sont entretenus par le travail des hilotes sur le lot de terre (*kléros*) qui est attribué au citoyen. Théoriquement égaux, les citoyens sont, en réalité, séparés par de grandes inégalités : les unes tiennent à l'éducation elle-même qui aboutit à sélectionner les meilleurs qui entraient dans le corps d'élite des trois cents *hippeis*, chargés spécialement de la surveillance des hilotes ; de plus, des différences de fortune existent au moins dès le Vᵉ s. comme le montre l'inscription rapportant les victoires de Damonon et de son fils dans de nombreux concours hippiques au milieu du Vᵉ s. : ce n'est pas sur le *kléros* confié à chaque citoyen qu'il peut élever toute une écurie de course ; en outre, les nombreux concours organisés prouvent que Damonon n'est pas seul dans son cas, mais qu'il existe bon nombre de riches citoyens éleveurs de chevaux. L'égalité des Spartiates a été certainement renforcée et embellie par les théoriciens politiques du IVᵉ s. qui rêvaient d'une cité idéale inspirée du modèle spartiate.

Les *Périèques*, « ceux qui habitent autour », sont des libres, inclus dans le groupe des Lacédémoniens (mais non parmi les Spartiates), établis sur les régions périphériques de la Laconie et de la Messénie (avant 371) et habitant des cités autonomes au sein de l'Etat lacédémonien. Ils participent à la guerre avec les Spartiates, mais, plus nombreux, ils fournissent à Platées (479) le même contingent que les Spartiates, c'est dire que leurs obligations militaires sont moins lourdes ; il est vrai qu'ils exercent différents métiers : travail de la terre, artisanat (ce sont eux qui fabriquent la céramique laconienne prospère jusque vers 520 et les vases de bronze très réputés), commerce, activités qui sont interdites aux Spartiates. Ils ne paraissent pas prêts à la révolte contre les Spartiates. Il est probable que les riches Spartiates possèdent des domaines sur la terre périèque.

Les Inférieurs ou *Hypomeiones* sont des Spartiates qui ont été exclus de la communauté des citoyens, des laissés-pour-compte au cours de la longue éducation, des adolescents rejetés de tout *syssition*, *tresantes* ou trembleurs qui ont eu peur au combat, criminels déchus de leurs droits ; ces aigris connaissent l'amertume, le sentiment de frustration et le désir de revanche et peuvent constituer un danger pour la cité, comme le révèle la conspiration de Cinadon en 399 (Xénophon, *Helléniques*, III, 3, 11). Leur nombre semble être assez restreint.

Les *Hilotes* (voir, sur ce thème, le beau livre de Jean Ducat, *Les Hilotes*, supplément XX du *B.C.H.*, Paris, 1990) dont on ignore l'origine en Laconie, alors que ceux de Messénie sont les Messéniens réduits à un état de dépendance collective après les guerres de conquête de cette région (VIIe-VIe s.). Appartenant collectivement à l'Etat lacédémonien, ils ne peuvent espérer un affranchissement individuel ; l'explication de leur origine comme étant les descendants de la population de Laconie antérieure à la conquête dorienne ne tient pas ; peut-être faut-il plutôt penser à une dépendance née d'un endettement comparable à celui qui frappait en Attique les *hectémores* et les *pelatai* au VIIe s. et que Solon a arrachés à leur situation par l'abolition des dettes. Les hilotes ont pour rôle de cultiver le lot de terre affecté à chaque Spartiate et doivent lui remettre une part de la récolte pour la vie de sa famille ; leur situation économique n'est pas toujours désastreuse, mais ils souffrent du mépris des guerriers et peuvent être victimes de meurtres perpétrés par de jeunes éphèbes durant l'épreuve de la cryptie. Sparte les utilise comme valets d'armes (35 000 à Platées en 479), mais aussi comme hoplites (Brasidas dans son expédition de Macédoine en 424) à cause de l'oliganthropie qui frappe le corps civique ; c'est l'époque, selon Thucydide, IV, 80, 1-4, à laquelle Sparte fait disparaître deux mille hilotes qui avaient osé demander leur affranchissement, mais aussi où elle crée le corps des *néodamodes*, hilotes libérés au moment où ils prennent du service dans l'armée lacédémonienne. Des révoltes d'hilotes menacent Sparte, lors du tremblement de terre de 464, puis après Leuctres lors de l'entrée des Béotiens dans l'Etat lacédémonien, mais, pour une bonne part il s'agit plus d'un soulèvement national des Messéniens désireux de recouvrer leur indépendance nationale que d'une révolte sociale ; il est vrai, pourtant, que les Spartiates restent toujours vigilants devant cette menace potentielle.

• *L'éducation spartiate*. C'est un des thèmes les plus connus de l'histoire lacédémonienne, sur lequel les écrits modernes abondent, avec parfois quelques divergences qui n'altèrent pas le cadre général de cette éducation. Rappelons brièvement les traits généraux du cadre dans lequel elle se déroule : l'éducation spartiate vise à préparer l'enfant au service exclusif de l'Etat ; c'est la collectivité, sous la forme des anciens de la tribu, qui décide, dès la naissance, de la vie ou de la mort du nouveau-né ; à la fin de la septième année, le jeune garçon échappe à la direction de sa mère pour commencer l'éducation collective, placée sous la responsabilité d'un haut magistrat, le *paidonomos*. Ce dressage est rude, et comporte, comme en Crète, une éducation physique, des jeux athlétiques violents, une instruction musicale (chœurs et chants de marche), une préparation militaire progressive et une préparation morale visant à créer un type uniforme de guerrier, au caractère bien trempé, mais soumis aux lois, aux chefs, aux vieillards.

Les jeunes Spartiates étaient répartis en classes d'âge (*hélikia*), dont les membres suivaient ensemble la progression de la formation. Les érudits modernes ne sont pas absolument d'accord sur la durée de ce « dressage » et donc sur les noms des classes d'âge. On admet généralement que, de huit à onze ans, l'enfant rentrait coucher dans sa famille, après la journée d'entraînement collectif ; c'est dans la douzième année que le grand dressage commençait, avec une vie d'internat complet. On peut établir, d'après Henri I. Marrou, *Histoire de l'éducation dans l'Antiquité*, Le Seuil, Paris, 7ᵉ éd., 1975, le tableau du cycle suivi par le jeune Spartiate, même si le vocabulaire date un peu :

8ᵉ à 11ᵉ année : Paidion = Petit-gars	1 – *rôbidas* 2 – *promikizomenos* = pré-petit-gars 3 – *mikizomenos* = petit-gars 4 – *propais* = pré-garçon
12ᵉ à 15ᵉ année : Pais = Garçon	1 – *pampais* (garçon) de 1ʳᵉ année 2 – *pampais* (garçon) de 2ᵉ année 3 – *mellirène* (futur irène) de 1ʳᵉ année 4 – *mellirène* (futur irène) de 2ᵉ année
16ᵉ à 20ᵉ année : Irène	1 – irène de 1ʳᵉ année 2 – irène de 2ᵉ année 3 – irène de 3ᵉ année 4 – irène de 4ᵉ année 5 – *prôtirène* = irène-chef

Les auteurs anglo-saxons, notamment H. Michell, *Sparte et les Spartiates*, Paris, 1953, font commencer la nomenclature à 12 ans (= *rôbidas*) et placent le mellirène à 19 ans et l'irène à 20 ans. Avec Henri Jeanmaire, *Couroi et Courètes*, Lille, 1939, nous croyons que les principales initiations se situent entre quinze et seize ans, pour le passage de *mellirène* à *irène* ; la puberté marque cette transition de l'état de *pais* à celui d'*irène*.

L'éducation comporte un minimum de lecture et d'écriture ; la musique y est en honneur, comme en Crète et en Arcadie ; mais c'est surtout l'apprentissage du métier militaire qui constitue l'essentiel de ce dressage : gymnastique et maniement d'armes. Moralement, on cherche à développer le sens communautaire et l'esprit de discipline ; Plutarque écrit : « Lycurgue accoutuma les citoyens à ne pas vouloir, à ne pas même savoir vivre seuls, à être toujours, comme les abeilles, unis pour le bien public autour de leurs chefs » (*Vie de Lycurgue*, 25). L'obéissance est la vertu fondamentale, ce qui fait dire à H. I. Marrou, excédé par les louanges décernées à l'éducation spartiate tant par l'historiographie allemande que par Maurice Barrès, que « cet idéal est celui d'un sous-officier de carrière ».

L'éducation des filles est l'objet d'un effort parallèle ; elles reçoivent une formation au cours de laquelle l'éducation physique, le sport tiennent plus de place que la musique et la danse ; c'est sur ordre de Lycurgue que « les jeunes filles s'exercèrent à la course, à la lutte, au lancement du disque et du javelot » dit Plutarque, *Vie de Lycurgue*, 14, 3. Il faut les préparer à devenir des mères fécondes aux enfants vigoureux.

Quelques aspects de l'éducation ont surtout retenu l'attention : pour développer l'esprit de compétition, de vrais combats opposent des groupes de jeunes garçons, par exemple dans le jeu du ballon que chaque équipe de quinze garçons doit s'efforcer de garder, sans coups au but ou marque de points ; des exercices prennent l'apparence d'épreuves d'endurance, comme les Gymnopédies et la flagellation auprès de l'autel d'Artémis Orthia, qui font partie des rites d'initiation et ont pu être dénaturés à l'époque romaine.

• *Les rites d'initiation.* L'intérêt du livre de Henri Jeanmaire, *Couroi et Courètes*, Lille, 1939, réside largement dans les comparaisons, les rapprochements qu'il a pu faire entre les rites d'adolescence dans l'Antiquité grecque et les pratiques des peuplades primitives d'Afrique et d'Indonésie : le passage de la puberté s'exprime par des épreuves et des rites dont on reconnaît l'équivalent chez les Spartiates.

— Le passage de l'enfance à l'adolescence, dans la 15ᵉ/16ᵉ année, est défini par Xénophon, *Constitution des Lacédémoniens*, III, 2, comme « le moment où le législateur a multiplié les épreuves et les difficultés ». Cette coupure nettement marquée correspond à une année de transition, où les jeunes vivent à part ; seuls ceux qui franchissent bien ces épreuves peuvent espérer entrer dans l'élite des citoyens. Xénophon insiste sur les règles de maintien imposées aux jeunes garçons durant cette période de leur développement : « Pour leur inculquer fortement la modestie, (Lycurgue) a réglé que dans la rue on ramènerait les mains sous le manteau, qu'on marcherait en silence, sans regarder à droite ou à gauche, les yeux fixés au sol. En quoi, il se montre que le sexe masculin, même sous le rapport de la modestie, l'emporte sur le sexe féminin. On n'entend pas plus leur voix que s'ils étaient de pierre, on n'attire pas plus leurs regards que s'ils étaient en bronze, et on leur prêterait toute la timidité des filles qui n'ont jamais quitté le gynécée » (*Constitution des Lacédémoniens*, III, 4-5). H. Jeanmaire, à juste titre, voit dans ce rapprochement avec les vierges cloîtrées un écho de ces inversions de sexe et de ces travestis, plusieurs fois rencontrés ; reconnaissons-y, au moins, le comportement de novices dans leur temps d'initiation, de retraitants soumis à une discipline rigoureuse.

Justin, III, 3, 6-7, écrit à propos de Lycurgue : « Il prescrivit de mener les enfants parvenus à la puberté, non pas au forum, mais à la campagne, pour y passer leurs premières années, non dans le luxe, mais dans le travail et la fatigue. Il décida qu'ils dormiraient sur la dure et qu'ils vivraient sans viande et qu'ils ne rentreraient pas en ville avant d'être devenus des hommes. » Cette année de retraite est naturellement à rapprocher des deux mois de chasse qui suivent l'enlèvement du jeune Crétois par son *éraste* ; le lieu probable de cette retraite probatoire était la région marécageuse et désertique du sanctuaire d'Artémis Orthia ; près de ce même sanctuaire se déroulaient deux rites liés à l'initiation des jeunes gens : le combat du Platanistas (île formée par deux bras de l'Eurotas) et ce qu'on a appelé à tort la flagellation au sanctuaire d'Artémis Orthia.

— Le passage de l'adolescence à l'âge adulte est précédé par les années d'irénat, entre seize et vingt ans, années d'entraînement intensif et de compétitions perpétuelles. Les meilleurs sont sélectionnés pour entrer dans le corps d'élite des trois cents *Hippeis*.

La *cryptie* est connue par quelques textes, qu'il est bon de rassembler ici :

– Plutarque, *Vie de Lycurgue*, 28 : « Voici ce qu'était la cryptie : ceux qui ont autorité sur les jeunes gens envoyaient, au bout d'un certain temps, les plus délurés d'entre eux en pleine campagne, au hasard des chemins ; ils ont un poignard, de quoi manger et rien d'autre. Tant qu'il fait jour, ils se disséminent dans les retraites les plus ignorées, sans rien faire ; la nuit tombée, ils gagnent les chemins que suivent les hilotes ; s'ils en surprennent un, ils l'égorgent. Ou encore, se glissant jusqu'aux cultures, ils font disparaître les plus robustes et les plus braves... Aristote prétend même que les éphores, dès leur entrée en charge, déclarent la guerre aux hilotes pour que ce soit œuvre pie que les supprimer. »

– Héraclide, *F.H.G.*, II, 210 : « On dit que Lycurgue institua aussi la cryptie en vertu de laquelle, aujourd'hui encore, ils font des sorties en se cachant le jour ; mais, la nuit, ils se livrent à des agressions à main armée et font disparaître les hilotes, selon qu'il est à propos. »

– Platon, *Lois*, 633 b : « En cinquième lieu je pourrais mentionner (c'est Mégillos qui résume les points essentiels de la discipline de Lycurgue) ce qui a trait à l'endurance de la douleur, et encore quelque chose qu'on appelle cryptie, admirable source de souffrances pour nous éprouver, l'hiver pieds nus et obligé de coucher sur le sol, forcé de se suffire à soi-même sans aucun serviteur et de courir la campagne toute la nuit jusqu'au petit jour. »

– Scholiaste, à ce passage : « Cryptie : un jeune homme était éloigné de la ville, et, pendant toute cette période, la règle était qu'il ne devait pas se laisser voir ; force lui était d'errer dans les montagnes, de ne dormir jamais que sur le qui-vive, pour ne pas être surpris ; il n'avait pas de serviteur et n'emportait aucune provision. (Tout cela est une manière de préparation à la guerre.) On les envoyait ainsi nus, chacun de son côté, et on leur prescrivait de passer en cet état toute une année à errer dans les montagnes, de vivre de ce qu'ils se procureraient par leurs larcins ou autrement et ainsi de ne se montrer à personne (d'où le nom de cryptie). Ceux qui se laissaient voir étaient châtiés. »

Telle est la tradition du IVe siècle sur la cryptie. Le meurtre d'hilotes, qui a trop souvent servi à définir la cryptie, risque de la rendre incompréhensible ; il doit être seulement question de besognes de surveillance et de police imposées accessoirement à ces jeunes gens choisis parmi les meilleurs des irènes et destinés à faire partie des *hippeis*. L'essentiel de l'institution réside dans l'obligation d'une retraite. Henri Jeanmaire a noté que le « *cryptos* » mène l'existence d'un loup, ce qui nous rapproche des pratiques des « hommes-panthères » de l'Afrique, et probablement des « loups-garous » du Moyen Age. Le meurtre éventuel d'hilotes peut être une survivance de sacrifices humains : le jeune homme parvient à l'âge adulte par le sang versé ; dans l'épreuve des mellirènes de quinze ans, c'est le sang même de l'impétrant, versé sur l'autel d'Artémis Orthia ; plus tard, lors de la cryptie, ce peut être celui d'un hilote ; en Afrique centrale, les jeunes gens accédaient également à l'âge adulte par des rites sanglants assez voisins. Les jeunes gens soumis à la cryptie auraient ainsi fait partie d'une confrérie d'hommes-loups, dont les pratiques auraient servi d'initiation ; par une altération de l'aspect original, cette activité aurait été tournée vers des fins de police politique, et, à la sortie de l'épreuve, le *cryptos* serait incorporé dans le corps d'élite des *hippeis*, à la fois gardes du corps royaux et agents de la police secrète des éphores. Faut-il aller plus loin et voir en Lycurgue ou Lycourgos, étymologiquement, celui qui fait les œuvres du loup, une sorte de croque-mitaine, de loup-garou mangeur d'enfants ? C'est l'idée de Jeanmaire qui rappelle l'oracle cité par Hérodote, I, 65 : « O Lycoorgos... cher à Zeus et à tous les Olympiens, je cherche si je te révélerai dieu ou homme, mais dieu plutôt, ô Lycoorgos. » Cette perplexité est encore celle de l'historiographie moderne en présence de Lycurgue. Lycurgue, masque de loup qui présidait à l'*agôgè* spartiate ? C'est l'hypothèse retenue, finalement, par Jeanmaire : « Des confréries d'hommes-loups ont joui d'une certaine notoriété dans les régions qui avoisinaient immédiatement la Laconie ; à Sparte même, les pratiques de la cryptie nous ont paru dénoncer la tradition d'une certaine lycanthropie. Le masque du loup présidait peut-être aux rites pratiqués par ce que nous croyons avoir été une confrérie et qui correspondait à la vieille organisation des *couroi*. » Cette explication est intéressante, nul n'est tenu de lui accorder foi ; elle traduit, au moins, l'ancienneté de l'organisation de l'éducation des jeunes Spartiates, qui nous apparaît surtout à travers des auteurs du IV⁰ siècle ou plus tardifs, qui ont parfois de la peine à comprendre le symbolisme de certaines pratiques. Comme le souligne Henri I. Marrou : « C'est à mesure que Sparte décline que son éducation précise et renforce ses exigences totalitaires... Cet eugénisme rigoureux correspond à l'oliganthropie croissante d'une cité ravagée par la dénatalité et l'égoïsme de sa classe dirigeante, repliée sur ses rangs clairsemés. »

Pierre Vidal-Naquet, dans *Le Chasseur noir*, Paris, 1981, p. 151-175, a repris ce thème de l'initiation et, comme il le note dans un article récent, ce n'est pas sur ce point qu'il est original ; il relève que « le "Chasseur noir" était, sinon la première tentative pour employer l'analyse "structurale" dans le domaine classique, probablement le premier essai, par un historien du monde grec, d'utilisation des concepts "lévi-straussiens" pour comprendre certains aspects de la société de la Grèce ancienne ». Il a su opposer le crypte à l'hoplite, le jeune rusé tueur d'hilotes au combattant de la phalange ; c'est une analyse que l'anthropologue élargit à de nombreuses sociétés dans lesquelles le rite de passage permet d'opposer l'avant et l'après très fortement, par de véritables pratiques d'inversion, telles que les déguisements des garçons en filles et réciproquement (comme le montre la préparation du mariage spartiate). C'est là une piste d'observation évidemment fertile ; elle ne doit pas, pourtant, faire oublier la complémentarité des deux formations : celle qui développe chez le crypte la ruse, la *métis*, les qualités d'observation et d'opportunité dans l'attaque, la débrouillardise individuelle et, d'autre part, celle de l'hoplite par laquelle ses voisins et compagnons de lutte peuvent rigoureusement compter sur sa discipline, son respect de la ligne de combat, son automatisme dans les mouvements de la phalange. Dès le début du IV⁰ siècle, la guerre prend un tour différent avec Iphicrate et l'utilisation des peltastes qui harcèlent la phalange lacédémonienne, au cours de la guerre de Corinthe, et lui causent de lourdes pertes. Ajoutons que les rites d'initiation, mieux connus sans doute à Sparte, existent aussi dans les autres communautés du monde grec, dans l'éphébie attique comme dans l'éducation crétoise.

● *Les institutions politiques à Sparte*. Polybe, VI, 10, admire la façon dont les institutions de Sparte sont équilibrées : « Lycurgue a conçu une constitution qui, au lieu d'être simple et homogène, combinait en elle toutes les qualités et toutes les particularités propres aux meilleurs systèmes de gouvernement. » Sans nous arrêter, ici, sur les problèmes que posent les origines de ces institutions et l'historicité même de Lycurgue, comme on l'a mentionné ci-dessus, il est nécessaire de dégager les caractéristiques de cette constitution que l'on dit monarchique par les deux rois, aristocratique par les gérontes, démocratique par l'assemblée et par l'égalité théorique qui règne entre les citoyens, selon les philosophes du IV⁰ siècle. En réalité, Sparte est une cité aristocratique, hostile à la tyrannie comme au régime démocratique.

– Les deux rois : pris dans deux familles distinctes, les Agides et les Eurypontides, la succession revenant au fils aîné parmi ceux qui sont nés après l'avènement du père. Protégés par les Dioscures, Castor et Pollux, fils de Léda et de Tyndare, roi mythique de Sparte, ils peuvent être déposés tous les neuf ans, mais, en pratique, règnent à vie. Chefs de guerre, ils commandent l'armée en campagne, mais après le début du Ve siècle (mésentente des rois Cléomène et Démarate) un seul va à la tête de l'armée, l'autre reste sur le sol national. Ils ont à rendre des comptes au retour de l'expédition militaire. Ils sont en relation fréquente avec le sanctuaire de Delphes qu'ils consultent par l'intermédiaire des *Pythioi* (courriers chargés de consulter la Pythie). De fortes personnalités comme Cléomène Ier, Agésilas jouent un rôle majeur dans la vie de Sparte, mais ils ont toujours à lutter contre le parti des éphores et sans doute contre d'autres grandes familles.

– La gérousia : compte vingt-huit membres auxquels se joignent les deux rois ; ils sont élus parmi les citoyens âgés de plus de soixante ans, par un système de candidature individuelle et d'acclamations (on pourrait dire d'« applaudimètre » puisqu'il faut apprécier au bruit la ferveur populaire) qu'Aristote qualifie de puéril ; le même auteur critique ce Conseil des Anciens, composé de membres à vie, souvent très âgés et d'autant plus sensibles à la corruption qu'ils n'ont jamais de comptes à rendre. Présidée par les éphores, elle prépare les projets de loi soumis à l'Assemblée et exerce la justice criminelle ; on peut penser qu'elle est l'organe par lequel se manifestent les grandes familles spartiates.

– Les cinq éphores : forment un collège de magistrats annuels élus par l'Assemblée et Aristote estime qu'ils sont fréquemment choisis parmi les citoyens pauvres (ce qui en dit long sur la prétendue égalité des citoyens entre eux) et ajoute qu'ils sont donc faciles à acheter ! Au début, institués comme des collaborateurs des rois, ils ont réussi à élargir leurs pouvoirs : à l'époque classique, ils assurent la surveillance de la société en Laconie et Messénie, en particulier les hilotes et les Inférieurs (comme le rapporte Xénophon, *Helléniques*, III, 3, 4-11, à propos de la conspiration de Cinadon), et exercent de larges responsabilités dans le domaine judiciaire, tout en surveillant les rois et en présidant la gérousia. Le roi réformateur Cléomène III, au début du troisième tiers du IIIe siècle av. J.-C., se heurte au conservatisme de l'éphorat et doit agir avec violence pour tenter de restaurer le corps civique si réduit.

– L'assemblée populaire, parfois appelée *Ecclesia*, mais le plus souvent *Apella*, réunit tous les citoyens de Sparte, c'est-à-dire la caste des guerriers à partir de trente ans et les anciens guerriers, les vieillards. Son fonctionnement n'a rien à voir avec celui de l'*Ecclesia* d'Athènes. Réunie une fois chaque mois, elle est plus une chambre d'enregistrement qu'une assemblée délibérative ; elle approuve les lois préparées par la gérousia, les décisions de paix, de guerre, d'alliance, élit les gérontes et les éphores, mais sans débat ni intervention des simples citoyens. Xénophon, toujours à propos de la conspiration de Cinadon (*Helléniques*, III, 3, 8), est le seul à mentionner la possibilité de convocation d'une « *petite assemblée* », sans doute distincte de l'*Apella*, plus restreinte, peut-être composée des seuls trois cents *hippeis*, mais on ne peut rien affirmer à partir de cette unique référence.

Ces rouages semblent, à première vue, beaucoup plus simples et leur fonctionnement beaucoup plus économe du temps des citoyens que les institutions athéniennes qui occupent à longueur d'année une masse de citoyens, grands amateurs de chicanes et de procès. Il est certain que la justice, à Sparte, est rapide : un arbitre tranche les contestations entre particuliers et l'essentiel des affaires plus graves est réglé par les éphores et les gérontes. Quelques charges spécialisées sont parfois confiées à des Spartiates : navarques qui commandent la flotte comme le vainqueur des Athéniens, Lysandre, harmostes ou gouverneurs des possessions extérieures de Sparte, particulièrement après 404, lorsque les Lacédémoniens héritent de l'ancien Empire athénien.

Dès ce moment-là, les institutions de Sparte se transforment, du fait de l'oliganthropie, déjà présentée, et de l'inégalité de fortune qui est aggravée par les richesses rapportées en Laconie par les Lacédémoniens en garnison à l'extérieur. La loi de l'éphore Epitadeus, qu'il faut dater sans doute du début du IVe siècle, permet la donation ou le legs de la terre civique ; elle ne fait que légaliser une évolution certainement bien antérieure. Des citoyens ruinés ne sont plus en état de remplir leurs obligations de guerriers et le désastre de Leuctres (371) marque l'affaiblissement de la cité dont l'infanterie avait dominé la Grèce continentale durant plusieurs siècles et entraîne la perte définitive de la Messénie rétablie comme Etat indépendant. Il faut attendre le milieu du IIIe siècle, pour voir deux tentatives successives de restauration du corps civique par les rois Agis IV et Cléomène III, qui échouent devant l'hostilité des possédants et la coalition des Grecs à l'appel de la Fédération achéenne d'Aratos de Sicyone.

De l'Alliance à l'Empire athénien ; conséquences de cette évolution

Sans s'arrêter longuement sur l'histoire événementielle du Ve siècle, il est nécessaire de marquer le sens de la transformation progressive de la Ligue de Délos, c'est-à-dire d'une alliance (symmachie) militaire unissant les Athéniens et leurs alliés, en un Empire dans lequel les Alliés n'ont plus voix au chapitre, alors qu'en face subsiste l'ensemble regroupé sous le titre officiel de « Les Lacédémoniens et leurs alliés », les deux ensembles n'étant plus unis par aucun lien après le renvoi de Cimon et du contingent athénien par les Spartiates en 462 et la rupture de l'alliance contre le Mède qui les associait depuis le Congrès de Corinthe, à la veille de la seconde guerre médique.

• *L'élargissement de la Ligue de Délos (477-454).* Dans cette première période, qui suit la décision de Sparte de renoncer à ses responsabilités à la tête des Grecs en lutte contre Xerxès, les Athéniens élargissent progressivement le cercle de leurs alliés, qui contribuent à la défense commune, soit en fournissant eux-mêmes des trières armées (c'est le cas des cités les plus importantes comme Thasos, Samos, Naxos, Chios, Mitylène de Lesbos), soit en payant le tribut (*phoros*) fixé dès l'origine par Aristide à quatre cent soixante talents ; dans un premier temps, la Ligue regroupe surtout les cités ou Etats égéens de la côte européenne et des îles ; il faut attendre la bataille de l'Eurymédon (468) pour voir les cités de la côte asiatique adhérer à l'alliance librement. La composition de cette alliance est connue grâce aux Listes du Tribut athénien (publiées par B. D. Meritt, H. T. Wade-Gery et M. McGregor, *The Athenian Tribute Lists*, IV vol., Cambridge, Mass.), 1939-1953), mais elles n'existent qu'à partir du moment où le trésor de la Ligue est transféré de Délos à Athènes (454/3) : ces listes font connaître le montant du prélèvement opéré sur le *phoros* de chaque cité alliée au profit du trésor d'Athéna, prélèvement d'un soixantième ; on observe, sur ces stèles souvent incomplètes et brisées, une grande irrégularité dans le nombre des alliés et dans les montants perçus, qui ne sont pas toujours faciles à interpréter en toute sécurité.

Cet élargissement de l'alliance autour d'Athènes s'accompagne de heurts violents entre Athènes et certains alliés, désireux de quitter la Ligue ; très vite, Athènes fait comprendre que cette liberté n'existe pas, comme le montrent successivement les tentatives de sécession de Naxos (470/69) et de Thasos (465-463) ; les révoltés sont maintenus de force dans la Ligue, qui comporte désormais deux types d'alliés, les volontaires et les cités sujettes qui perdent le droit d'armer elles-mêmes des trières et qui subissent une forte augmentation du *phoros* qu'elles versent. L'alliance dispose d'une force qui est essentiellement fondée sur la flotte athénienne et celle-ci tend à imposer sa loi à tous les alliés.

• *La crise de la Ligue de Délos (454-446)*. Le renforcement de l'autorité d'Athènes sur les alliés est supporté, tant bien que mal, aussi longtemps que le succès sourit aux stratèges athéniens, d'autant plus que l'adversaire potentiel, Sparte, a traversé une épreuve redoutable à la suite du tremblement de terre de 464 et du soulèvement qui a touché surtout la Messénie et souffre d'une diminution notable de son corps civique. Mais Athènes rencontre des difficultés à mener la lutte contre deux adversaires en même temps, contre les Lacédémoniens et leurs alliés d'une part, contre le Grand Roi en Egypte d'autre part ; le désastre de 454 à Memphis marque le premier grave échec des Athéniens qui réalisent qu'il faut faire un choix ; par précaution contre un coup de main perse en mer Egée, les Athéniens décident alors le transfert du trésor de la Ligue, qui est ramené de Délos à l'Acropole d'Athènes ; s'agit-il d'un prétexte qui permet aux Athéniens de renforcer leur mainmise sur le trésor des alliés ou d'une crainte véritable ? Les deux interprétations sont possibles. De plus, pour renoncer à la guerre sur deux fronts est conclu très vraisemblablement un accord de paix entre Athènes et les Perses en 449, auquel on donne le nom de paix de Callias ; si cette paix n'est connue que par des mentions faites au IVe siècle, la reprise des échanges d'Athènes avec le monde perse dans la seconde moitié du Ve siècle confirme un changement dans les relations entre les deux ensembles.

Or il est certain que la fin de la guerre contre le Mède fait disparaître la finalité même de la Symmachie unissant les Athéniens et leurs alliés. On observe, dans les listes du tribut athénien, une baisse considérable du nombre des tributaires : plus de 160 tributaires en 450/49, 150 en 449/48, 60 en 448/47, mais 170 en 446/5 ; bien des alliés, déroutés par le changement de politique de la Ligue de Délos à l'égard des Perses, suspendent leurs versements ; manifestement Athènes reprend les choses en main en 446 et rappelle à l'ordre les hésitants. Si l'on s'en tient à la chronologie traditionnelle des décrets athéniens conservés pour cette période (mais il reste un doute et certains voudraient les abaisser d'un quart de siècle, ce qui les placerait en pleine guerre du Péloponnèse), un décret concernant Colophon (peut-être avant 450) impose à ses citoyens un serment de ne pas se retirer de l'alliance, de ne pas détruire la démocratie et de ne conclure aucune alliance sans l'assentiment du Conseil des Cinq Cents d'Athènes ; le décret relatif à la cité de Chalcis (446/5) suit sans doute la révolte de l'Eubée et sa répression par Périclès (destruction d'Histiée), il réduit très sensiblement l'autonomie des Chalcidiens qui ne peuvent condamner à l'exil ou à mort sans un appel auprès de l'Héliée d'Athènes (voir l'étude de J. M. Balcer, « The Athenians Regulations for Chalkis », *Historia*, Einzelschriften. Heft 33,

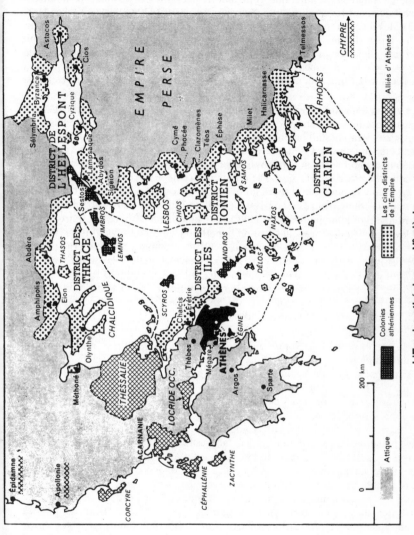

L'Empire athénien au Vᵉ siècle

Source : P. Lévêque, *L'Aventure grecque*, Paris, A. Colin, 1964, p. 258.

Attique

Colonies athéniennes

Les cinq districts de l'Empire

Alliés d'Athènes

1978). Enfin le décret sur les monnaies, poids et mesures semble imposer aux alliés l'utilisation des unités attiques et de la monnaie athénienne et donc interdire la frappe de monnaie d'argent dans les cités alliées ; s'il date des années 450, il traduit une volonté terrible des Athéniens d'imposer leur autorité aux alliés ; s'il remonte à la période de la guerre du Péloponnèse, il traduit davantage la nécessité de resserrer étroitement les liens entre Athènes et ses alliés pour résister à la pression péloponnésienne.

● *L'impérialisme athénien.* Dés le début de la guerre du Péloponnèse (431), Thucydide est bien conscient de la cause réelle de ce conflit : la puissance athénienne est devenue intolérable aux autres Grecs. Les sérieux incidents qui ont précédé cette guerre : l'affaire de Potidée, le rapprochement d'Athènes et de Corcyre contre Corinthe dans l'affaire d'Epidamne, enfin le décret relatif à Mégare qui interdit la vente de produits mégariens en Attique, sont autant de signes de cette volonté de puissance. Bien entendu, les discours en style direct, que Thucydide prête à Périclès, ne sont pas authentiques, mais ils donnent bien l'idée que s'en faisait un contemporain : il fait dire à Périclès, dans son dernier discours (Thucydide, II, 63, 1-2) : « La cité tire de son Empire une part d'honneur, dont vous vous faites tous gloire, et que vous devez légitimement soutenir ; ne vous dérobez pas aux épreuves, si vous ne renoncez pas aussi à poursuivre les honneurs ; et ne pensez pas qu'il s'agisse uniquement, en cette affaire, d'être esclaves au lieu de libres : il s'agit de la perte d'un Empire, et du risque attaché aux haines que vous y avez contractées. Or, cet Empire, vous ne pouvez plus vous en démettre, au cas où la crainte, à l'heure actuelle, pousserait vraiment certains de vous à faire, par goût de la tranquillité, ces vertueux projets. D'ores et déjà, il constitue entre vos mains une tyrannie, dont l'acquisition semble injuste, mais l'abandon dangereux. » Selon Périclès, Athènes ne peut donc plus faire marche arrière et changer de politique.

Cette marche à la guerre est, évidemment, la conséquence première et de loin la plus importante de l'évolution de la ligue de Délos vers un Empire athénien. Il faut simplement savoir que cette politique fondée sur la puissance d'Athènes s'est accompagnée de beaucoup de changements dans la cité athénienne elle-même : Athènes s'est transformée d'une cité de petits paysans propriétaires, qui ont constitué les vainqueurs de Marathon, en une cité de commerçants dont les marchés s'étendent sur toutes les mers environnantes ; la petite paysannerie a été sacrifiée et Thucydide, par la voix de Périclès, en est bien conscient : « Il n'est personne qui, si vous mettez à la mer les forces navales dont vous disposez, puisse vous barrer le passage, ni le roi ni aucun autre peuple à l'heure actuelle. Ce n'est donc nettement pas l'usage des maisons et de la terre, dont la privation vous semble si importante, qui définit cette puissance ; et il n'est pas normal de se mettre en peine à leur sujet : il faut plutôt les considérer, en regard de cette puissance, comme un jardin d'agrément et un luxe de riche dont on se désintéressera » (II, 62, 2-3). Athènes peut vivre comme une île protégée par son enceinte et les Longs Murs qui la relient au Pirée : par sa flotte, elle est assurée d'être ravitaillée, elle ne craint rien de ses adversaires et peut porter la guerre chez eux par sa marine de guerre. Simultanément, l'Empire fait vivre bon nombre de citoyens athéniens, on pourrait dire qu'il est indispensable au fonctionnement de la démocratie athénienne.

(Pour une analyse de l'oraison funèbre prononcée par Périclès, à l'hiver 430 — cf. Thucydiden, II, XXXIV-XLVI —, se reporter à Nicole Loraux, *L'Invention d'Athènes, Histoire de l'oraison funèbre dans la « cité classique »*, Paris-La Haye, 1981 ; l'auteur qui en étudie la portée idéologique montre bien comment les morts sont coupés de toute solidarité familiale et pris en charge collectivement par la cité, à la différence des « funérailles publiques » à Rome.)

CHRONOLOGIE DES Vᵉ ET IVᵉ SIÈCLES

477	Formation de la Ligue de Délos.
476/1	Campagnes de Cimon en Thrace, dans l'Hellespont et en Eubée.
472	Eschyle : *Les Perses.*
471/0	Ostracisme de Thémistocle.
470/69	Révolte de Naxos, maintenue de force dans la Ligue de Délos.
468	Bataille de l'Eurymédon.
467	Eschyle : *les Sept contre Thèbes.*
466	Chute des Deinoménides, tyrans de Syracuse.
465-3	Révolte de Thasos, qui devient cité sujette dans la Ligue de Délos.
464	Tremblement de terre en Laconie ; révolte des hilotes et de la Messénie contre l'Etat lacédémonien.
462	Cimon secourt Sparte ; renvoi du contingent athénien par Sparte et rupture de l'alliance contre le Perse ; alliance d'Athènes et d'Argos.
462/1	Réformes d'Ephialtès à Athènes.
461	Ostracisme de Cimon ; alliance d'Athènes et de Mégare.
459	Installation des Messéniens à Naupacte ; guerre entre Athènes et Corinthe ; intervention athénienne en Egypte.
458-6	Siège et prise d'Egine par les Athéniens.
458	Eschyle : *L'Orestie.*
457	Guerre entre Sparte et Athènes : bataille de Tanagra et d'Oinophyta.
454	Désastre athénien en Egypte ; transfert du trésor de la Ligue de Délos à Athènes.
453	Alliance d'Athènes avec Ségeste et Hélikyai en Sicile.
451	Trêve de cinq ans entre Sparte et Athènes.
451/0	Décret de Périclès sur le droit de cité à Athènes.
449	Paix de Callias : fin des guerres médiques.
447	Bataille de Coronée ; formation d'une nouvelle fédération béotienne ; début des travaux de construction du Parthénon.
446	Trêve de Trente ans ; Périclès propose un congrès panhellénique.
445	Alliance d'Athènes avec Rhégion et Léontinoi.
443	Ostracisme de Thucydide, fils de Mélésias, adversaire de Périclès ; fondation de Thourioi en Grande Grèce.
442	Sophocle : *Antigone.*
440-39	Révolte de Samos, qui devient cité sujette.
438	Euripide : *Alceste.*
437-2	Construction des Propylées.
436	Fondation d'Amphipolis par les Athéniens.
435	Début de la construction de l'Erechtheion ; guerre entre Corinthe et Corcyre pour Epidamne.
433	Alliance d'Athènes et de Corcyre.
432	Révolte de Potidée et de la Chalcidique ; décret contre Mégare ; Congrès de Sparte.
431	Affaire de Platées ; début de la guerre du Péloponnèse.
430	« Peste » d'Athènes ; condamnation de Périclès.
429	Réélection et mort de Périclès : prise de Potidée par les Athéniens.
428/7	Révolte de Mitylène de Lesbos.
427	Prise de Platées par les Béotiens.
426	Cléon au pouvoir à Athènes.
425	Aristophane : *Les Acharniens* ; mort d'Hérodote ; affaire de Sphactérie.
424	Brasidas prend Amphipolis.
421	Paix de Nicias.
420	Election d'Alcibiade à la stratégie.
418	Bataille de Mantinée.
417	Ostracisme d'Hyperbolos.
416	Guerre entre Syracuse et Ségeste ; prise de Mélos par les Athéniens.
415	Début de l'expédition athénienne en Sicile ; trahison d'Alcibiade.

414	Alliance de Sparte et de Syracuse.
413	Occupation de Décélie par les Spartiates ; désastre athénien en Sicile.
412	Révolte de l'Ionie et de Rhodes.
411	Tentative de révolution oligarchique à Athènes ; Alcibiade stratège de la flotte de Samos ; défaite spartiate à Cyzique.
410	Rétablissement de la démocratie à Athènes.
409	Offensive carthaginoise en Sicile.
406	Bataille de Notion ; disgrâce d'Alcibiade ; bataille des Arginuses et procès des stratèges athéniens.
405	Bataille d'Aigos-Potamos, siège d'Athènes ; Denys tyran de Syracuse.
404	Capitulation d'Athènes ; régime des trente tyrans.
403/2	Rétablissement de la démocratie ; archontat d'Euclide.
401-0	Expédition des Dix-Mille.
400	Rupture entre Sparte et la Perse.
399	Procès et mort de Socrate ; conspiration de Cinadon à Sparte.
396-5	Campagnes d'Agésilas en Asie.
395	Début de la guerre de Corinthe.
394	Batailles de Némée, de Coronée et de Cnide.
387	Platon fonde l'Académie.
386	Paix d'Antalkidas.
385	Denys fonde Issa.
384-2	Alliance d'Athènes avec Chios et la Chalcidique.
382	Sparte contre Olynthe ; prise de la Cadmée.
380	*Panégyrique* d'Isocrate.
378	Raid de Sphodrias sur le Pirée ; alliance de Thèbes et d'Athènes.
377	Formation de la 2e Confédération maritime d'Athènes (Symmachie).
373	Destruction du temple d'Apollon à Delphes.
371	Bataille de Leuctres ; début de l'hégémonie thébaine (371-362).
370/69	Epaminondas relève Messène.
368	Fondation de Mégalopolis et de la fédération arcadienne.
362	Bataille de Mantinée ; mort d'Epaminondas.
360/59	Avènement de Philippe II de Macédoine.
357-5	Guerre des Alliés (Chios, Rhodes, Byzance) contre Athènes.
356	Troisième guerre sacrée.
354	Gouvernement d'Eubule à Athènes.
351	*Première Philippique* de Démosthène.
348	Siège et prise d'Olynthe par Philippe.
346	Paix de Philocratès.
344-337	Timoléon à Syracuse.
343	Procès *sur l'Ambassade* ; Aristote précepteur d'Alexandre.
342-338	Archidamos de Sparte au secours de Tarente.
339	Alliance de Thèbes et d'Athènes.
338	Bataille de Chéronée, paix de Démade et formation du *koinon* des Hellènes ; mort d'Isocrate.
336	Mort de Philippe II, avènement d'Alexandre.
335	Destruction de Thèbes.
334	Bataille du Granique ; Aristote fonde le Lycée.
334-1	Alexandre le Molosse en Italie.
333	Bataille d'Issos.
332	Siège de Tyr.
331	Fondation d'Alexandrie ; bataille d'Arbèles.
330	Mort de Darius III ; procès *sur la Couronne*.
324	Retour de l'expédition ; édit sur le retour des bannis ; affaire d'Harpale.
323	Mort d'Alexandre le Grand ; début de la guerre lamiaque.
322	Mort de Démosthène et d'Aristote.

Caractères généraux du IVe siècle

● *Dans les relations internationales.* La guerre du Péloponnèse, qui se termine par la capitulation d'Athènes en 404, marque un bouleversement important dans la vie des principales cités de la Grèce : l'Empire athénien s'écroule, Sparte essaie de prendre le relais mais n'en a plus les moyens. Si les Lacédémoniens et leurs alliés l'ont emporté dans la guerre contre l'Empire athénien, c'est grâce au soutien apporté par le Grand Roi, en argent comme en navires, pour battre les Athéniens sur leur propre terrain, c'est-à-dire sur mer. Après la victoire, les Perses veulent de nouveau imposer leur autorité aux Grecs d'Asie, mais les Spartiates ne peuvent pas, sans perdre la face auprès de leurs alliés et de tous les Grecs, les abandonner à leurs puissants voisins : ce serait pour la Perse une revanche tardive, mais effective, des guerres médiques. Sparte se trouve ainsi entraînée dans une nouvelle guerre contre les troupes du Grand Roi en Anatolie, alors qu'en Grèce les mécontentements ne manquent pas et qu'une guerre larvée, la guerre de Corinthe, cause de lourdes pertes au corps civique spartiate, déjà bien réduit. Au terme de quelques années, les Lacédémoniens sont contraints à faire le même choix que les Athéniens au milieu du Ve siècle ; ils doivent renoncer à poursuivre la guerre sur deux fronts : la paix d'Antalkidas ou paix du Roi (386) marque l'abandon des Grecs d'Asie au Grand Roi, en échange de la reconnaissance par celui-ci de l'hégémonie lacédémonienne sur la Grèce. On voit, dans le *Panégyrique* d'Isocrate, avec quelle vigueur celui-ci dénonce l'Empire lacédémonien, plus pesant que celui des Athéniens précédemment. Les relations internationales, dans la Grèce du IVe siècle, sont constamment rythmées par de telles interventions extérieures des Perses, qui, après avoir soutenu Sparte, reconnaissent un partage de l'hégémonie entre Athènes et Sparte, avant de s'arranger en définitive de l'hégémonie thébaine ; l'affaiblissement de l'autorité du Grand Roi sur son Empire ne l'empêche pas d'être fréquemment présent dans les affaires des Grecs, jusqu'au jour où le relais est pris par le roi macédonien, Philippe II, sous la forme du *Koinon* des Hellènes ou Ligue de Corinthe (338/7), organisé sous l'hégémonie macédonienne et rassemblant tous les Etats grecs à l'exception des Lacédémoniens.

Les hégémonies successives ont permis de substituer, dans les rapports entre Etats grecs, un état de *paix commune* à l'état de guerre qui était permanent auparavant, ponctué seulement par des trêves plus ou moins longues ; cette paix commune est garantie par la force armée de l'Etat dominant : Perse et Sparte en 386, puis Perse, Sparte et Athènes, puis Perse et Thèbes, avant le triomphe de Philippe II à Chéronée, qui donne un but à la nouvelle organisation de la Grèce, sous la tutelle macédonienne : c'est la reprise de la lutte contre les Perses, comme si la paix entre Grecs ne pouvait durer que par la guerre contre un ennemi commun.

• *L'affaiblissement des cités majeures*. Un autre trait mérite d'être souligné dans le poids respectif des Etats grecs, les uns par rapport aux autres : Sparte, dont l'infanterie régnait, invaincue et pour beaucoup invincible, depuis le VIe siècle, dans le monde grec, s'est écroulée à la bataille de Leuctres en 371 face aux Thébains et la cité de Laconie ne se relève pas, du fait de la diminution catastrophique de son corps civique, aggravée par l'inégalité sociale croissante depuis la victoire de 404. En revanche, Athènes gravement affaiblie par la guerre du Péloponnèse connaît un certain redressement avec la création d'une nouvelle Alliance, la deuxième confédération maritime d'Athènes, à partir de 377 ; mais on ne peut la comparer à la Ligue de Délos, car elle réunit un nombre beaucoup plus restreint d'alliés et ceux-ci ne versent que des contributions très modestes qui ne permettent pas une action puissante et efficace contre les dangers éventuels ; dès 355, la guerre des Alliés aboutit à la sortie de l'alliance des principaux alliés de l'Est égéen. Athènes est presque réduite à ses seules forces et c'est avec peine qu'elle arrive à former une coalition pour tenter d'arrêter la progression macédonienne, à la veille de Chéronée. Les neuf années d'hégémonie thébaine (371-362) ont marqué la Grèce, notamment le Péloponnèse avec la restauration d'un Etat messénien, donc la réduction de l'Etat lacédémonien, et la tentative d'organisation fédérale de l'Arcadie ; mais la puissance thébaine s'efface rapidement et, en 338, Thèbes n'est plus qu'une alliée d'Athènes parmi d'autres contre l'armée macédonienne, avant d'être détruite totalement en 335 par Alexandre.

● *Les difficultés internes des cités.* Dans ce monde des cités, dont l'évolution est surtout connue pour Athènes en raison de l'abondance de la documentation, notamment les discours des orateurs du IVe siècle (Lysias, Isocrate, Eschine, Démosthène, Hypéride, Lycurgue, Isée), on a souvent parlé de crise pour une partie du IVe siècle. A Athènes, il n'est plus possible de compter sur les ressources de l'Empire pour faire vivre le corps civique ; le Pirée n'est plus le centre incontesté du commerce de Méditerranée orientale, si bien que les étrangers s'y fixent moins volontiers ; les métèques y sont moins nombreux et moins stables, ils sont souvent plus difficiles à assimiler parce que non-Grecs, mais Syriens, Egyptiens, Orientaux, et Xénophon s'en plaint. A l'intérieur même du corps civique, les écarts de fortune augmentent entre une masse de pauvres qui vit des indemnités de présence (les *misthoi*) distribuées à l'Assemblée, à l'Héliée, aux bouleutes comme aux magistrats et un petit nombre de riches qui se plaignent d'être pressés à l'excès pour faire vivre le peuple et qui tendent à se détacher progressivement d'une démocratie qu'ils jugent trop démagogue. Les difficultés financières de la cité athénienne rendent les luttes sociales plus vives ; la majorité de l'Assemblée s'efforce de trouver les ressources nécessaires à sa survie, mais cette pression sur les riches commerçants, artisans, banquiers sape progressivement les fondements du régime démocratique ; des intérêts immédiats empêchent la cité de faire face aux menaces extérieures, comme le montrent bien les appels désespérés de Démosthène, dans *Les Olynthiennes* puis dans *Les Philippiques,* pour convaincre les Athéniens de faire l'effort militaire indispensable au lieu de se soucier d'alimenter la caisse du théorique.

Ces difficultés se traduisent dans le fonctionnement des institutions : notamment par le fossé qui se creuse entre les fonctions des stratèges qui deviennent seulement des chefs de guerre et le rôle des orateurs qui mènent l'Assemblée mais sans être responsables, comme des magistrats, de leurs choix politiques. Certes, un certain redressement se manifeste à Athènes à partir du milieu du IVe siècle et on a souvent souligné que l'armée athénienne de Chéronée était largement une armée civique et non une armée de mercenaires. Lycurgue fait un gros effort pour la reconstruction d'une flotte de guerre puissante, après Chéronée, et il réorganise l'éphébie. Mais les aspirations à une démocratie modérée, à la *patrios politeia*, c'est-à-dire à la constitution des ancêtres, pour ne pas dire à une oligarchie qui réserverait le pouvoir aux « honnêtes gens » sont toujours prêtes à ressurgir ; la brutalité du régime des trente tyrans en 404-403 a rendu impossible la manifestation publique d'opinions hostiles à la démocratie pendant deux générations. La défaite athénienne dans la guerre Lamiaque (323-322) est l'occasion de l'instauration d'une démocratie censitaire imposée par le régent macédonien, Antipatros ; elle se traduit par l'exclusion

LA MACÉDOINE DE PHILIPPE II

Cette région du nord-est de la Grèce fournit un bon exemple du renouvellement de l'histoire grâce au travail attentif et persévérant des archéologues et des épigraphistes. On peut dire que, jusqu'au milieu de ce siècle, l'histoire de la Macédoine, particulièrement durant le règne de Philippe II (359-336), était connue à peu près uniquement à travers une abondante tradition littéraire qui rapportait les démêlés de Démosthène et de son adversaire Eschine à Athènes, lors de grands procès (Procès *sur l'Ambassade* et *sur la Couronne* notamment) qui concernaient directement les relations entre la Macédoine et la grande cité d'Athènes. Fallait-il considérer ce roi macédonien comme le possible fédérateur de la Grèce et l'organisateur de la lutte contre le Perse, entravé dans sa démarche par un défenseur attardé de la liberté des cités, Démosthène, qui ne comprenait pas la nécessité de l'union des Grecs ? Fallait-il, au contraire, exalter le courage de Démosthène, défenseur de la démocratie et de la liberté face à un roi barbare qui foulait au pied ces valeurs essentielles représentées par la glorieuse cité d'Athènes ? Les honnêtes historiens du XIXe siècle n'ont pas toujours su éviter les choix très influencés par leurs attaches patriotiques ; il était de bon ton en Allemagne de comparer Philippe, le fédérateur de la Grèce et le chancelier Bismarck, l'unificateur de l'Allemagne autour du trône de Prusse et fondateur du IIe Reich, tandis que la IIIe République, en France, avec Clemenceau, exaltait les mérites de Démosthène et les valeurs de la liberté et de la démocratie.

Les magnifiques trouvailles, faites depuis trente ans, à Vergina, notamment par Manolis Andronikos : le palais et les tombes royales, les vases, les armures, les bijoux, donnent une tout autre dimension à la civilisation de ce pays, qu'il était facile de traiter de barbare, simplement parce qu'il restait fidèle à la dynastie des Argéades et par assimilation, facile mais peu honnête, entre le roi macédonien et le Grand Roi, souverain des Perses. La localisation de la vieille capitale des rois Argéades, Aigai, est maintenant assurée à Vergina même. La visite des salles du musée archéologique de Thessalonique permet de mesurer la richesse de cette civilisation en Macédoine dès le milieu du IVe siècle. C'est un domaine nouveau de la peinture du IVe siècle qui, brusquement, est révélée ; certes, les spécialistes discuteront, sans doute longtemps encore, avant de s'entendre sur l'identité du défunt qui reposait dans la tombe royale : le roi Philippe II ou Philippe Arrhidaios ? Quel qu'il soit, sa tombe témoigne d'une richesse et d'un goût artistique extraordinaires.

De la même façon, la Macédoine est restée longtemps un royaume aux institutions mal définies : un roi, une assemblée dont on discute encore pour savoir si elle était assemblée du peuple ou assemblée de l'armée (à moins que peuple et armée ne deviennent synonymes, surtout dans les périodes exceptionnelles où l'armée est conduite hors du territoire national), ce qui revient à priver les anciens de l'exercice de leurs droits de citoyens) ; progressivement, des inscriptions révèlent que ce royaume contenait, surtout dans la plaine de Basse-Macédoine, des cités dotées de leurs propres institutions, dont l'autonomie était limitée par la présence d'un représentant de l'autorité royale, le *stratège* ou l'*épistate* ; c'est une vie civique, politique, qui émerge et qui doit conduire à faire disparaître cette vision simpliste d'un royaume soumis à l'autorité absolue de son souverain. Une longue lutte entre autonomie civique et autorité royale se termine avec le règne de Philippe II : le souverain tient à structurer son État pour en faire le fondement d'une politique dynamique à l'extérieur. La Macédoine fournit ainsi un apport très enrichissant à l'hellénisme, parfois trop limité au monde des cités dont Athènes serait le modèle parfait ; l'hellénisme est riche de facettes multiples, Athènes y tient une large place, mais d'autres régions ont connu une évolution différente et ont sécrété des formes d'organisation politique, des structures économiques et sociales, une vie artistique originales.

de la cité de douze mille citoyens sur les vingt et un mille que comptait alors Athènes.

Les problèmes sociaux, mieux connus à Athènes qu'ailleurs, existent dans beaucoup d'autres cités et expliquent la présence d'une masse de personnes susceptibles de servir quiconque peut leur assurer un revenu régulier : beaucoup entrent dans des troupes de mercenaires, comme on le voit dès la fin du Ve siècle, à travers *L'Anabase* de Xénophon, qui rapporte l'aventure des Dix-Mille engagés au service de Cyrus le Jeune ; durant tout le IVe siècle, des mercenaires servent aussi bien dans les armées du Grand Roi que dans celles de tyrans thessaliens ou siciliens. C'est, à n'en pas douter, un élément d'instabilité dans le monde grec. Pour remédier à cette situation sociale, qui laisse trop de gens sans activité et sans propriété, la solution souvent rappelée au cours du siècle par Isocrate est la colonisation de la partie occidentale de l'Anatolie ; si les Grecs réalisent cette opération, ils assurent l'indépendance des Grecs d'Asie et, en même temps, ils établissent ce trop-plein de population et résolvent la crise sociale au sein de chaque cité. L'opération est d'autant plus tentante que l'Empire perse passe pour très fragile et facile à conquérir. C'est dans cette perspective qu'il faut comprendre l'expédition en Ionie des généraux de Philippe II en 336, puis, deux ans plus tard, le début de la campagne d'Alexandre ; évidemment, nul ne pensait qu'il irait jusqu'aux rives de l'Indus ! Parallèlement, il faut voir la facilité avec laquelle Alexandre trouve des Grecs, en plus des Macédoniens, pour les établir comme colons dans toutes ses conquêtes, que ce soit en Egypte, en Syrie, en Bactriane. On aurait tort d'en conclure que les cités sont surpeuplées ; beaucoup, au contraire, voient leur corps civique se réduire : c'est vrai à Sparte de façon évidente, mais c'est sensible aussi à Athènes. La pauvreté d'une partie notable du corps civique pousse ces gens à chercher ailleurs ce qu'ils ne trouvent pas dans leur propre cité.

• *L'heure des monarchies de Grèce du Nord* (cf. encadré p. 143). Le milieu du IVe siècle correspond à l'éveil de puissances nouvelles au-delà des domaines traditionnellement marqués par la cité-Etat, c'est-à-dire au nord d'Ambracie à l'ouest et au nord de l'Olympe à l'est. En quelques années, ces contrées long-temps divisées en de multiples royaumes tenus par des dynasties nationales évoluent vers leur unité : Philippe II, après sa victoire sur les Illyriens (359), réunit son royaume de Basse-Macédoine avec les pays de Haute-Macédoine et très vite fait preuve d'un dynamisme remarquable appuyé sur une force armée nombreuse et efficace ; le fondement de cette puissance tient certainement à une croissance démographique en Macédoine, ce qui permet d'assurer sans cesse le renouvellement des contingents de jeunes soldats nécessaires à Philippe durant tout son règne, puis à Alexandre pendant l'interminable campagne d'Asie ; bon nombre de ces Macédoniens ne reviennent jamais au pays, mais s'établissent comme colons dans le nouvel Empire et dans les royaumes hellénistiques qui en sont issus.

Le dynamisme macédonien n'est pas isolé ; les Illyriens de Bardylis, dans la première moitié du IVe siècle, ont manifesté la même volonté d'expansion et les peuples d'Epire, sur le versant occidental du Pinde, connaissent une évolution parallèle à celle des Macédoniens, avec un léger décalage chronologique dans l'unification du royaume autour de la dynastie des Eacides (voir, sur ces monarchies du Nord, Pierre Cabanes, *Les Illyriens de Bardylis à Genthios, IVe-IIe siècle avant J.-C.*, Paris, 1988) : Alexandre le Molosse conduit une expédition en Italie méridionale pour soutenir les cités de Grande Grèce (334-331) et Pyrrhos fait de même en Italie et en Sicile (280-275), après quoi il est capable de se lancer à la conquête de la Macédoine, de menacer Sparte avant de trouver la mort à Argos. D'autres peuples, restés discrets à l'époque classique, paraissent aussi prendre les premiers rôles dans la Grèce à la fin du IVe siècle, mais c'est surtout net au IIIe siècle : ce sont les Etats fédéraux étolien et achéen plus particulièrement.

Il reste que le changement le plus considérable est mené par Alexandre le Grand (336-323) qui porte l'hellénisme jusqu'à l'Indus et à la haute vallée du Nil, laissant à sa mort le monde marqué par la civilisation grecque plus étendu qu'il n'avait jamais été. La lente gestation des royaumes hellénistiques : Egypte lagide, Asie séleucide, Macédoine antigonide, aboutit à la constitution d'Etats dont les ressources sont sans commune mesure avec celles que les plus grandes cités ont jamais pu posséder. C'est un changement total d'échelle, de dimensions, mais aussi un champ très vaste ouvert à la civilisation grecque.

(Sur Alexandre, lire P. Briant, *Alexandre le Grand*, Paris, Découverte Galli-mard, 1987 ; sur le « mythe d'Alexandre », P. Goukowsky, *Essai sur les origines du mythe d'Alexandre*, Nancy, 1978.)

LA PÉRIODE HELLÉNISTIQUE

CHRONOLOGIE DE LA PÉRIODE HELLÉNISTIQUE

321	Conférence de Triparadisos, après la mort de Cratère et de Perdiccas.
319	Mort d'Antipatros, Polyperchon lui succède en Grèce.
317	Olympias fait exécuter Philippe Arrhidaios.
316	Mort d'Olympias et d'Eumène de Cardia.
315-11	Guerre de Ptolémée, Lysimaque et Cassandre contre Antigone le Borgne.
310-07	Agathoclès de Syracuse assiège Carthage.
310	Cassandre fait périr Roxane et Alexandre IV.
307	Démétrios Poliorcète conquiert Athènes et en chasse Démétrios de Phalère.
306	Antigone le Borgne et Démétrios Poliorcète prennent le titre de roi.
305-4	Siège de Rhodes par Démétrios Poliorcète.
303-02	Cléonymos de Sparte intervient en faveur de Tarente.
301	Bataille d'Ipsos, victoire de Séleucos Ier, Cassandre et Lysimaque sur Antigone le Borgne qui est tué et sur son fils.
300	Fondation d'Antioche sur l'Oronte.
299-98	Agathoclès prend Corcyre.
297	Mort de Cassandre ; rétablissement de Pyrrhos en Epire.
295	Pyrrhos épouse Lanassa, fille d'Agathoclès et reçoit Corcyre en dot.
294	Démétrios Poliorcète occupe Athènes et devient roi en Macédoine.
294/93	Antiochos Ier est corégent au côté de son père Séleucos Ier.
290	Démétrios occupe Corcyre et épouse Lanassa.
289	Mort d'Agathoclès de Syracuse.
288	Pyrrhos et Lysimaque se partagent la Macédoine.

287/6	La ville d'Athènes se libère de la garnison macédonienne.
285	Démétrios est prisonnier de Séleucos Ier ; Lysimaque est seul roi de Macédoine ; Ptolémée II est corégent au côté de son père Ptolémée Ier.
283	Mort de Ptolémée Ier et de Démétrios Poliorcète.
281	Bataille de Couroupédion, mort de Lysimaque ; assassinat de Séleucos Ier par Ptolémée Kéraunos.
280	Renouveau du *Koinon* achéen ; Pyrrhos passe en Italie à l'appel de Tarente.
279	Invasion celte à travers la Macédoine jusqu'à Delphes, mort de Ptolémée Kéraunos ; les *Ptolemaia* d'Alexandrie.
277	Bataille de Lysimacheia ; Antigone Gonatas roi de Macédoine.
276	Mariage d'Antigone Gonatas avec Phila, fille d'Antiochos Ier et alliance durable entre Séleucides et Antigonides.
275	Pyrrhos rentre d'Italie en Epire.
274-71	Première guerre de Syrie, de Ptolémée II contre Antiochos Ier.
274	Pyrrhos occupe temporairement la Macédoine.
273	Ambassade égyptienne à Rome.
272	Mort de Pyrrhos à Argos ; Tarente aux Romains.
270	Mort d'Arsinoé Philadelphe.
270/68-215	Hiéron II, roi de Syracuse.
269-237	Règne d'Açoka en Inde septentrionale.
267-62	Guerre de Chrémonidès et victoire d'Antigone Gonatas.
265	Mort d'Areus, roi de Sparte.
264	Début de la première guerre punique.
262	Bataille navale de Cos ; avènement d'Eumène Ier de Pergame.
261	Mort d'Antiochos Ier, avènement d'Antiochos II Théos.
260-253	Deuxième guerre de Syrie.
258 ou 56 ?	Bataille navale d'Andros, victoire de Gonatas sur la flotte lagide.
253-2	Révolte d'Alexandre de Corinthe contre Antigone Gonatas ; partage de l'Acarnanie entre l'Etolie et Alexandre II d'Epire.
251	Aratos fait entrer Sicyone dans le *koinon* achéen.
246	Mort de Ptolémée II et d'Antiochos II ; avènement de Ptolémée III et de Séleucos II.
246-41	Troisième guerre de Syrie.
245	Victoire étolienne en Béotie.
244-41	Agis IV, roi de Sparte, tentative de réformes mais échec.
243	Aratos libère Corinthe des Macédoniens.
241	Avènement d'Attale Ier de Pergame.
239	Mort d'Antigone Gonatas ; avènement de Démétrios II ; Diodote de Bactriane devient roi indépendant des Séleucides.
235	Mégalopolis rejoint le *koinon* achéen.
232	Fin de la dynastie éacide en Epire : mort de Déidamie à Ambracie.
230	Guerre illyro-épirote : prise de Phoinikè par les Illyriens.
229	Mort de Démétrios II ; avènement d'Antigone Dosôn ; Argos adhère au *koinon* achéen ; Athènes recouvre son indépendance.
229-28	Première guerre d'Illyrie, opposant Rome aux Illyriens.
227	Réformes de Cléomène III à Sparte.
225	Avènement de Séleucos III, tué en 223.
224	Nouvelle ligue des Hellènes contre Cléomène, autour d'Antigone Dosôn.
223	Avènement d'Antiochos III.
222	Bataille de Sellasia, Cléomène se retire en Egypte.
221	Avènement de Ptolémée IV Philopator.
221-179	Règne de Philippe V en Macédoine.
221-217	Quatrième guerre de Syrie : bataille de Raphia.
220-217	Guerre des Alliés en Grèce, qui oppose Macédoniens, Achéens et Epirotes aux Etoliens et Spartiates.
219	Deuxième guerre d'Illyrie.
219-202	Deuxième guerre punique.
217	Paix de Naupacte qui met fin à la guerre des Alliés.
215-205	Première guerre de Macédoine opposant Rome à la Macédoine.
212	Traité d'alliance entre Rome et les Etoliens ; chute de Syracuse malgré Archimède.
212-205	Expédition d'Antiochos III en Iran, Bactriane et Inde.
211	Attale Ier s'allie aux Romains contre Philippe V.
206	Paix séparée des Etoliens avec la Macédoine.
205	Paix de Phoinikè qui met fin à la première guerre de Macédoine.
205-180	Ptolémée V Epiphane.

201-195	Cinquième guerre de Syrie.
200	Bataille de Panion, la Palestine est occupée par Antiochos III.
200-197	Seconde guerre de Macédoine.
197	Bataille de Cynoscéphales ; avènement d'Eumène II de Pergame.
196	Flamininus proclame la liberté des Grecs aux concours Isthmiques.
195	Guerre contre Nabis.
192-189	Guerre antiochique (ou étolo-syrienne).
191	Antiochos III est vaincu aux Thermopyles.
189	Victoire romaine à Magnésie du Sipyle.
188	Paix d'Apamée.
187-175	Règne de Séleucos IV.
186-184	Guerre entre Eumène II de Pergame et Prusias Ier de Bithynie.
183	Mort d'Hannibal, Philopoimen et Prusias Ier.
180-145	Règne de Ptolémée VI Philométor.
179-168	Règne de Persée.
175-164	Règne d'Antiochos IV Epiphane.
171-68	Troisième guerre de Macédoine.
170-68	Sixième guerre de Syrie.
169	Pillage du Temple de Jérusalem par Antiochos IV.
168	Victoire de Paul-Emile à Pydna.
167	Pillage de l'Epire par les légions de Paul-Emile.
166	Début de la révolte des Maccabées.
164	Avènement d'Antiochos V Eupator.
164-130	Règne d'Ariarathe V de Cappadoce.
162-150	Règne de Démétrios Ier de Syrie.
159	Avènement d'Attale II de Pergame.
149/8	Révolte d'Andriscos (pseudo-Philippe VI) en Macédoine.
148	La Macédoine devient province romaine.
146	Révolte des Achéens contre Rome, destruction de Corinthe et de Carthage.
145-116	Règne de Ptolémée VIII Evergète II.
133	Mort d'Attale III, il lègue son royaume aux Romains.
129	Création de la province d'Asie.
121-63	Règne de Mithridate VI, roi du Pont.
88-5	Première guerre mithridatique de Rome.
87-83	Sylla pille la Grèce.
82-1	Deuxième guerre mithridatique.
74	La Cyrénaïque devient province romaine.
74-67	Troisième guerre mithridatique.
67	La Cilicie devient province romaine.
64	Fin de la dynastie séleucide ; la Syrie devient province romaine.
63	Mort de Mithridate ; prise de Jérusalem par Pompée.
58	Chypre devient province romaine.
53	Défaite de Crassus à Carrhes face aux Parthes.
51-30	Règne de Cléopâtre VII.
49	Siège de Marseille.
48	Victoire de César à Pharsale ; fondation d'une colonie à Corinthe.
47	Naissance de Césarion.
42	Défaite de Brutus et Cassius à Philippes.
31	Bataille d'Actium.
30	Prise d'Alexandrie par Octave ; mort de Cléopâtre et fin de la dynastie lagide.

La période hellénistique a fait l'objet d'une excellente étude d'Edouard Will, *Histoire politique du monde hellénistique,* 2 vol., Nancy, 2e éd., 1979 et 1982, qui a apporté le maximum de clarté sur une période difficile, notamment du fait de la multitude des centres d'intérêt.

La Grèce propre

Elle ne joue plus qu'un rôle secondaire, même si les cités n'ont pas renoncé rapidement à l'espoir d'un redressement : Athènes, qui perd sa puissance navale dans la guerre lamiaque (322), croit encore pouvoir prendre sa revanche contre les rois macédoniens lors de la guerre de Chrémonidès (266-262) avec l'aide de Sparte et de Ptolémée II ; l'échec est d'autant plus douloureux que l'espoir semblait grand et, dès lors, Athènes vit sous la domination macédonienne jusqu'en 229 ; elle n'obtient le départ des garnisons étrangères que grâce aux dons reçus de l'extérieur. Son rôle de centre culturel et intellectuel est important, mais ce n'est plus une puissance qui compte. Sparte aussi ne se résout pas à l'humiliation : sa tentative de révolte contre Antipatros en 331 a fait long feu et ses efforts pendant la guerre de Chrémonidès sont totalement inefficaces ; il faut, donc, reconstruire une nouvelle Sparte sur le modèle ancien et les réformes proposées par Agis IV, puis par Cléomène III visaient à reconstituer un corps civique de 4 500 citoyens. La crainte d'une contagion de ces projets de réforme sociale suscite l'opposition achéenne et Aratos préfère changer radicalement de politique extérieure en s'alliant à Antigone Doson pour empêcher la renaissance spartiate.

Seuls comptent en Grèce les Etats fédéraux, surtout *koinon* étolien et *koinon* achéen, et les royaumes du Nord, Macédoine et Epire. Les Etats fédéraux ne sont certainement pas une innovation de l'époque hellénistique, ils remontent à une époque bien plus haute, avec une évolution dans le sens d'une structuration plus marquée des institutions à partir du IVe siècle, époque à laquelle des inscriptions commencent à faire connaître le fonctionnement de ces Etats. L'Etat fédéral est caractérisé par l'existence d'une double citoyenneté, locale et fédérale, avec des institutions propres à chaque niveau et une répartition des compétences entre l'échelon local et l'échelon fédéral : généralement, le pouvoir fédéral exerce ses responsabilités dans les domaines de la défense, des relations internationales, ce qui suppose aussi des finances fédérales, mais, dans certaines fédérations au pouvoir central faible, comme dans le *Koinon* acarnanien avant 253, l'approbation de chaque membre est nécessaire pour valider un traité international. A l'intérieur de ces Etats fédéraux, les membres peuvent être des cités (comme en Achaïe ou en Béotie), des *Ethnè* comme dans le *Koinon* des Molosses, puis dans le *Koinon* des Epirotes, ou, parallèlement, des cités et des *Ethnè* comme en Etolie et en Acarnanie. Certaines fédérations peuvent placer à leur tête un roi comme chez les Molosses. Ces Etats possèdent une Assemblée populaire, dont les réunions se limitent bien souvent à deux par an, l'une au printemps, l'autre à l'automne, avant et après la campagne militaire de la belle saison, généralement un Conseil plus restreint qui assure le fonctionnement permanent du pouvoir central, un exécutif dirigé par un stratège (comme en Etolie, en Achaïe à partir de 255, en Epire après la disparition de la dynastie éacide en 232), voire par sept stratèges comme chez les Acarnaniens avant 253.

Le *Koinon* étolien a contribué à sauver le sanctuaire de Delphes du pillage que voulaient réaliser les envahisseurs celtes en 279 ; fondateur des Sôteria, il a imposé sa tutelle sur le sanctuaire et progressivement étendu son autorité sur la majeure partie de la Grèce centrale, depuis la moitié sud-orientale de l'Acarnanie jusqu'aux rives du canal de l'Eubée ; souvent en lutte contre la puissance macédonienne, les Etoliens prennent le parti romain en 212, mais la paix séparée de 206 détériore gravement leurs relations avec Rome. Sur la rive méridionale du golfe de Corinthe, le *Koinon* achéen, reconstitué vers 280, connaît un essor important à partir de 253 sous l'impulsion d'Aratos de Sicyone, chasse progressivement garnisons et tyrans à la solde de la Macédoine dans le Péloponnèse ; son but est l'unification du Péloponnèse au sein de la fédération achéenne, ce qui passe par la conquête de Sparte, réalisée après la chute de Nabis, pour une trentaine d'années seulement, puisque Rome favorise la renaissance d'un Etat lacédémonien autonome, ce qui conduit à la révolte des Achéens et à leur écrasement par Rome en 146.

Les grandes monarchies

Elles sont les héritières de l'Empire d'Alexandre, dont le partage a été laborieux puisqu'il a mis plus de quarante ans (323-277) avant de se régler durablement. Mais cette lenteur n'a pas atteint toutes les régions de la même façon : on peut dire que l'Egypte est, dès 323, le domaine de Ptolémée, fils de Lagos et fondateur de la dynastie lagide qui se prolonge jusqu'à la mort de Cléopâtre en 30 av. J.-C. ; le domaine de Séleucos, c'est-à-dire l'ensemble de l'Asie depuis la côte syrienne jusqu'à l'Indus, lui appartient également très tôt (l'ère séleucide débute en 312), mais c'est la bataille d'Ipsos, en 301, qui élimine le danger représenté par Antigone le Borgne ; la dynastie séleucide règne ainsi jusqu'en 64, date de la fondation de la province romaine de Syrie. C'est la dynastie antigonide enfin, qui dure le moins longtemps, puisque après des règnes éphémères d'Antigone le Borgne, puis de son fils Démétrios Poliorcète, le petit-fils, Antigone Gonatas, devient roi en Macédoine en 277, alors que Persée, dernier roi de cette dynastie, est destitué par Paul-Emile, après la bataille de Pydna en 168. A ces trois royaumes, il convient d'ajouter celui de Pergame, qui s'agrandit progressivement au IIIe siècle et surtout après la victoire romaine sur Antiochos III à Magnésie du Sipyle, en 189 ; le dernier roi attalide lègue son royaume au peuple romain, en 133, ce qui donne naissance à la province d'Asie.

Ces monarchies peuvent, suivant la terminologie utilisée par A. Aymard, se diviser en monarchies nationales et en monarchies personnelles. Il est certain qu'à partir de 277 les Antigonides qui règnent sur la Macédoine s'efforcent de renouer avec la tradition de la dynastie argéade : c'est un roi macédonien, qui règne sur son peuple dont il respecte les traditions ; il est acclamé par le peuple à son avènement et ne peut gouverner comme un monarque absolu. Il en va autrement dans les royaumes lagide et séleucide, domaines qui ont été conquis par Alexandre à la pointe de l'épée ; la royauté est celle du conquérant, appuyé par un nombre restreint de Gréco-Macédoniens, surimposés à la population indigène ; ce roi conquérant est très rapidement assimilé par les indigènes aux souverains antérieurs, c'est-à-dire qu'en Egypte les rois lagides sont considérés comme de nouveaux pharaons, tandis que les séleucides sont les héritiers des rois de Babylone. Le British Museum conserve une statue d'un Ptolémée non identifié des environs de 200 av. J.-C., représenté dans les formes traditionnelles des pharaons, avec une pose raide et hiératique, seul le visage appartient à un type nouveau.

Pendant tout le IIIe siècle, les rois lagides gouvernent en s'appuyant seulement sur les colons gréco-macédoniens ; le pays est soigneusement exploité pour enrichir le souverain, par un système qu'Edouard Will a justement qualifié de mercantilisme d'Etat, par comparaison avec la politique de Colbert : toute une administration organise la mise en culture des terres, impose les assolements, prélève les impôts en nature, fournissant ainsi au souverain une grande quantité de froment dont l'exportation, par l'intermédiaire des Rhodiens, approvisionne les caisses de l'Etat et lui procure dès lors les moyens d'une grande politique, en Grèce (guerre de Chrémonidès notamment), dans les Cyclades, et en Syrie (à travers les nombreuses guerres contre les Séleucides). L'Egypte reste un pays rural, avec seulement trois cités (Alexandrie, Naucratis et Memphis). L'apogée correspond au règne de Ptolémée II Philadelphe (283-246). La situation se détériore dès la bataille de Raphia (217) remportée par le roi lagide grâce à la mobilisation de soldats indigènes ; la cinquième guerre de Syrie (201-195) aboutit à la perte de la Syrie méridionale et de la Palestine. Le deuxième siècle voit l'intervention fréquente des légats romains dans les querelles dynastiques à Alexandrie.

Le royaume séleucide est très différent : en raison de son extension, il manque d'unité et progressivement de vastes étendues échappent à l'autorité des rois séleucides, aux confins de l'Inde, puis en Bactriane. D'autre part, il est parsemé de très nombreuses cités fondées par Alexandre ou par les premiers Séleucides (avec des noms de souverains comme les Alexandrie, Antioche, Séleucie, Laodicée, ou des noms macédoniens) ; ces cités, organisées exactement comme en Grèce propre, contribuent à limiter quelque peu le pouvoir royal, mais favorisent l'hellénisation des populations locales. Hors du territoire des cités, la mise en valeur du royaume repose sur les paysans royaux (*laoi basilikoi*), qui sont étroitement liés à la terre qu'ils cultivent et aux villages établis près de ces exploitations dont les habitants suivent complètement le sort : la vente ou la donation d'une terre par le roi entraîne vente ou donation des paysans qui la travaillent (cf. encadré p. 151).

La faiblesse du monde hellénistique

L'histoire du dernier tiers du IIIe siècle et du IIe siècle av. J.-C. révèle une grande fragilité du monde hellénistique, qui couvre pourtant la majeure partie des terres connues de cette époque. Certes, il ne manifeste aucun souci de son unité face au monde extérieur ; les divisions internes sont permanentes, que ce soit entre grandes royaumes (guerres de Syrie, par exemple, qui opposent Lagides et Séleucides) ou entre petits Etats de la Grèce continentale (guerres incessantes des *Koina* étolien et achéen, entre eux ou contre la Macédoine antigonide) ; Rhodes, Pergame, Athènes sont toujours prêts à appeler Rome à l'aide pour lutter contre Philippe V, Persée ou Antiochos III ; les Etoliens font de même. Dans ces conditions, il n'est pas surprenant de voir Rome intervenir de plus en plus fréquemment dans les affaires grecques, à partir de 229 ; cela ne signifie pas que, dès cette année-là, on doive prêter au Sénat romain une politique déterminée de conquête du monde hellénistique ; M. Holleaux, *Rome, la Grèce et les monarchies hellénistiques au IIIe siècle av. J.-C.,* Paris, 1921, a bien montré qu'on ne peut pas parler d'impérialisme romain trop tôt, ce qui supposerait une volonté délibérée et continue de conquête de l'Est méditerranéen. Le Sénat romain n'est pas un corps monolithique, des courants divers s'efforcent d'orienter la politique romaine tantôt vers la Gaule cisalpine, la Sicile ou l'Espagne, tantôt vers la rive orientale de l'Adriatique. Le rattachement des dernières cités autonomes de la Grande Grèce (Tarente en 272), la fondation de colonies romaines sur la côte adriatique (Brundisium vers 244) donnent un certain poids aux intérêts des marchands et des armateurs qui fréquentent la

VIE RELIGIEUSE ET ACCULTURATION :
HELLÉNISME ET JUDAÏSME

Dans un livre récent, *Ioudaïsmos — Hellenismos, essai sur le judaïsme judéen à l'époque hellénistique*, Nancy, 1986, Edouard Will et Claude Orrieux ont bien montré les effets de la diffusion de la culture grecque dans le monde conquis par Alexandre, et particulièrement en Palestine, au point de séparer les Juifs en Hellénistes et en Hébreux, comme le notent les *Actes des Apôtres*, 6, 1 ; c'est pour eux l'occasion de chercher à comprendre comment les porteurs du judaïsme ont perçu cette culture étrangère, l'hellénisme, ce qui pose aussi le problème plus général de l'attitude des dominés face à la culture dominante, attitude qui peut aller d'une acceptation active à un rejet total et à une opposition tout aussi active marquée par le recours au rigorisme religieux.

Grecs et Juifs s'opposent sur beaucoup de points : polythéisme naturellement tolérant d'un côté, monothéisme exclusif de l'autre ; l'histoire juive a un début et un sens, elle est théocratique, alors que, pour les Grecs, l'histoire n'est pas orientée vers une fin déterminée. L'exil à Babylone a bouleversé cette histoire et, au retour, des rois étrangers (achéménides, puis macédoniens) imposent leur autorité au peuple juif qui vit dans l'attente d'un avenir transcendant l'histoire.

Avec les rois lagides qui tiennent la Syrie-Phénicie jusqu'à la fin du IIIe siècle av. J.-C., *l'ethnos* des Juifs bénéficie d'un statut particulier sous l'autorité du grand prêtre assisté du Conseil des Anciens. La famille des Tobiades fournit un bon exemple de l'aristocratie juive qui s'ouvre au monde ; les papyrus de Zénon montrent celui-ci fréquentant vers 260-255 les terres de Toubias, sans doute le père de Joseph, fils de Tobie, dont Flavius Josèphe rapporte l'histoire : riche seigneur juif sur ses terres de Transjordanie, il écrit en grec à Apollonios et au roi Ptolémée Sôter, rend grâce « aux dieux » et fait le trafic d'esclaves, même circoncis ; c'est le premier exemple de Juif hellénisé.

La situation se dégrade rapidement à l'arrivée d'Antiochos III, vainqueur de l'Egypte lagide en 200 et surtout à l'avènement de son fils cadet, Antiochos IV, en 175. La création à Jérusalem d'un gymnase s'accompagne de la fondation d'une cité, une Antioche rassemblant les Juifs hellénisés, en face des Juifs fidèles à leurs traditions. *Le Premier Livre des Maccabées*, 1, 41 rapporte l'édit royal prescrivant l'hellénisation forcée du pays : « Le roi écrivit à tout son royaume l'ordre de former tous un seul peuple et d'abandonner chacun ses propres coutumes. Toutes les nations acceptèrent de se conformer à l'ordre du roi et beaucoup en Israël furent favorables à son culte, sacrifièrent aux idoles et profanèrent le sabbat. » Le soulèvement des Maccabées est dirigé contre la garnison séleucide, contre les Juifs hellénisés et contre les ralliés après publication de l'édit ; c'est la ville indigène contre la *polis*. Une acculturation lente, comme celle qui était en cours sous l'autorité des rois lagides (c'est l'époque de la traduction en grec de la Bible par les Septante), avait cheminé sans crise ; la maladresse des Séleucides, conjuguée avec la volonté de certains Juifs de se faire vraiment Grecs, a provoqué l'explosion et le recul de l'autorité royale. C'est, ici, un exemple extrême, mais l'acculturation se réalisait partout et souvent sans une telle résistance.

(On trouvera une introduction à l'histoire du judaïsme avec la contribution de Pierre Vidal-Naquet, « Les Juifs entre l'Etat et l'apocalypse », dans Claude Nicolet, *Rome et la conquête du monde méditerranéen*, tome II, Paris, Nouvelle Clio, PUF, réed. 1989, p. 846-882. Sur Flavius Josèphe, lire Pierre Vidal-Naquet, « Du bon usage de la trahison », préface à *La Guerre des Juifs*, trad. Pierre Savinel, Editions de minuit, Paris, 1977.)

côte épirote et illyrienne ; Polybe, II, 8, 1-2, rapporte comment les Illyriens, parallèlement à la prise de Phoiniké, interceptent les marchands italiens, les dépouillent, les massacrent ou les emmènent en captivité. Il ne s'agit pas de dire que Rome intervient pour préserver les intérêts économiques en jeu, qui n'ont que peu d'influence auprès du Sénat ; mais celui-ci ne peut laisser des citoyens romains malmenés de cette façon et intervient en 229 pour punir les agresseurs.

Dix ans plus tard, Rome revient à la charge contre Démétrios de Pharos qui a violé le traité, en intervenant au sud de Lissos avec une flotte nombreuse, mais c'est encore une action ponctuelle, d'autant que les affaires d'Espagne et la menace carthaginoise sont autrement importantes pour l'avenir immédiat de Rome. C'est sans doute, avec la deuxième guerre de Macédoine (200-197) que Rome s'engage plus énergiquement dans les affaires grecques, mais on doit néanmoins souligner l'opposition entre deux politiques à l'égard des Grecs : Flamininus fait adopter une politique de liberté rendue aux Etats grecs et d'évacuation de la Grèce par les légions romaines ; deux ans après leur départ, Rome est à nouveau présente en Grèce pour lutter contre Antiochos III et ses alliés étoliens ; c'est la preuve de l'échec de la politique de confiance et les Scipions préconisent une politique de présence romaine bien plus pesante. J.-L. Ferrary, *Philhellénisme et impérialisme. Aspects idéologiques de la conquête romaine du monde hellénistique de la seconde guerre de Macédoine à la guerre contre Mithridate,* Rome, 1988, s'intéresse surtout à la façon dont les Romains ont présenté leur politique et ont voulu qu'elle soit interprétée ; il montre comment le philhellénisme romain a servi à promouvoir l'hégémonie romaine sur la Grèce, avant de la légitimer ; il ajoute :« Le philhellénisme romain ne fut pas seulement un phénomène culturel d'une importance capitale en ce qu'il présida à la naissance et à l'épanouissement d'une littérature de langue latine à la fois originale et médiatrice de la tradition culturelle grecque ; il permit aussi de rendre plus acceptable pour les Grecs le principe de la domination romaine » (op. cit., p. 623). La supériorité culturelle grecque faisait de sa civilisation la seule civilisation antique dans le bassin méditerranéen et il ne pouvait venir à l'idée des Romains d'en développer une autre qui soit originale ; comme on l'a déjà dit, elle imprègne profondément la Rome du IIe siècle av. J.-C.

Reste à comprendre la victoire complète de Rome sur le monde hellénistique, qui ne doit pas être seulement expliquée par la supériorité de la légion romaine sur la phalange macédonienne, ou par la qualité de l'épée espagnole. Avec le recul des siècles, le triomphe romain apparaît facile ; dans la réalité, il convient de souligner les campagnes difficiles que les légions romaines ont connues dans les années 200, 199, et, plus tard, dans les années 171-169 ; la bataille de Magnésie du Sipyle avait fort mal commencé et aurait pu s'achever sur un désastre pour Rome sans les maladresses d'Antiochos III. C'est la ténacité romaine, ajoutée souvent à la valeur du commandement et des troupes très expérimentées, qui permet de surmonter les échecs et, finalement, de vaincre successivement les rois antigonides, les Séleucides tandis que le pouvoir lagide s'effrite tout seul.

5 Les grandes étapes de l'Antiquité : le monde romain

TRAITS PRINCIPAUX DE LA RÉPUBLIQUE ROMAINE

Deux pistes sont à privilégier dans l'étude de cette longue période de l'histoire romaine qui va de la chute de la royauté (509) à la bataille d'Actium (31) qui annonce la mise en place du principat d'Auguste : l'une suit l'évolution intérieure de la cité romaine, l'autre accompagne l'extension de Rome à l'Italie, puis au bassin méditerranéen et au-delà ; ces deux transformations sont, évidemment, simultanées et ont des effets l'une sur l'autre ; c'est seulement pour la commodité de l'analyse qu'il est permis de les distinguer.

L'évolution intérieure de la cité romaine :

• *Patriciens et Plébéiens* : après la chute de la royauté, le patriciat confisque le pouvoir en monopolisant le Sénat, les prêtrises et les magistratures, en s'appuyant sur les Comices centuriates. Les soldats plébéiens font sécession en 494 sur l'Aventin, sans doute pour protester contre l'esclavage pour dettes, la détérioration de leur situation sociale et économique et l'absence de rôle politique. La création des tribuns de la plèbe est une première réponse à ces revendications ; en 451-450, une commission de décemvirs est chargée de la rédaction de lois nouvelles, *la Loi des XII Tables*, à l'imitation des codes en usage dans les cités grecques, notamment de Grande Grèce ; mais la tentative de prolongation du mandat des décemvirs fait craindre une tentative de tyrannie ; le résultat est néanmoins positif, puisque dès lors le droit peut être connu de tous. La lutte pour l'égalité politique se prolonge jusqu'en 367, date à laquelle les tribuns de la plèbe Licinius et Sextius obtiennent le partage du consulat entre un patricien et un plébéien. Enfin, en 287, la loi Hortensia assimile les décisions de la plèbe (plébiscites) à des lois ; la plèbe est organisée en comices tributes dont les membres sont répartis en fonction de leur résidence et non de leur fortune. Ces comices tributes, qui comptent 35 tribus (4 urbaines et 31 rurales), ont, dès lors, l'essentiel de l'activité législative, tandis que les comices centuriates gardent l'élection des consuls, du préteur, des censeurs et la responsabilité de la déclaration de guerre. (Voir M. Humbert, *Institutions politiques et sociales de l'Antiquité*, Précis Dalloz, 2e éd. 1986, très commode.)

• *Transformations de la société romaine* : progressivement les grandes familles patriciennes et plébéiennes se réunissent dans la *nobilitas*, qui possède la richesse foncière, les compétences militaires, les clientèles et le pouvoir par le Sénat. Le

CHRONOLOGIE DE LA RÉPUBLIQUE ROMAINE

509	Chute de la monarchie à Rome.
504	Porsenna prend Rome.
499	Bataille du lac Régille.
494	Sécession de la plèbe sur le mont Sacré ; institution des tribuns de la plèbe.
491	Siège de Rome par les Volsques ; Coriolan.
482-74	Première guerre entre Rome et Véies.
451-49	Les décemvirs, la Loi des XII Tables.
438-25	Deuxième guerre de Véies.
400	Le premier plébéien parvient au tribunat militaire. Entrée des plébéiens au Sénat.
396	Prise de Véies par les Romains.
390	Prise de Rome par les Celtes.
366	Premier consulat plébéien.
343-41	Première guerre samnite.
335	Fondation d'Ostie.
326	Seconde guerre samnite.
321	Les Fourches Caudines.
312	Censure d'Appius Claudius Caecus.
298-91	Troisième guerre samnite, qui se termine par la soumission définitive des Samnites.
287	Loi Hortensia qui assimile les décisions de la plèbe (plébiscites) à des lois.
280-75	Guerre contre Pyrrhos.
272	Tarente se livre aux Romains.
264-41	Première guerre punique : la Sicile devient romaine.
237	Carthage cède aussi la Corse et la Sardaigne aux Romains.
229-28	Première guerre d'Illyrie.
219	Deuxième guerre romaine en Illyrie.
219-01	Deuxième guerre punique : batailles de la Trébie (218), du lac Trasimène (217), de Cannes et défection de Capoue (216), du Métaure (207) ; Scipion en Afrique (204) et bataille de Zama (202).
215	Alliance d'Hannibal et de Philippe V de Macédoine.
215-05	Première guerre de Macédoine.
212	Traité d'alliance romano-étolien.
212-11	Siège de Syracuse par Marcellus ; mort d'Archimède.
200-197	Deuxième guerre de Macédoine.
197-77	Pacification de la Gaule cisalpine.
191-89	Guerre de Rome contre Antiochos III et les Etoliens.
186	Affaire des Bacchanales.
172-168	Troisième guerre de Macédoine.
149-146	Troisième guerre punique.
149-41	Guerre contre Viriathe en Espagne.
148	La Macédoine est réduite en province.
146	Destruction de Corinthe et de Carthage.
133	Tribunat et mort de Tibérius Gracchus ; destruction de Numance. Mort d'Attale III qui lègue le royaume de Pergame aux Romains.
129	Organisation de la province d'Asie.
125	Révolte et destruction de Frégelles.
123-22	Tribunat de Caius Gracchus.
122	Fondation d'Aquae Sextiae (Aix-en-Provence).
121	Organisation de la province de Narbonnaise.
112-05	Guerre contre Jugurtha en Numidie.
107	Premier consulat de Marius.
102	Victoire de Marius contre les Teutons à Aix.
101	Victoire de Marius contre les Cimbres à Verceil.
91-88	Guerre sociale.
88	Guerre contre Mithridate Eupator, roi du Pont ; massacre des Italiens en Asie.
87	Proscription et mort de Marius.
83-82	Conquête de l'Italie par Sylla ; les proscriptions.
81-79	Réforme de la constitution par Sylla.
79	Abdication de Sylla.
77-71	Campagnes de Pompée contre Sertorius en Espagne.
73-71	Révolte de Spartacus.
70	Consulat de Pompée et Crassus ; procès de Verrès.
67	Guerre de Pompée contre les pirates ; fondation de la province de Crète-Cyrénaïque.

63	Consulat de Cicéron ; conjuration de Catilina ; organisation de la province de Syrie. ~SECRET
60	Formation du premier Triumvirat : César, Pompée, Crassus.
59	Consulat de César, qui passe en Gaule avec des pouvoirs exceptionnels.
58	Exil de Cicéron.
58-51	La guerre des Gaules : Gergovie et Alésia (52).
56	Entrevue de Lucques entre les triumvirs.
53	Bataille de Carrhes contre les Parthes, mort de Crassus.
52	Pompée seul consul ; rupture avec César.
49	César franchit le Rubicon ; siège et prise de Marseille. Début de la guerre civile.
48	Siège de Dyrrachium ; bataille de Pharsale ; fuite et mort de Pompée en Egypte.
44	Assassinat de César. ~Public
43	Formation du second Triumvirat : Octavien, Antoine et Lépide ; les proscriptions.
42	Bataille de Philippes contre Cassius et Brutus.
41-0	Guerre de Pérouse suivie de la paix de Brindes entre les triumvirs.
31	Bataille d'Actium.
30	Conquête de l'Egypte par Octave ; mort d'Antoine et de Cléopâtre.

partage des magistratures étant acquis, l'opposition entre patriciens et plébéiens n'a plus de raison d'être. Une oligarchie de citoyens riches et influents se met en place, parallèlement à un accroissement du nombre des citoyens romains, cette citoyenneté correspondant plus à l'attribution de droits civils personnels qu'à un véritable rôle politique.

Les guerres, nombreuses entre 265 et 167, contribuent grandement à la transformation de la société romaine par l'afflux de richesses, d'esclaves, par l'extension des marchés, par la pénétration profonde de la culture grecque. La seconde guerre punique a ravagé l'Italie et a entraîné une redistribution des terres confisquées aux alliés passés aux Carthaginois. Les paysans italiens ont fourni la majeure partie des effectifs des légions romaines, dont les pertes ont été considérables. Le vaste domaine devient courant, avec l'emploi d'une main-d'œuvre servile et une production diversifiée de céréales, de vin, d'huile, de bovins et d'ovins ; la plaine du Pô offre des possibilités de mise en culture bien supérieures à celles des régions montagneuses de la péninsule.

Les opérations militaires en Grèce et en Orient, les échanges des *negotiatores* italiens à Rhodes, à Délos et dans tout l'Orient, le transfert en Italie de prisonniers, d'otages comme Polybe et ses nombreux compagnons qui vivent parfois dans l'entourage de grandes familles — celle de Scipion Emilien dans le cas de Polybe — favorisent la pénétration de l'hellénisme à Rome (on utilisera encore J. Hatzfeld, *Les Trafiquants italiens dans l'Orient hellénistique*, Paris, 1919) ; le pillage même de la Grèce par les généraux romains (M. Fulvius Nobilior à Ambracie en 189, Paul-Emile en 167, L. Mummius à Corinthe en 146 et plus tard Sylla) révèle aux Romains les qualités artistiques des sculpteurs grecs et, encore à l'époque de Trajan, la correspondance entre Pline le Jeune et l'Empereur montre bien que c'est d'Orient que vient tout bon architecte, comme tout bon médecin. Les maisons romaines s'adaptent à cette nouvelle architecture inspirée directement des maisons grecques, tandis que l'enseignement des philosophes grecs pénètre dans toute l'aristocratie romaine ; la formation des Gracques par un maître stoïcien en est un bon exemple. (Pour l'influence grecque sur l'action oratoire de Caius Gracchus, on peut se reporter à Jean-Michel David, « L'action oratoire de C. Gracchus : l'image d'un modèle », dans s.d. Claude Nicolet, *Demokratia et Aristokratia*, Paris, 1983, p.103-116.)

Dans le domaine religieux, des emprunts nombreux sont faits au monde oriental : en 204, installation sur le Palatin de la pierre de Pessinonte, transportée de Phrygie, comme représentation du culte de Cybèle ; développement du culte de Bacchus, qui a fait l'objet d'une étude nouvelle fort intéressante (J.-M. Pailler, *Bacchanalia. La Répression de 186 av. J.-C. à Rome et en Italie*, EFR, Rome, 1988) : la seule interprétation de Tite-Live, XXXIX, 8-19, prête au Sénat et aux consuls la volonté de réprimer une « conjuration clandestine » touchant plus de sept mille personnes pratiquant des rites secrets et nocturnes qui « se répandirent comme une épidémie de l'Etrurie jusqu'à Rome » ; elle est sans doute trop simple et n'explique ni le succès de ces rites ni l'inquiétude suscitée. Réaction nationale contre une hellénisation jugée dangereuse, rôle de la Campanie, de Capoue, de Tarente et de l'Etrurie dans cet apport dionysiaque ? Autant d'interrogations qui méritent d'être posées, pour comprendre la complexité de l'affaire des Bacchanales.

● *La question agraire et l'échec des Gracques*. Après 167, la situation de l'agriculture italienne se détériore ; l'*ager publicus* (terres publiques), important en Italie, est accaparé par de grands propriétaires, tandis que la classe moyenne s'affaiblit, ce qui pose des problèmes pour le recrutement de l'armée, et alors que la plèbe urbaine s'accroît. Tibérius et Caius Gracchus, fils du consul Sempronius Gracchus et de Cornelia, fille de Scipion l'Africain, exercent le tribunat de la plèbe en 133 pour Tiberius, en 123 et 122 pour Caius. Tiberius fait adopter une loi agraire, limitant la part de l'ager publicus attribuée à chacun et redistribuant les terres disponibles aux citoyens pauvres, mais doit faire déposer le tribun Octavius qui s'opposait à la loi. L'opposition des riches aboutit à l'assassinat de Tiberius. Son frère Caius est élu tribun pour l'année 123 ; il complète le programme social de son frère par un programme politique, en prévoyant la création de nouvelles colonies pour accueillir des citoyens pauvres, la distribution de blé à prix réduit aux habitants de Rome et la mise en chantier de grands travaux publics en Italie. Pour obtenir l'appui des chevaliers, il leur laisse la ferme des impôts de la province d'Asie (ancien royaume de Pergame) et la participation aux jurys chargés de trancher les conflits entre gouverneurs de province et provinciaux. Réélu pour l'année 122, Caius fait voter l'octroi de la cité romaine aux Latins et celui de la cité latine aux autres Italiens. La réaction aristocratique interdit une troisième élection de Caius qui périt avec trois mille de ses partisans ; la loi agraire est effacée dans les années suivantes.

● *La personnalisation du pouvoir, de Marius à César*. Rome traverse, à partir de 107, date du premier consulat de Marius et jusqu'au principat d'Auguste, une période très troublée durant laquelle le pouvoir est tour à tour accaparé par quelques chefs de guerre, peu respectueux des institutions de la République.

Marius, issu de l'ordre équestre, s'impose par ses succès militaires (capture de Jugurtha en 105, victoires d'Aix et de Verceil sur les Teutons et les Cimbres) ; réélu consul cinq ans de suite, il réalise une réforme de l'armée permettant le recrutement des prolétaires volontaires, ce qui assure des effectifs réguliers, mais resserre les liens entre cette armée et ses chefs chargés d'assurer le butin sur lequel comptent les soldats. De 91 à 88, la guerre des alliés prouve que les revendications des Italiens n'ont pu être satisfaites par la négociation ; il a fallu de très nombreux morts pour que la majorité des Italiens reçoive la citoyenneté romaine ; la guerre contre Mithridate Eupator et le massacre des Italiens d'Asie accroissent encore les difficultés de Rome.

Sylla, consul en 88, réalise le premier coup d'Etat militaire, en marchant de Campanie sur Rome avec son armée. Marius doit s'enfuir tandis que Sylla prend le commandement de l'armée d'Asie pour lutter contre Mithridate. Vainqueur en Grèce, il contraint Mithridate à traiter et regagne l'Italie en 83. Si Marius est mort en 86, ses partisans tiennent Rome avec quarante-cinq légions ; Sylla réussit à reconquérir l'Italie du Sud puis Rome avant de détruire les derniers marianistes en 82. Nommé dictateur par plébiscite, il entreprend des proscriptions nombreuses ; selon François Hinard, *Sylla*, Paris, 1985 et aussi *Les Proscriptions de la Rome républicaine*, Rome, 1985, 520 noms de proscrits ont été affichés. Il modifie ensuite la constitution en doublant les effectifs du Sénat par l'incorporation de trois cents chevaliers pris parmi ses partisans, en confinant les tribuns de la plèbe dans la seule défense des citoyens et en les rendant inéligibles à d'autres magistratures ; il régularise le *cursus honorum* au bénéfice de l'ancienneté (on ne peut devenir consul avant quarante-deux ans). Sur les terres confisquées, il établit 120 000 vétérans en Italie. « Monarchie manquée », selon l'expression de J. Carcopino, ou simplement œuvre de circonstance, chaque réforme visant à atteindre un ennemi, la dictature de Sylla continue à susciter des interprétations diverses, tout comme son abdication soudaine en 79, un an avant sa mort.

Pompée (106-48) est l'homme fort de Rome, après la mort de Sylla ; les difficultés sont multiples : révolte de l'Espagne romaine sous les ordres de Sertorius, un des lieutenants de Marius, coup de force du consul Lépidus en Italie vaincu par Pompée, reprise des menées de Mithridate Eupator en Orient, enfin révolte de Spartacus (73-71). Crassus vient à bout de la révolte d'esclaves, tandis que Pompée soumet l'Espagne (71). Elus consuls pour l'année 70, Pompée et Crassus annulent les principales dispositions des réformes syllaniennes, en redonnant les prérogatives traditionnelles aux tribuns, en révisant la liste des sénateurs et en favorisant les poursuites contre les gouverneurs malhonnêtes (procès de Verrès, ancien gouverneur de Sicile, poursuivi par Cicéron, jeune avocat au service de Pompée). Après son consulat, Pompée mène avec succès la guerre contre les pirates (67), puis reçoit le commandement contre Mithridate qu'il sépare de ses alliés arméniens et parthes et conquiert la Syrie, c'est-à-dire met fin au royaume séleucide, alors que Mithridate meurt en 63. Durant sa longue absence de Rome, de nouvelles ambitions se manifestent, notamment celles de César. Le consulat de Cicéron en 63 permet de venir à bout de la conjuration de Catilina, qui témoigne du malaise de la société romaine, au moment du retour de Pompée. L'entente entre César, Crassus et Pompée aboutit à la conclusion du premier triumvirat, qui est simplement un pacte privé entre ces trois hommes puissants. César est élu consul pour l'année 59.

César (102-44) demeure l'un des triumvirs jusqu'à la mort de Crassus face aux Parthes en 53 et l'entente avec Pompée se prolonge jusqu'au début de la guerre civile en 49. Retenu en Gaule pendant huit ans, il ne peut empêcher la désignation de Pompée comme consul unique en 52 ; en janvier 49, il franchit la frontière de la Gaule cisalpine, le Rubicon pour marcher sur Rome. C'est le début de la guerre civile ; il ne dispose que des provinces de Gaules cisalpine et transalpine et réussit en deux mois la reconquête de Rome et de l'Italie, avant de se lancer à celle des provinces qui le retient quatre ans. Six mois séparent ensuite la fin de la seconde campagne d'Espagne et l'assassinat de César. Dans un premier temps, Pompée se retire en Epire et César part en Espagne puis reprend Marseille qui a choisi le camp pompéien (49) ; l'année suivante, après une guerre de siège devant Dyrrachium, César est vainqueur de Pompée à Pharsale en Thessalie ; Pompée est assassiné en Egypte. César soumet l'Egypte et fait campagne contre Pharnace en Asie Mineure (47), avant de vaincre les Pompéiens à Thapsus et de soumettre les provinces africaines ; les derniers Pompéiens sont vaincus à Munda en Espagne et César rentre à Rome. Son pouvoir repose sur une dictature exceptionnelle, comme celle de Sylla ; aspire-t-il à la royauté ? C'est au moins ce que ses adversaires prétendent après son assassinat le 15 mars 44 ; il a su reconstituer le Sénat vidé de beaucoup de ses membres par la guerre civile et s'appuyer sur la plèbe urbaine. (La biographie la plus récente de César est celle par Christian Meier, traduite aux éditions du Seuil, Paris, 1989 ; pour une étude du « césarisme » et de l'utilisation par César de son image — au sens que les Romains donnaient au mot *fama* —, on peut se reporter à l'étude stimulante de Zvi Yavetz, *César et son image*, Les Belles-Lettres, Paris, 1990.)

Un deuxième triumvirat réunit Octavien, fils adoptif de César, le consul Marc-Antoine et le maître de cavalerie Lépide ; il est organisé comme un pouvoir légal, mais le partage réel de l'Empire, entre l'Orient contrôlé par Marc-Antoine et l'Occident rallié à Octavien ne peut se prolonger et la bataille d'Actium marque la victoire d'Octave sur son adversaire et sur la dernière reine lagide.

L'extension de Rome : de la cité à l'Empire

Sans développer longuement cette conquête militaire conduite par Rome, on peut la résumer en trois étapes principales :

• *La conquête de l'Italie*. Rome a lutté successivement contre les peuples du Latium, contre les Etrusques affaiblis par les interventions grecques et par la pression gauloise, et contre les Samnites, avant d'absorber toute la Grande Grèce (jusqu'à la reddition de Tarente en 272). A cette date, Rome est maîtresse de l'Italie centrale et méridionale, mais bien des conquêtes demeurent fragiles, comme les Romains le constatent cruellement lors de l'intervention d'Hannibal en Italie.

• *Les guerres puniques*. Elles constituent la deuxième étape de l'extension de Rome : pour le contrôle de la Méditerranée occidentale et, d'abord, de la mer Tyrrhénienne, Rome entre en concurrence avec Carthage qui tient la majeure partie de la Sicile, la Sardaigne et qui a la maîtrise de la mer. Au cours de la première guerre punique (264-241), Rome éprouve beaucoup de difficultés à l'emporter : après une première phase favorable en Sicile et même en Afrique, le consul Régulus est vaincu et capturé à la bataille de Tunis (255) grâce aux talents du Lacédémonien Xanthippe qui commande l'armée carthaginoise ; il faut attendre la bataille des îles Egates en 241 pour que Carthage accepte de traiter et renonce à la Sicile qui devient romaine, à l'exception de Syracuse alliée à Rome, sous son roi Hiéron II ; l'année suivante, Rome s'empare de la Sardaigne et de la Corse.

La seconde guerre punique (218-201) est précédée par l'extension de la puissance carthaginoise en Espagne au sud de l'Ebre et la fondation de Carthagène.

L'expédition d'Hannibal en Italie fait trembler Rome dont les armées subissent échec sur échec : sur les bords de la Trébie (218), au lac Trasimène (217), ralliant les Gaulois cisalpins ; en 216, Hannibal est à nouveau vainqueur à Cannes en Apulie, et une grande partie de l'Italie du Sud jusqu'à la Campanie se rallie à Hannibal, qui s'établit à Capoue. Mais les renforts envoyés par Carthage tardent à venir en raison de l'activité romaine en Espagne ; Rome remporte quelques succès : prise de Syracuse en 212, reprise de Capoue en 211 et de Tarente en 210. Surtout, en 207, les renforts carthaginois, conduits par Hasdrubal, sont écrasés à la bataille du Métaure. Hannibal reste isolé en Italie du Sud, tandis que Cornélius Scipion conquiert l'Espagne punique, puis passe en Afrique ; Hannibal, rentré en Afrique, est battu en 202 à Zama. A la paix de 201, Carthage renonce complètement à l'Espagne et à toutes ses possessions hors d'Afrique, comme à sa flotte ; en Afrique même, elle est surveillée par le royaume numide de Massinissa, allié de Rome.

La troisième guerre punique (149-146) est le fruit des campagnes de Caton en faveur de la destruction de Carthage ; profitant d'un conflit entre Massinissa et Carthage, le Sénat romain impose de telles conditions que les Carthaginois tentent une résistance désespérée. Scipion Emilien pousse le siège et ordonne la destruction complète de la ville. Son territoire constitue une nouvelle province, celle d'Afrique.

● *L'attrait de l'Orient.* Parallèlement aux guerres puniques, Rome s'est intéressée au bassin oriental de la Méditerranée, à partir de 229, sans plan préconçu au départ. Ce sont, d'abord, les deux guerres d'Illyrie, puis la première guerre de Macédoine, menée essentiellement par l'intermédiaire des Etoliens. C'est seulement après Zama que Rome paraît décidée à intervenir plus durablement en Grèce ; comme on l'a déjà noté dans l'étude de la Grèce hellénistique, la deuxième guerre de Macédoine engage profondément les Romains dans le règlement des affaires grecques, même si, en 196, Flamininus fait décider l'octroi de la liberté aux Grecs et l'évacuation des légions romaines. L'intervention d'Antiochos III en 192 en Grèce entraîne Rome jusqu'en Asie Mineure ; elle se lie avec Pergame et les Rhodiens et ne peut laisser l'Egypte lagide s'écrouler. La troisième guerre de Macédoine (172-168) permet de faire disparaître la monarchie antigonide et, après la tentative d'Andriscos de se faire passer pour fils naturel de Persée (149-148), la Macédoine devient province romaine, tandis que l'écrasement de la révolte des Achéens et la destruction de Corinthe (146) font de la Grèce une dépendance romaine.

En Asie Mineure, Rome combat les Galates dès 189 et oblige les rois de Cappadoce et de Bithynie à lui payer tribut ; en 133, Attale III lègue le royaume de Pergame au peuple romain, il devient en 129 la province d'Asie. Mithridate Eupator a détruit largement l'œuvre de Rome en Asie Mineure et les pertes en vies humaines, comme les destructions, ont été énormes, mais Rome finit par l'emporter, sans régler toutefois définitivement le sort de l'Arménie, du fait de l'opposition parthe. Pompée crée la province de Syrie sur les ruines du royaume séleucide en 64 ; Nicomède III a légué la Bithynie au peuple romain en 74, comme Ptolémée Apion le fait pour Cyrène, la même année. L'Egypte ne tombe qu'en 30 aux mains d'Octave.

● *L'Espagne et la Gaule.* Si Rome s'intéresse à l'Espagne dès avant la seconde guerre punique, c'est durant celle-ci qu'elle entreprend une conquête systématique destinée à chasser le Carthaginois de la péninsule Ibérique : en 209, Carthagène est prise, bientôt suivie par Gadès, et en 197 deux provinces sont organisées, l'Espagne citérieure au Nord, l'Espagne ultérieure au Sud. Mais Lusitaniens et Celtibères n'acceptent pas cette conquête et la guerre se poursuit durant dix-huit ans, avec notamment les campagnes de Caton en 195 et de Sempronius Gracchus en 178. Une nouvelle insurrection éclate en 149, conduite par Viriathe et, même s'il est assassiné en 140, Numance résiste jusqu'en 133. C'est Auguste qui achève la pacification de l'Espagne.

La Gaule cisalpine a fait l'objet d'une première colonisation avant la seconde guerre punique : fondation des colonies de Plaisance et Crémone en 219, mais le passage d'Hannibal n'a rien laissé subsister de cette première conquête. En 192, les Boïens signent la paix et s'expatrient, les Insubres se soumettent tandis que les Ligures résistent jusqu'en 163 ; à l'est la fondation d'Aquilée en 181 et la conquête de l'Istrie en 177 marquent la progression romaine. Au-delà des Alpes, Rome commence par soutenir la cité grecque de Marseille contre les indigènes ; c'est en 123 que commence la conquête ; la fondation d'Aquae Sextiae (Aix) en 122 et celle de Narbonne en 118 précèdent la création de la province de Narbonnaise. C'est ensuite l'œuvre de César de réaliser la conquête de la Gaule chevelue et de franchir, au moins temporairement, le Rhin et la Manche.

A la fin de la République, Rome étend son Empire sur quatorze provinces :
– huit en Europe : la Gaule narbonnaise, l'Espagne citérieure, l'Espagne ultérieure, la Gaule cisalpine, la Sardaigne et la Corse, la Sicile, l'Illyricum, la Macédoine ;
– quatre en Asie : l'Asie, la Bithynie, la Cilicie, la Syrie ;
– deux en Afrique : l'Afrique, la Cyrénaïque-Crète.

Auguste réorganisera tout ce vaste Empire, élargi par les conquêtes de César et la soumission de l'Egypte.

LE PRINCIPAT D'AUGUSTE

La victoire remportée par Octave à Actium (2 septembre 31 av. J.-C.) sur son rival Marc-Antoine met fin à une longue période de troubles à Rome et en Italie ; le fonctionnement des institutions n'est plus adapté aux dimensions de la cité romaine et des territoires qu'elle contrôle ; les difficultés économiques de la plèbe urbaine ne sont pas comprises par l'élite qui se déchire : coups de force, désordre politique, projets ambitieux de Sylla, de Pompée, de César ne permettent plus l'activité du pouvoir traditionnel.

Octave parvient à mettre en place progressivement un nouveau régime politique, qualifié de principat, dont la définition embarrasse toujours les historiens modernes, comme elle a posé problème aux contemporains d'Auguste. En réalité, ce régime n'a pas été établi du jour au lendemain ; il a mis plus d'un siècle à se construire et n'est achevé que sous les Antonins. Le résultat est que le principat augustéen a pu être interprété comme une dyarchie (Th. Mommsen), c'est-à-dire un partage définitif des responsabilités exercées au nom du peuple romain entre le prince et le Sénat, avec un déséquilibre croissant au profit de l'empereur, mais aussi comme une dictature militaire (sir Ronald Syme) fondée sur des origines hellénistiques et s'imposant au détriment de la vieille aristocratie sénatoriale, pour sortir Rome de sa grave crise sociale et institutionnelle ; d'autres, encore, insistent sur les effets durables de la restauration républicaine et repoussent à la fin du IIe siècle l'accroissement des pouvoirs du prince.

Son instauration

Vainqueur de Marc-Antoine et de la dernière reine de la dynastie lagide, Cléopâtre, ce qui lui a valu le prénom d'*Imperator*, Octave entreprend, à partir de 29 av. J.-C., la restitution de la *respublica* au Sénat et au peuple.

En janvier 27, Octave, consul pour cette année, propose au Sénat de restituer les pouvoirs exceptionnels qu'il détient ; c'est l'occasion du partage administratif des provinces entre le Sénat et le *princeps senatus* qui reçoit un *imperium* proconsulaire pour dix ans afin de gouverner les provinces les plus exposées : Hispanie, Bétique, les Gaules, la Syrie, et commander les troupes qui y sont stationnées. Le Sénat lui accorde le surnom *Augustus*, lié au monde des augures et au domaine de l'*auctoritas*, ainsi que le droit de *commendatio* pour recommander des candidats aux élections.

En juin 23, Auguste dépose le consulat qu'il avait occupé sans discontinuer depuis 29 et ne le reprendra que très rarement ; il reçoit en échange la *puissance tribunicienne* à vie, avec un renouvellement annuel.

Dès lors, les pouvoirs d'Auguste n'évoluent plus : renouvellement de l'*imperium* proconsulaire en 8 av. J.-C., 3 et 13 apr. J.-C., et reprise chaque année de la puissance tribunicienne ; de 18 à 13 av. J.-C., il exerce la puissance de *censeur* ; en 12 av. J.-C., à la mort de Lépide, il est élu grand Pontife et en 2 av. J.-C., il est acclamé comme « père de la patrie ».

De plus, Auguste voulait faire œuvre durable et, pour cela, s'est choisi un « collègue » dans l'exercice de la puissance tribunicienne ou d'autres charges ; il a dû fréquemment en désigner un nouveau pour remplacer ceux qui disparaissaient avant lui : Agrippa mort en 12 av. J.-C., Drusus l'Ancien, Tibère, Caius et Lucius César, ses petits-fils, décédés en 2 apr. J.-C. (Lucius) et en 4 apr. J.-C. (Caius) et, finalement, Tibère à nouveau. Ce candidat désigné par l'empereur de son vivant est acclamé par les soldats, le Sénat lui reconnaît le titre d'*Imperator*, puis convoque les Comices pour lui accorder la puissance tribunicienne, l'*imperium* proconsulaire, le faire élire consul et grand Pontife. C'est dire qu'il n'y a pas, en droit, de succession automatique, mais bien un appel à la volonté du Sénat et du peuple ; dans la pratique, par la filiation ou l'adoption, l'Empereur désigne souvent son successeur. En remplaçant le défunt à la tête de la maison princière, le candidat à l'Empire bénéficie dès lors de tous les liens de clientèle établis par cette maison et d'un patrimoine considérable, qui sont autant de puissants moyens d'action.

Les pouvoirs de l'Empereur

John Scheid a fait un excellent tableau des pouvoirs du prince, dans *Rome et l'intégration de l'Empire*, Paris, 1990, qu'il vient de rédiger en collaboration avec

François Jacques. Il montre bien que l'autorité du prince tient, à la fois, aux pouvoirs conférés à l'Empereur, et à la position sociale incomparable que lui assure sa clientèle qui s'étend à tout l'Empire, position renforcée par sa très grande richesse, par les revenus de l'Egypte qui assurent le ravitaillement de Rome, par son *auctoritas* enfin confortée par la divinisation de ses ancêtres. Dans la pratique, l'Empereur peut toujours faire prévaloir ses vues.

Juridiquement, les pouvoirs de l'Empereur reposent sur une série de charges qu'il cumule et qui lui permettent de contrôler tous les aspects de la vie de l'Empire :

– Il est *Imperator*, salué par l'armée et acclamé par le Sénat : il porte comme prénom le titre accordé jadis au général vainqueur, ce qui le place au-dessus de toute la hiérarchie militaire.

– Il bénéficie, à titre viager, de l'*imperium* proconsulaire, qui s'étend à toutes les provinces, y compris les provinces sénatoriales et à l'armée ; il lui permet la levée des troupes, la nomination des officiers, la frappe des monnaies et l'administration des provinces ; aucun autre *imperium* ne peut lui être supérieur.

– Il a la puissance tribunicienne à vie, tout en la faisant confirmer chaque année. Tribun de la Plèbe (à vie)

– Il reçoit des privilèges particuliers : portant le titre de *princeps senatus* (théoriquement, le premier du Sénat), il peut convoquer le Sénat ; il recommande les candidats aux magistratures ; il a le droit de faire la guerre et la paix.

– Ses pouvoirs religieux reposent sur le grand Pontificat, le droit d'auspices ; le cognomen d'*Augustus* et la divinisation des Empereurs le placent hors du commun ; fils du divin Jules (César), il tire bénéfice du culte rendu à son père adoptif. Dans les provinces, les temples et les cultes de Rome et d'Auguste se généralisent de son vivant.

– Enfin, Auguste cherche à incarner la tradition romaine et italique, il veut renouer avec les vertus anciennes du peuple romain : en 29 av. J.-C., les *Géorgiques* de Virgile glorifient le paysan pacifique et vertueux.

Les institutions traditionnelles du peuple romain

● *Les comices retrouvent leurs prérogatives après 27 av. J.-C.* On ne sait rien du fonctionnement, sous l'Empire, des comices tributes, qui élisaient les magistrats inférieurs, mais on est mieux renseigné sur les comices centuriates qui élisaient les magistrats à *imperium*, les consuls et les préteurs. Ne votent en réalité le plus souvent que la première classe (80 centuries) et les 18 centuries équestres, puisqu'une fois la majorité absolue de 97 centuries obtenue le vote était arrêté ; la pratique de la recommandation d'une partie des candidats par Auguste limite encore la possibilité de choix laissée aux comices centuriates. Rapidement, une liste complète de candidats est établie par l'Empereur et le Sénat ; l'assemblée populaire n'a plus qu'à ratifier par acclamation ; elle devient un organe d'approbation obligatoire mais qui continue à fonctionner jusqu'au IIIe siècle.

● *Les magistrats sont tous maintenus* ; la carrière sénatoriale se déroule suivant le *cursus honorum* suivant :

— Le vigintivirat :

– triumvirs capitaux : ils surveillent les prisonniers et les exécutions capitales ;

– triumvirs monétaires : ils gardent l'atelier de la monnaie à Rome ;
– quattuorvirs chargés de l'entretien des routes : nettoyage des rues de Rome ;
– décemvirs chargés de trancher les litiges : procès de succession.

— La questure : ils sont vingt sous Auguste, affectés à Rome, en Italie et dans les provinces sénatoriales où ils gèrent les fonds publics.

— L'édilité et le tribunat de la plèbe :

– six édiles (trois édiles curules, trois édiles plébéiens) surveillent la vie publique dans la ville de Rome ;

– dix tribuns de la plèbe, qui sont les magistrats qui ont perdu le plus de pouvoirs avec l'avènement du principat : ils sont neutralisés par la puissance tribunicienne du prince.

— La préture : seize préteurs à la fin du principat d'Auguste, dix-huit à partir du début du IIe siècle ; ils possèdent des compétences judiciaires pour les procès entre privés. Sortis de charge et pendant la période qui les séparait du consulat (théoriquement dix ans, parfois beaucoup moins), ils recevaient des charges administratives et de commandement (légat de légion, proconsul d'une province sénatoriale, gouverneur d'une province impériale — *legatus Augusti propraetore* —, curateur d'une voie ou préfet du trésor, notamment du trésor de Saturne).

— Le consulat, parfois ordinaire (princes, consuls pour la deuxième ou la troisième fois, patriciens, fils de consulaires), le plus souvent suffect à partir d'Auguste (souvent entre six et dix) : généralement, en début d'année, le prince et un autre personnage gèrent le consulat ordinaire pendant deux ou quatre mois, puis ils sont remplacés par les consuls suffects.

Sortis de charge, les consulaires exercent des fonctions civiles à Rome (diverses curatelles au choix de l'empereur) ou sont nommés à la tête d'une province impériale, comme légat d'Auguste propréteur, notamment en Hispanie citérieure, Syrie, Bretagne à cause des troupes qui y sont stationnées, ou à la tête d'une province sénatoriale consulaire : Afrique ou Asie.

• *Le Sénat est composé de tous les anciens magistrats et d'adlecti* ; il compte six cents membres à partir de 29 av. J.-C. ; il se réunit deux fois par mois, normalement au forum, dans la Curia Julia ; l'absentéisme est d'autant plus courant que le recrutement des sénateurs s'élargit hors de Rome et de l'Italie. Il est responsable des finances de l'Etat, mais de plus en plus la caisse impériale devient la vraie caisse de l'Etat ; il est consulté par le prince pour la levée des impôts, l'attribution de crédits. Il a compétence directe pour le maintien de l'ordre à Rome et en Italie jusqu'à la fin du Ier siècle apr. J.-C. et pour l'administration des provinces sénatoriales par des proconsuls tirés au sort par le Sénat. Son rôle diplomatique recule au profit de l'Empereur, notamment pour la réception des ambassades. Il intervient dans la procédure de l'investiture impériale, élit les magistrats et les prêtres publics, vote les sénatus-consultes et juge certaines affaires de lèse-majesté et de complot. On pourrait résumer l'évolution qu'il connaît en disant : à la fois continuité et profonde mutation. Il n'est plus le lieu où se fait la haute politique, où se prennent les grandes décisions ; celles-ci proviennent de l'entourage immédiat du prince.

Toute une administration impériale se développe dans l'entourage du prince : elle est aux mains d'un petit nombre de gens qui sont des sénateurs pour une part, des chevaliers : procurateurs et préfets à Rome et dans les provinces impériales, enfin des affranchis et des esclaves impériaux qui assurent le fonctionnement des bureaux.

L'administration des Provinces

Elle est organisée par le partage de 27 av. J.-C. qui attribue :
– à Auguste, les zones où stationnent des légions, confiées à ses lieutenants (les *legati*),
– au Sénat, les provinces des zones riches et civilisées qui sont gouvernées par des promagistrats.

● *Les Provinces sénatoriales* connaissent quelques modifications jusqu'au milieu du Ier siècle : Auguste reprend l'Illyricum et la Sardaigne ; ses successeurs s'attribuent de 15 à 44 la Macédoine et l'Achaïe. A partir des Flaviens, la répartition demeure stable : reviennent au Sénat l'Afrique proconsulaire, la Bétique, la Narbonnaise, la Sicile, la Macédoine, l'Achaïe, la Crète-Cyrénaïque, Chypre, le Pont-Bithynie et l'Asie.

Elles sont gouvernées par des sénateurs portant le titre de proconsul, en fonction pendant un an, mais qui peuvent être prorogés : Asie et Afrique ont d'anciens consuls ; les autres sont administrées par d'anciens préteurs. Ils sont secondés par des légats propréteurs, sénateurs souvent amis ou parents du gouverneur, et par un questeur. Dans ces provinces, l'Empereur a des procurateurs, chevaliers ou affranchis, pour la gestion de son patrimoine.

● *Les Provinces impériales* :
— Les unes sont confiées à des sénateurs, légats d'Auguste propréteurs, parfois pour de nombreuses années, souvent trois ans ; le rang du gouverneur varie avec la présence de troupes : dans les provinces sans légion, ce sont des prétoriens ; dans les provinces à deux ou trois légions, ce sont des consulaires. Un procurateur équestre gère les finances provinciales.
— Les autres sont remises à des chevaliers ; l'Egypte, possession personnelle d'Auguste, est administrée par des chevaliers ; c'est peut-être aussi le cas de l'ancien royaume du Norique. Des préfets équestres sont chargés d'administrer les zones militaires : les districts alpestres notamment, sous Tibère la Cappadoce, sous Claude la Thrace, la Maurétanie, le Norique. Ces gouverneurs équestres portent le titre de préfet ou de procurateur.

Les assemblées provinciales sont liées au culte impérial qui a connu un développement précoce dans les provinces de langue grecque où il a des origines hellénistiques (on verra avec profit le beau livre de Maurice Sartre, *L'Orient romain*, Paris, 1991, p. 104-120). En Lycie, la structure fédérale n'a pas été modifiée par l'annexion ; dès 29, Auguste réorganise les *koina* d'Asie et de Bithynie liés aux temples du culte impérial à Pergame et Nicomédie ; d'autres *koina* sont mis en place dans les autres provinces orientales du vivant d'Auguste ; chaque *koinon*, qui rassemble une communauté de cités ou d'*ethnè*, prend le caractère d'une assemblée provinciale composée de représentants des différentes entités locales. En 12 av. J.-C., Drusus dédie au confluent du Rhône et de la Saône, à Lyon, l'autel de Rome et d'Auguste dont le culte concerne toutes les cités des trois provinces de la Gaule chevelue. A l'occasion, ces assemblées provinciales peuvent défendre les intérêts locaux contre les abus de l'administration.

• *Les Etats vassaux* restent nombreux en Orient au début du règne d'Auguste : dans les Balkans, la Thrace ; en Anatolie, le royaume d'Amyntas en Galatie, celui d'Archélaos en Cappadoce, les royaumes du Pont, d'Arménie Mineure, de Commagène, en Syrie, le royaume d'Hérode. Avant la fin du Ier siècle apr. J.-C., tous sont transformés ou intégrés dans le cadre provincial.

Le principat d'Auguste marque une étape capitale dans l'histoire de Rome : la cité était parvenue à un point de développement rendant indispensable une restructuration de l'Etat : il devait s'attacher à résoudre les problèmes administratifs et sociaux, qui risquaient de faire éclater cette vaste construction. De façon empirique, sans rupture brutale avec le passé, Auguste parvient à tracer le cadre nouveau qui va assurer à l'Empire une longue période de prospérité et de relative paix sociale. On trouvera de bonnes mises au point dans *Caesar Augustus. Seven Aspects*, sous la direction de Fergus Millar et Erich Segal, Oxford, 1984. Ces contributions en l'honneur de sir Ronald Syme, qui privilégient l'histoire des idées, apportent des éclairages nouveaux dans trois domaines : la représentation du pouvoir à l'époque augustéenne, dans les *res gestae* (Zvi Yavetz), dans les écrits des historiens (Emilio Gabba) et des poètes (Jasper Griffin) ; l'attitude d'Auguste et de l'Etat augustéen à l'égard des classes possédantes (Claude Nicolet) et des sénateurs (Werner Eck) ; enfin le problème de l'incorporation des provinces orientales, héritage d'Antoine (Glen Bowersock) et, de manière plus générale, l'impact local de la monarchie (Fergus Millar).

LE HAUT-EMPIRE

Il est d'usage de séparer l'histoire de l'Empire romain en deux étapes, qualifiées Haut et Bas-Empire, dont l'une aurait correspondu à une marche vers une apogée située au IIe siècle, le siècle des Antonins, tandis que l'autre serait marquée par un déclin commençant avec la « crise du IIIe siècle ». Il est souhaitable de renoncer à ces constructions trop faciles et bien des historiens récents ont œuvré pour démontrer que le Bas-Empire n'est pas une période de déclin irrémédiable. La limite chronologique entre les deux phases se situe au IIIe siècle : soit vers 235 à la fin des Sévères (cf. J. Le Gall, M. Le Glay, *L'Empire romain. Le Haut-Empire de la bataille d'Actium à la mort de Sévère Alexandre (31 av. J.-C. - 235 apr. J.-C.)*, Paris, 1987), soit en 260 à l'avènement de Gallien comme seul Empereur (cf. F. Jacques, J. Scheid, *Rome et l'intégration de l'Empire (44 av. J.-C. - 260 apr. J.-C.)*, Paris, 1990), soit même à l'avènement de Dioclétien, en 284.

La période dite du Haut-Empire est marquée par quelques traits qui méritent d'être soulignés.

La question de la succession impériale

Elle est restée longtemps un problème difficile à résoudre : sans entrer dans le détail des liens familiaux unissant les successeurs d'Auguste, il faut reconnaître que, dès le départ, la question a été abordée de façon très pragmatique, sans règle préétablie. Auguste a joué de malchance, dans la mesure où tout son entourage familial a disparu avant de pouvoir lui succéder, que ce soit Agrippa, mari de sa fille, Julie, puis ses petits-fils Lucius et Caius César en 2 et 4 de notre ère, puis Drusus, le fils de Livie ; seul restait Tibère qu'Auguste a choisi comme héritier sans plaisir. Tibère connaît les mêmes difficultés et c'est finalement le fils de Germanicus, son neveu, Caius César surnommé Caligula qui le remplace. Celui-ci meurt sans enfant et sans avoir réglé sa succession ; ce sont les prétoriens qui proclament Claude, frère de Germanicus. Bien que celui-ci ait un fils légitime, Britannicus, Agrippine réussit à lui faire adopter son fils Néron. Donc, sous la dynastie des Julio-Claudiens, d'Auguste à Néron (31 av. J.-C. - 68 apr. J.-C.), jamais la succession n'a été réglée par l'application claire d'une disposition privilégiant l'hérédité. Après la crise de l'année 68, Vespasien semble créer une dynastie, avec deux fils qui lui succèdent tour à tour, Titus et Domitien ; à la mort de ce dernier, le Sénat confie l'Empire à Nerva, c'est-à-dire que toute référence à une succession héréditaire est abandonnée. Nerva résout la difficulté par l'adoption d'un très bon officier natif de Bétique, Trajan ; celui-ci semble favoriser la carrière de son pupille Hadrien, et comme la succession n'est pas réglée du vivant de l'Empereur, l'impératrice Plotine doit déclarer que Trajan a adopté Hadrien avant de mourir. Nouvelle adoption pour la succession d'Hadrien, mort sans enfant : il adopte Antonin à condition que celui-ci adopte à son tour Marc Aurèle et le fils de Vérus. En 161, Marc Aurèle accède donc normalement à l'Empire et s'associe son frère adoptif, Lucius Verus. Le fils de Marc Aurèle, Commode, le remplace : c'est le seul cas de transmission héréditaire de la fonction impériale au IIe siècle et il n'a pas paru correspondre à un choix heureux pour les contemporains à Rome au moins.

Dès lors, ce sont bien souvent les armées qui font les empereurs et le Sénat se borne à entériner le choix : il en est ainsi pour Septime Sévère, proclamé par l'armée du Danube qu'il commandait ; le risque est que chaque armée proclame son général, comme le fait, au même moment, l'armée d'Orient au profit de Pescennius Niger. Vainqueur, Septime Sévère croit pouvoir revenir au système dynastique : il laisse l'Empire à ses deux fils Caracalla et Géta, le premier l'emporte sur le second qui est tué ; après lui, l'armée reste fidèle à la dynastie des Sévères : Elagabal est le petit-neveu de Julia Domna, veuve de Septime Sévère et Sévère Alexandre son cousin.

Le Haut-Empire a toujours hésité entre la succession héréditaire, souvent impossible, et le choix du meilleur par l'intermédiaire de l'adoption, comme l'ont pratiquée les Antonins.

La croissance de l'Empire

Défini à l'époque du principat d'Auguste, l'Empire a progressivement élargi ses limites par la création de nouvelles provinces. A l'époque d'Auguste, plusieurs tentatives sont faites pour soumettre la Germanie, mais le désastre de Varus

Chronologie de l'Empire romain

27	Octave reçoit le titre d'Auguste.
19	Mort de Virgile.
12	Auguste grand Pontife. Mort d'Agrippa.
4 a.C.	Mort d'Hérode le Grand.
2 p.C.	Mort de Lucius César.
4	Mort de Caius César.
9	Désastre de Varus.
14	Mort d'Auguste. Avènement de Tibère.
17	Mort de Tite-Live.
18	Mort d'Ovide.
25	Mort de Strabon.
vers 28-30	Prédication de Jésus.
37	Mort de Tibère. Avènement de Caligula.
vers 38	Conversion de Paul.
41	Assassinat de Caligula. Avènement de Claude.
43	Conquête de la Bretagne.
49	Concile de Jérusalem qui dispense les païens convertis au christianisme des pratiques juives ; Sénèque précepteur de Néron.
50	Claude expulse de Rome les Juifs qui s'agitaient sous l'impulsion de Chrestus.
54	Assassinat de Claude. Avènement de Néron.
60-61	Révolte de Boudicca en Bretagne.
64	Incendie de Rome. Martyrs à Rome, parmi eux, Pierre et Paul.
66-8	Révolte de la Judée.
68	Mort de Néron ; l'année des trois empereurs : Galba, Othon, Vitellius.
69-79	Règne de Vespasien.
70	Destruction de Jérusalem par Titus.
75-82	Construction du Colisée.
79	Eruption du Vésuve : destruction de Pompei, Herculanum, Stabies ; mort de Pline l'Ancien.
79-81	Règne de Titus.
81-96	Règne de Domitien.
96-98	Règne de Nerva. Adoption de Trajan.
98-117	Règne de Trajan.
101-106	Campagnes de Dacie.
105	*Histoires* de Tacite.
111-13	Pline le Jeune, légat de Bithynie.
113-17	Guerre en Orient, contre les Parthes, conquête de l'Arménie, de l'Assyrie et de la Mésopotamie.
116	*Annales* de Tacite.
117-38	Règne d'Hadrien ; il évacue les conquêtes de Trajan en Orient.
122-26	Construction du Mur d'Hadrien en Bretagne du Nord.
132-34	Insurrection juive.
138-61	Règne d'Antonin.
161-80	Règne de Marc-Aurèle.
162	Odéon d'Hérode Atticus à Athènes.
167-74 ; 178-80	Campagnes contre les Quades et les Marcomans.
177	Les martyrs de Lyon.
180-92	Règne de Commode.
193	Règnes de Pertinax et Didius Julianus.
193-211	Règne de Septime Sévère.
194	Victoire de Septime Sévère sur Pescennius Niger en Orient.
196-97	Révolte d'Albinus en Gaule, bataille de Lyon.
197	*Apologétique* de Tertullien.
211-17	Règne de Caracalla.
212	La Constitution de Caracalla.
217-18	Règne de Macrin.
218-22	Règne d'Elagabal.
222-35	Règne de Sévère Alexandre.
235-268	Période d'anarchie militaire : Maximin (235-38) ; Gordien III (238-44) ; Philippe l'Arabe (244-49) ; Dèce (249-51) ; Trebonianus Gallus (251-53) ; Aemilianus (253) ; Valérien (253-260) ; Gallien (associé à Valérien, puis seul à partir de 260-268).
258	Invasion des Francs en Gaule et en Espagne, des Alamans dans la vallée du Rhône et en Italie du Nord, des Goths en Dacie, des Sassanides en Mésopotamie

	et Arménie ; naissance de principautés autonomes : Empire gallo-romain de Postumus en Gaule ; Etat palmyrénien en Orient.
268-70	Règne de Claude II, vainqueur des Alamans et des Goths.
270-75	Règne d'Aurélien, qui rétablit l'unité de l'Empire.
275-76	Règne de Tacite.
276-82	Règne de Probus.
282	Règne de Carus.
283-84	Règne de ses fils Carin et Numérien.
284-305	Règne de Dioclétien.
286	Maximien est associé à Dioclétien.
293	Organisation de la Tétrarchie : deux Augustes et deux Césars.
301	Edit du Maximum.
305	Abdication de Dioclétien et Maximien, remplacés par les deux Césars, Constance ④ Chlore et Galère.
306	Constantin gouverne l'Occident.
312	Victoire de Constantin sur Maxence, au pont Milvius.
313	① Edit de Milan.
315	Construction de l'Arc de Constantin à Rome.
325	Concile de Nicée.
330	② Inauguration de Constantinople. [CAPITALE Empire romain) ESSOUFFLEMENT DE L'EMPIRE]
336	Mort d'Arius.
337	Baptême et mort de Constantin.
337-40	Les fils de Constantin se partagent l'Empire : Constantin II, Constance II, Constant.
340-50	Règnes de Constance II et de Constant..
350-61	Constance II seul empereur.
361-63	Règne de Julien : réaction païenne ; il est tué dans la guerre de Perse.
363-64	Règne de Jovien, paix désastreuse avec les Perses.
364	Avènement de Valentinien (364-75) et de Valens (364-78).
378	Défaite et mort de Valens contre les Goths à Andrinople.
378-95	Règne de Théodose en Orient ; de Gratien (375-83) et de Valentinien II (383-92) en Occident.
391	Loi de Théodose contre le paganisme, dont le culte public est interdit.
395	Partage de l'Empire entre les fils de Théodose : l'Orient à Arcadius, l'Occident à Honorius.
396-403	Les Wisigoths d'Alaric en Grèce et en Italie, sauvée par Stilicon.
406	Invasion de la Gaule et de l'Espagne par les Vandales, Suèves, Alains, Burgondes, bientôt rejoints par Francs et Alamans.
408	Théodose II (408-50) succède à Arcadius en Orient.
410	Sac de Rome par Alaric.
412-26	*La Cité de Dieu* de Saint Augustin.
418	Cassien fonde Saint-Victor de Marseille.
423	Mort d'Honorius et avènement de Valentinien III (423-55).
428	Nestorius, patriarche de Constantinople.
429	Les Vandales de Genséric passent en Afrique.
431	Concile d'Ephèse.
450	Invasion des Huns d'Attila en Occident, arrêtés en 451 par Aétius et les Barbares établis en Gaule.
451	Concile de Chalcédoine.
455	Pillage de Rome par Genséric.
455-76	Les derniers empereurs d'Occident : Avitus, Majorien, Sévère, Anthémius, Olybrius, Glycerius, Julius Népos, Romulus Augustule renversé en 476 par Odoacre.

met fin à ces projets et, finalement, le Rhin et le Danube deviennent les frontières de l'Empire sur son flanc septentrional ; de nouvelles provinces ont été créées (Alpes maritimes en Gaule, Rhétie, Norique, Pannonie, Mésie) ; le seul point faible se situe dans l'angle formé par le Rhin supérieur et la source du Danube ; ce sont les Flaviens qui consolident cet angle rentrant par la fortification des Champs Décumates. La Bretagne déjà visitée par César est conquise sous Claude, mais différentes révoltes obligent les Romains à intervenir ; en 121-22, Hadrien met fin à l'insurrection des Brigantes et entreprend de séparer la province romaine des pays barbares par l'édification d'un mur ;

Antonin le Pieux reporte la frontière plus au nord sur l'isthme Forth-Clyde, mais on en revient au Mur d'Hadrien avant la fin du IIe siècle. Trajan est le dernier empereur conquérant : il ajoute, au nord du Danube, la province de Dacie, puis, en Orient, annexe en 106 l'Arabie ; la guerre contre les Parthes aboutit à la création des provinces éphémères de Mésopotamie, d'Assyrie et d'Arménie auxquelles Hadrien renonce rapidement. Sur le flanc méridional de l'Empire, le *limes* africain se déplace vers le sud de façon à contrôler les terres cultivables et les voies de transhumance, à l'époque des Antonins, d'abord, puis des Sévères. Les Etats vassaux sont progressivement annexés comme des provinces : Cappadoce, Commagène, Etats nés de l'héritage d'Hérode comme la Judée, Maurétanie.

Ce vaste Empire est protégé par un *limes*, souvent établi le long d'un obstacle naturel, comme le cours du Rhin, mais ce n'est pas toujours le cas, par exemple en Bretagne septentrionale, dans les Champs Décumates, en Dacie, en Orient et en Afrique. Il faut se représenter ce *limes* non comme une ligne continue de fortifications infranchissables, mais plutôt comme un obstacle renforcé de place en place par des forts où tiennent garnison des unités d'intervention qui peuvent arrêter un adversaire modeste ou retarder un ennemi plus important suffisamment longtemps pour que les légions de l'intérieur puissent agir à leur tour. Les recherches archéologiques permettent aujourd'hui d'avoir une bonne connaissance de certaines de ces fortifications.

L'armée romaine est la gardienne de cet immense Empire ; elle est surtout établie dans les provinces les plus exposées aux menaces extérieures ; mais on aurait tort d'en gonfler l'importance numérique par rapport à l'ensemble des citoyens : F. Jacques propose « un taux de conscription dépassant certainement 10 % des mobilisables » (*Rome et l'intégration de l'Empire*, I, p. 141) sous les Julio-Claudiens ; l'accroissement du nombre des citoyens fait que le poids diminue puisque les effectifs des légionnaires restent stables autour de 150 000 hommes. C'est un nombre faible par rapport à l'extension géographique de l'Empire, ce qui signifie que des provinces entières sont soumises à Rome sans aucune présence de force armée, même si on doit y ajouter les corps auxiliaires. Si les légions sont recrutées essentiellement en Italie au début du Ier siècle, cette contribution de l'Italie ne cesse de décroître à partir de Vespasien, d'abord au profit des provinces occidentales les plus romanisées ; au IIIe siècle, la tendance à l'hérédité s'accentue. L'armée a été, dans les régions récemment soumises, un élément d'oppression, avant d'être un facteur de transformations économiques et sociales, par ses achats en produits locaux et régionaux ; elle véhiculait aussi une certaine forme de civilisation romaine et permettait certaines promotions sociales.

La prospérité de l'Empire

Dans un combat permanent entre modernistes et primitivistes, l'historiographie chemine difficilement, mais il paraît raisonnable de considérer que, dans le vaste Empire romain, comme plus tôt dans le monde hellénistique, l'économie est, dans la majeure partie des provinces, fondée sur une agriculture de subsistance, avec peu de circulation des produits entre régions de production et de consommation. Seules Rome, les grandes métropoles de l'Empire et les armées avaient

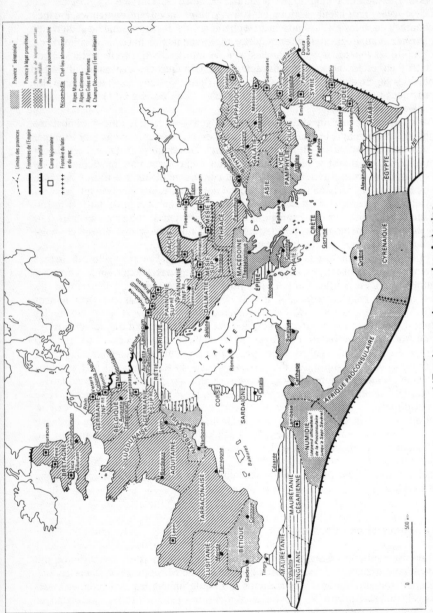

L'Empire romain sous les Antonins

Source : M. Sartre, A. Tranoy, *La Méditerranée antique,*

besoin de produits importés souvent de loin, comme le montre le service de l'annone qui contribue à l'approvisionnement en céréales de la cité de Rome, pour éviter que le peuple ne soit dans le besoin, ce qui est souvent à l'origine de troubles redoutés ; Hadrien réglemente aussi avec soin le commerce d'huile à Athènes, mais l'intervention du pouvoir impérial ne paraît se produire que pour remédier au mauvais fonctionnement du marché libre.

L'établissement de la *pax romana* a certainement favorisé l'extension des terres cultivées, notamment dans les régions marginales d'Afrique du Nord, mais aussi en Gaule et en Espagne, alors que la Grèce dépeuplée connaît une période difficile au Ier siècle (cf. encadré p. 172).

Des produits manufacturés circulent largement dans l'Empire ; l'archéologie privilégie la circulation de la céramique sigillée d'Arezzo, bientôt concurrencée par la production de La Graufesenque, puis de Lezoux. Les recherches récentes semblent redonner à l'Italie un rôle majeur, alors qu'on avait eu à tendance à insister sur son déclin au IIe siècle (le livre d'A. Tchernia, *Le Vin de l'Italie romaine*, Rome-Paris, 1986 (Befar 261), a beaucoup contribué à cette réévaluation de l'économie italienne) ; les grandes routes maritimes restent celles qui viennent d'Alexandrie, d'Hippone, d'Espagne, de Marseille. L'essor de l'Afrique du Nord, de l'Espagne, de la Gaule ne doit pas cacher la prospérité de l'Orient, moins connue, mais réelle comme en témoigne la richesse de très nombreuses cités qui rivalisent dans l'édification d'amphithéâtres, de thermes, et d'édifices voués au culte impérial, non sans s'endetter souvent, ce qui les rend plus dépendantes de l'évergétisme de riches citoyens et de la générosité impériale.

LE BAS-EMPIRE

La situation se détériore dans bien des provinces, à la suite des premières invasions barbares du IIIe siècle et de la période d'anarchie militaire qui affaiblit le pouvoir impérial.

La menace barbare

Dès l'époque augustéenne, l'Empire a connu des difficultés sur ses frontières comme le montre l'échec de la tentative de conquête de la Germanie, lors du désastre de Varus ; de nouvelles difficultés se manifestent sur le Danube à l'époque de Marc Aurèle face aux Quades et aux Marcomans ; en Orient, le royaume parthe est un voisin toujours dangereux et les campagnes de Trajan et de Septime Sévère ne règlent pas la situation. Au début du IIIe siècle, le remplacement des Parthes par les Perses Sassanides crée une menace plus redoutable encore pour les provinces orientales de l'Empire. A la même époque, l'Europe centrale et orientale connaît des déplacements de peuples vers l'ouest et le sud qui renforcent la pression le long du *limes* danubien et rhénan.

Les premiers craquements inquiétants se font entendre au milieu du IIIe siècle, sous le règne de Dèce qui meurt au combat d'Abrittus (251) contre les Goths

LA VIE DANS LES PROVINCES SOUS LA *PAX ROMANA*

La correspondance de Pline le Jeune et de l'Empereur Trajan, durant le gouvernement du premier dans la province de Bithynie, apporte un bon éclairage de la vie des provinces au début du IIe siècle apr. J.-C. ; elle révèle, en particulier, la dépendance étroite des provinces vis-à-vis de l'autorité de l'Empereur qui intervient dans bien des questions locales qui auraient pu être réglées sans remonter jusqu'à Rome ; on y voit aussi l'orgueil des villes rivalisant de constructions imposantes mais coûteuses qui mettent leurs finances en triste situation :

Pline à l'Empereur Trajan : « Maître, pour un aqueduc les Nicomédiens ont dépensé 3 318 000 sesterces, aqueduc qui jusqu'ici n'a pas été terminé, a été abandonné et même démoli. On en a, pour un autre aqueduc, dépensé 200 000. Ce dernier a été abandonné aussi et il faut un nouveau crédit pour fournir de l'eau à des gens qui ont gaspillé tant d'argent. Je me suis rendu moi-même à une source très pure, où l'on doive, semble-t-il, prendre l'eau et la conduire comme on l'avait essayé au début au moyen d'une construction soutenue par des arcades ; ainsi, elle n'arrivera pas aux seules parties plates et basses de la cité. Quelques arcades subsistent encore ; quelques-unes peuvent être aussi bâties avec la pierre de taille prise au travail antérieur ; une partie, à mon avis, sera à faire en briques, ce qui est plus facile et moins cher. Mais surtout, il est nécessaire que tu envoies ou un ingénieur des eaux ou un architecte pour éviter le retour de ce qui est arrivé. Ce que je puis t'affirmer, c'est que l'utilité de l'ouvrage et sa beauté sont tout à fait dignes de ton règne. »

Trajan à Pline : « Il faut s'occuper d'amener de l'eau à Nicomédie. Je suis sûr que tu te mettras à l'ouvrage avec le zèle voulu. Mais, bon dieu, il te faut mettre le même zèle à rechercher les responsables qui ont fait jusqu'ici perdre tant d'argent aux Nicomédiens ; il ne faut pas qu'ils aient commencé et abandonné ces aqueducs en se partageant les crédits. Porte donc à ma connaissance tout ce que tu apprendras. »

Pline à l'Empereur Trajan : « Maître, le théâtre de Nicée, dont la construction est presque achevée mais n'est pas terminée, a déjà englouti à ce qu'on dit (car les comptes ne sont pas apurés) plus de dix millions de sesterces et j'ai peur que ce ne soit pour rien. En effet, d'immenses fissures le font s'effondrer et s'entrouvrir ; la cause en est soit l'humidité et l'inconsistance du terrain, soit le manque de résistance et la friabilité de la pierre. C'est un problème qui mérite examen de savoir s'il faut l'achever ou le laisser tel quel ou mieux l'abattre. Car les appuis et les soutènements, dont à tout moment on l'étaie, me paraissent moins solides que coûteux. Les particuliers ont promis à ce théâtre beaucoup d'à-côtés, comme des basiliques qui l'entoureraient, une galerie au sommet des gradins. Mais actuellement toutes ces constructions sont ajournées, puisqu'on a suspendu le travail qu'il faut d'abord achever. »

Trajan à Pline : « Ce qu'il faut faire au sujet du théâtre commencé à Nicée, personne n'en jugera et décidera mieux que toi, qui es sur place. Il me suffira de savoir à quel parti tu t'es arrêté. Quant aux constructions promises par les particuliers, tu veilleras à ce qu'elles soient exécutées, mais seulement après l'achèvement du théâtre dont elles dépendent. »

C'est dans ce même livre X de la Correspondance que Pline interroge Trajan sur la conduite à tenir à l'égard des chrétiens de sa province.

qui ont envahi la Mésie ; peu après Antioche est pillée par les Sassanides (253) et l'empereur Valérien est fait prisonnier par eux en 260. En Occident, les Alamans pénètrent en Gaule et Postumus organise un Empire gallo-romain qui échappe à l'autorité de Rome. Gallien, à partir de 260, parvient à rétablir la situation par ses succès contre les Alamans, les Sarmates et les Goths. Une nouvelle invasion franque en Gaule est contenue par Probus en 277. Cette grave crise provoque inévitablement une transformation du pouvoir impérial, de plus en plus fondé sur l'armée, qui absorbe une grande partie des ressources de l'Empire et doit réorganiser son dispositif pour permettre une défense en profondeur lorsque le *limes* est traversé par les barbares. La menace sur les frontières conduit Dioclétien à donner à Maximien une mission précise de pacification des frontières, puis à établir la tétrarchie qui permet de confier les tâches urgentes à l'un des Césars ou à l'un des Augustes. L'effort considérable mené dans la fin du IIIᵉ siècle aboutit à des résultats réels et l'Empire connaît au IVᵉ siècle une nouvelle période de paix et de prospérité.

L'aggravation de la menace extérieure est sensible à partir des années 360 ; l'expédition de Julien contre les Perses n'obtient pas les résultats escomptés et la paix de 363 marque un recul sensible de la présence romaine en Arménie et en Mésopotamie. Sur le Rhin et le Danube, des contingents barbares s'établissent sur la rive impériale des fleuves, Francs et Alamans en particulier. Si Valentinien Iᵉʳ remporte des succès sur les Alamans, Valens doit accepter le passage des Wisigoths au sud du Danube (376), poussés qu'ils sont par la migration des Huns. La défaite et la mort de Valens à la bataille d'Andrinople (378) livrent la péninsule balkanique aux Wisigoths. En 382, Théodose conclut un traité avec eux et reconnaît leur établissement comme « fédérés » au sud du Danube. Le partage de l'Empire entre les fils de Théodose, en 395, affaiblit la résistance aux pressions barbares, malgré les efforts du Vandale Stilicon, tuteur d'Arcadius et d'Honorius. Dès 401, Alaric, devenu chef des Wisigoths, reprend le pillage de la Grèce ; surtout à la fin de 406, Vandales, Alains, Alamans, Sarmates franchissent le Rhin et pénètrent profondément en Gaule jusqu'aux Pyrénées, puis en Espagne. En 410, Alaric pille Rome, avant de gagner l'Aquitaine. C'est bientôt l'Afrique du Nord qui est atteinte par les Vandales, tandis qu'une nouvelle menace apparaît, celle des Huns d'Attila arrêtés en 451 par Aétius et les Barbares établis en Gaule. L'Empire d'Occident voit se constituer une série de principautés indépendantes : Francs et Burgondes en Gaule, Wisigoths en Gaule et en Espagne, Vandales en Afrique. L'Empire d'Orient, atteint le premier par l'invasion wisigothique, se tire mieux d'affaire que celui d'Occident dont la défense repose sur des armées composées surtout de contingents barbares et commandées par des chefs de même origine, comme Odoacre qui dépose le dernier titulaire de la charge impériale, Romulus Augustule, en 476.

Grandeur et faiblesse du Bas-Empire

Si la menace barbare est pour beaucoup dans la transformation de l'Empire romain, à partir de la crise du milieu du IIIᵉ siècle, il faut bien voir que la période qui suit ne se résume pas à une décadence inexorable, qui se poursuivrait pendant plus de deux siècles. Le redressement opéré à la fin du IIIᵉ siècle ouvre une ère de prospérité, sensible en particulier dans le développement des villes et dans une reprise des activités commerciales, tandis que les campagnes, surtout en Italie, restent atteintes par l'insécurité et la dépopulation.

A côté de Rome, que les empereurs abandonnent fréquemment au profit de villes proches des frontières, comme Trèves, Milan, Sirmium, Nicomédie, une nouvelle capitale, Constantinople, connaît un développement très rapide et rivalise avec les grandes métropoles d'Orient : Alexandrie, Antioche. Beaucoup de villes provinciales, qui s'étaient repliées derrière leurs enceintes lors des premières invasions barbares, s'entourent de nouveaux faubourgs ; de riches sénateurs partagent leur vie entre les belles *villae* suburbaines et leurs résidences en ville, sans qu'il y ait abandon de la ville pour autant par ces grands propriétaires.

L'Orient, moins touché par les invasions du IIIe siècle, domine les échanges commerciaux à travers la Méditerranée, échanges dans lesquels les produits de luxe tiennent une grande place ; de vraies colonies marchandes composées de Syriens, d'Alexandrins, de Juifs s'établissent dans les villes d'Occident. Les produits de première nécessité, notamment les céréales, prennent souvent le chemin des régions frontalières pour ravitailler les garnisons qui assurent la sécurité.

Les besoins de l'Etat renforcent la pression sur la population, plus lourdement taxée et qui cherche parfois à échapper à sa misère : des troupes de paysans ruinés, de pasteurs, de déserteurs constituent les bandes de *vagi*, d'errants, que l'on qualifie de Bagaudes en Gaule au IIIe siècle, tandis que l'Afrique du Nord connaît la révolte des *circoncellions*, qui sont en grande partie des ouvriers agricoles migrants ; ceux-ci ont parfois partie liée avec les donatistes et avec les chefs indigènes, au IVe siècle. L'autorité de l'Etat est aussi affaiblie par le développement du patronat, le patron n'étant plus seulement l'évergète qui favorise la communauté dont il assure la protection, mais surtout le haut fonctionnaire, civil ou militaire, qui défend ses protégés contre la mainmise de l'Etat.

Le partage de l'Empire en 395 entre les deux fils de Théodose correspond à une coupure entre un Orient plus protégé des ravages des Barbares (sauf la péninsule balkanique), plus riche, plus actif dans le commerce, sans doute plus cultivé, et un Occident beaucoup plus durement frappé par les invasions germaniques et ruiné durablement. Il n'est pas étonnant que l'institution impériale y disparaisse, au profit de nouvelles royautés barbares, alors que l'Orient poursuit, autour de la nouvelle Rome, un long périple sous l'autorité d'un Empereur romain qui gouverne un Empire grec.

LA MONTÉE DU CHRISTIANISME

De la persécution à l'Empire chrétien

La diffusion de cette nouvelle foi depuis Jérusalem à travers l'Empire et, au-delà, chez tous les voisins — même si la diffusion est plus malaisée à suivre en Perse et jusqu'en Inde — est rapide ; en moins de trois siècles, le christianisme conquiert l'Empire au point de voir naître un Empire chrétien à partir de Constantin.

Le paganisme ne disparaît pas brusquement sur décision du pouvoir civil ; la notion même de paganisme rassemble des éléments très divers et Pierre Chuvin, *Chronique des derniers païens*, Paris, 1990, a montré la résistance de bien des milieux qui subissent, à leur tour, l'intolérance, l'exclusion, la persécution qui avaient frappé les disciples du Christ précédemment ; des retournements politiques interviennent, par exemple avec Julien dit l'Apostat, qui tente de revenir à un Etat païen ; le culte impérial pose aussi problème et survit souvent bien après le ralliement de l'Empire au christianisme.

La nouvelle foi souffre, d'abord, d'être associée au milieu juif dans lequel elle s'est implantée à l'origine ; un réel problème s'est posé aux premières communautés et il faut attendre le premier Concile de Jérusalem, en 49, pour que les non-Juifs puissent adhérer au christianisme sans l'obligation de respecter les pratiques juives. Même Paul prêche, en premier lieu, aux Juifs, dans les synagogues, comme le montrent les *Actes des Apôtres*, avant de se tourner vers les païens. Les nouveaux chrétiens refusent, comme les Juifs, toute concession aux rites païens, y compris à ceux qui marquent la vie publique, mais les communautés chrétiennes ne bénéficient plus des privilèges reconnus aux Juifs, lorsqu'elles font une large place aux « gentils ». La nouvelle foi est d'autant plus suspecte aux yeux des autorités romaines que le fondateur, Jésus, a été condamné comme un agitateur. En 50, Claude expulse de Rome les Juifs « qui s'agitaient sous l'impulsion de Chrestus », selon Suétone, ce qui confirme que la distinction n'est pas faite entre Juifs et chrétiens. Recrutant surtout dans les couches populaires de la société, le christianisme ne connaît pas de grosses difficultés, avant le grand incendie de Rome en 64 et la décision de Néron de faire porter aux chrétiens la responsabilité de ce crime (Tacite, *Annales*, XV, 44 ; Suétone, *Vie des Césars : Néron,* 16 ; Clément de Rome, *Lettre aux Corinthiens*, 5-6) ; la répression frappe la communauté chrétienne de Rome et, sans doute, Pierre et Paul. Domitien semble avoir mis à mort ou exilé quelques membres de la haute société convertis au christianisme. La correspondance de Pline le Jeune à Trajan témoigne de la diffusion de la nouvelle foi en Asie Mineure, et particulièrement en Bithynie, même si certains de ces nouveaux chrétiens renient facilement leur foi ; le gouverneur est convaincu que la superstition et l'opiniâtreté des chrétiens méritent condamnation ; Trajan, dans sa réponse, partage ce point de vue, mais demande d'agir seulement sur dénonciation faite par un particulier. La persécution n'est pas systématique mais le rescrit impérial donne un fondement juridique aux poursuites. Dès lors, les persécutions locales visent à ramener les chrétiens à faire acte de paganisme, notamment en sacrifiant au culte impérial ; les victimes sont nombreuses sous Marc Aurèle et Commode : Polycarpe à Smyrne, Blandine et ses compagnons à Lyon en 177.

Au IIIe siècle, la diffusion du christianisme s'étend dans tous les milieux, mais c'est aussi le temps des grandes persécutions séparées par de longues périodes de tolérance. L'Empire a besoin, pour résister aux menaces barbares, de mobiliser toutes ses forces ; certains penseurs chrétiens, comme Tertullien, font des déclarations très opposées au service militaire des chrétiens ; on ne peut servir à la fois Dieu et César. De telles positions encouragent la sévérité de la répression impériale, sensible à partir de Septime Sévère : martyrs de Perpétue et Félicité à Carthage, de saint Irénée à Lyon. C'est l'empereur Dèce qui reprend vigoureusement la persécution au milieu du IIIe siècle, en ordonnant à tous les citoyens de sacrifier aux dieux de Rome ; après une interruption de 251 à 257, la persécution reprend. L'empereur Gallien instaure une ère de tolérance, en reconnaissant la propriété ecclésiastique, et ce calme se prolonge une quarantaine d'années jusqu'en 303. Dioclétien publie alors quatre édits de persécution qui interdisent le culte chrétien, ordonne la destruction des églises, l'arrestation des membres du clergé, la libération de ceux qui abjureraient et la mise à mort des autres ; le dernier imposait un sacrifice général aux dieux païens. Les victimes se comptent par milliers, la persécution étant plus ou moins violente suivant les régions et se prolongeant en Orient jusqu'en 312. En 311, Galère promulgue, à Nicomédie, un édit de tolérance.

La tradition attribue à Constantin et Licinius la rédaction d'un édit proclamant la paix religieuse à Milan en 313 ; en réalité, on dispose seulement de deux édits particuliers de Licinius aux gouverneurs de Bithynie et de Palestine précisant la procédure de restitution des églises et des biens aux chrétiens. Baptisé sur son lit de mort à Nicomédie en 337, Constantin est-il rallié au christianisme dès la bataille du pont Milvius en 312 ? C'est l'opinion des auteurs chrétiens, tant Lactance qu'Eusèbe de Césarée. Il est vrai aussi que Constantin garde le titre de grand pontife, mais parallèlement il prend une série de mesures favorables à l'Eglise et préside le concile de Nicée en 325. Ses fils et successeurs, élevés dans la religion chrétienne, accentuent la rupture avec le paganisme, tout en gardant le titre de grand pontife. En revanche, le règne de Julien (361-63) marque une réaction profonde en faveur du paganisme dont il veut restaurer les temples, un paganisme néoplatonicien et mystique. A partir de l'avènement de Théodose Ier, en 378, l'Empire s'achemine vers l'adoption du christianisme comme religion d'Etat : en 391, il interdit l'exercice de cultes païens à Rome et à Alexandrie, puis en 392, dans l'ensemble de l'Empire, les biens des temples sont confisqués (cf. encadré p. 177).

La définition du message chrétien

La prédication de Jésus a été transmise aux premières communautés par oral, grâce aux missions entreprises par les Apôtres et par Paul et ses compagnons ; ils annoncent que Jésus est le Christ, mort et ressuscité et qu'il reviendra à la fin des temps pour établir le Royaume ; son message est celui de l'amour de Dieu et de l'homme, son prochain. Progressivement, il est nécessaire de mettre par écrit la doctrine qui doit se confronter aux modes de pensée des communautés juives et, chez les « gentils », à une réflexion philosophique de tradition grecque : les Actes des Apôtres, les Epîtres de Paul et des Apôtres, les Evangiles transmettent ainsi le message, dont la diffusion entraîne nécessairement la naissance d'hérésies qui accompagnent l'essor doctrinal du christianisme. Les premières interprétations du message chrétien, qui menacent la vie des communautés, apparaissent au début du IIe siècle : la gnose, c'est-à-dire la connaissance acquise par une révélation personnelle, sévit surtout en Egypte et dénature profondément le message chrétien par des élucubrations philosophiques. Marcion reconnaît l'existence de deux dieux, celui de la Loi, c'est-à-dire de l'*Ancien Testament*, et le dieu d'amour annoncé par Jésus ; des communautés marcionites ont vécu tout autour de la Méditerranée pendant un siècle et, jusqu'au IVe siècle, en Orient. Le montanisme insiste sur l'imminence de la fin des temps, qui impose un ascétisme rigoureux et encourage le prophétisme par lequel l'Esprit

L'INTERPRÉTATION DE PETER BROWN

Comment expliquer l'émergence du christianisme dans la société païenne, comment rendre compte du changement au cours de la période qui s'étend du règne de Marc Aurèle à celui de Constantin ? L'œuvre importante de Peter Brown est consacrée à ce problème. Dans *Genèse de l'Antiquité tardive*, Gallimard, Paris, trad. fr. 1983, Brown prend d'abord des distances avec la « rhétorique du changement » qui constitue la vulgate sur la période du Bas-Empire : à la suite de la *Natural History of Religion* de David Hume ou de *The Decline and Fall of the Roman Empire* de Gibbon, on a « attelé le problème du changement religieux de l'Antiquité tardive à la vénérable machine du "déclin et chute" de l'Empire romain » (op. cit., p. 12), en négligeant l'anthropologie sociale grâce à laquelle l'émergence de nouvelles figures religieuses, replacées dans leur contexte social, peut mieux se comprendre. Peter Brown choisit donc cette approche anthropologique, et dénonce au passage quelques idées reçues : tandis que de nombreuses études insistent encore sur le « malaise » de la vie dans de grandes cités aux époques hellénistique et romaine et évaluent les transformations des mentalités religieuses à l'aune de ces pressions, Peter Brown considère la faible importance des villes méditerranéennes de la fin de l'Antiquité, « fragiles excroissances dans une campagne conquérante » (op. cit., p. 24), rejoignant en cela Evelyne Patlagean, *Pauvreté économique et pauvreté sociale à Byzance : IVe-VIIe siècle,* Paris-La Haye, 1977. En outre, Brown se refuse à voir dans le IIIe siècle une période de désillusion et d'angoisse, en comparaison du prétendu « âge d'or » des Antonins.

Selon Peter Brown, « la meilleure façon d'envisager les changements survenus à la fin de l'Antiquité consiste à y voir une redistribution et une nouvelle orchestration de composants déjà présents depuis des siècles dans le monde méditerranéen » (op. cit., p. 32), à la suite d'Henri-Irénée Marrou, *Décadence romaine ou antiquité tardive ? IIIe-VIe siècle,* Le Seuil, Paris, 1977. L'âge des Antonins, qui sert de point de départ à l'étude menée ici, voit l'apogée de ce que Brown appelle un « modèle de parité » : en clair, « les élites tendent à maintenir un ensemble de frontières fermes et invisibles qui imposent aux aspirations des individus des limites supérieures rigides, et tendent à orienter les aspirations de leurs membres vers des formes de réalisations qui pourraient éventuellement être le lot de chaque autre membre du groupe de pairs. En conséquence, dans un groupe de pairs, les formes de succès individuel, comme la richesse, sont faites pour être dépensées et non thésaurisées » (op. cit., p. 78). D'où, par exemple, l'essor de l'évergétisme, étudié dans une perspective analogue par Paul Veyne dans *Le Pain et le Cirque : sociologie historique d'un pluralisme politique*, Le Seuil, Paris, 1976. Selon Brown, cette pratique des relations sociales imprègne profondément les sensibilités religieuses : l'homme superstitieux est condamné, car il adopte avec le divin des relations qui vont à l'encontre du « modèle de parité ». « Il fait de sa relation au surnaturel une réplique des modèles de domination et de dépendance que l'on préfère maintenir implicites » (op. cit., p. 86). Pourtant, à la fin du IIIe siècle, et plus précisément, pour Peter Brown, sous le règne de Dioclétien, le « modèle de parité » s'effondre, essentiellement sous la poussée des compétitions, avec l'essor des *potentes* qui servent l'Empereur. (Sur ces problèmes, voir la contribution de Peter Brown à l'*Histoire de la vie privée*, tome 1, Le Seuil, Paris, 1985, p. 261 et sq.)

Dans le domaine religieux, comment ce bouleversement se traduit-il ? « En un moment où le "modèle de parité" était battu en brèche par la tendance, chez quelques membres de la communauté locale, à jouir au détriment des autres d'un statut privilégié, des chefs religieux se levèrent, et furent encouragés à se lever, chez les païens comme chez les chrétiens, tout prêts à se détacher au-dessus des autres avec une supériorité plus éclatante qu'auparavant », écrit Peter Brown, p. 121. « Vers la fin du IIIe siècle, ajoute t-il, la société romaine ne devait pas compter seulement avec une hiérarchie unique en haut lieu. Au-dessus de la hiérarchie séculière formée par une société de plus en plus "pyramidale", se surimposait, en lignes distinctes, une hiérarchie spirituelle d'"amis de Dieu", dont on tenait le pouvoir en ce monde, dans sa source et sa légitimité, pour fondé sans ambiguïté sur une origine céleste. » L'image de référence devient dès lors celle du « saint homme », dont le pouvoir vient des relations d'intimité qu'il entretient avec un invisible patron. A la classe haut placée de ces « amis de Dieu », à laquelle participent tant l'Empereur Constantin (op. cit., p. 126) que les « Pères du désert » (op. cit., p.161-194), le chrétien voue désormais une loyauté sans mélange. (Sur ces problèmes, voir Peter Brown, « Le saint homme, son essor et sa fonction dans l'Antiquité tardive », *La Société et le sacré dans l'Antiquité tardive*, Le Seuil, Paris, trad. fr. 1985, p. 59-106). Au total, le christia-nisme du IIIe siècle est donc paradoxal, comme le note Brown : « Il présente une communauté qui, sous la forme symbolique, accepte nettement l'effondrement de l'équilibre sur lequel a reposé la communauté païenne. Son initiation est conçue comme produisant des hommes arrachés aux complexités de leur identité terrestre. Son génie produit une conception de la personne plus atomiste, moins tenue qu'auparavant par les liens de la parenté, du voisinage et de la région. En même temps, dans son attitude à l'égard de ses chefs, il crée un monde d'échelle réduite, acceptant des attaches permanentes de loyauté sans mélange à une classe haut placée d'"amis de Dieu" » (op. cit., p. 145).

poursuit la révélation évangélique. Montan et ses disciples ont créé des commu-nautés surtout en Orient, mais sa doctrine est connue à Lyon vers 177 et à Rome et en Afrique où Tertullien vers 205 adhère à ce mouvement. C'est pour réagir contre ces hérésies que les églises se dotent du *Nouveau Testament* qui réunit les textes reconnus comme de tradition apostolique et qui constituent les fonde-ments de la foi ; il est remarquable que le choix des textes apostoliques soit très semblable d'une grande communauté à l'autre. Dans le même temps, la Tradition orale est confirmée par la succession apostolique et Irénée estime qu'il suffit d'établir la succession de l'Eglise de Rome.

De grandes écoles théologiques se développent à la fin du IIe siècle à Alexan-drie (Clément d'Alexandrie, Origène), à Antioche au début du IVe siècle et c'est de cette école que sort Arius. Pour lui, le Logos n'est pas Dieu, il est une créature différente de Dieu, même si Dieu l'adopte comme son fils ; le Christ n'est qu'un être parfait qui propose son exemple. Le Concile de Nicée (325) définit, à l'appel de l'empereur Constantin, un symbole qui rejette l'arianisme et le condamne formellement. Ce texte ne règle pas définitivement les querelles christologiques qui refleurissent largement dans l'Empire d'Orient, mais il devient progressivement l'un des grands textes dogmatiques de l'Eglise sur la divinité du Fils et sur la Trinité. (Le lecteur désireux d'élargir ses connaissances dans ce domaine consultera avec profit M. Simon et A. Benoit, *Le Judaïsme et le christianisme antique*, Paris, collection Nlle Clio, 3e éd. 1991, le petit livre de Claude Lepelley, *L'Empire romain et le christianisme*, Paris, Flammarion, 1969, et la thèse de Ch. Pietri, *Roma christiana — Recherches sur l'Eglise de Rome, son organisation, sa politique, son idéologie, de Miltiade à Sixte III (311-440)*, Rome-Paris, 1976 (Befar, 224), 2 vol.)

Bibliographie

La bibliographie qui suit ne se veut pas spécialisée et ne comporte que des ouvrages généraux pour fournir matière à des lectures plus approfondies.

Manuels

M. C. AMOURETTI, F. RUZE, *Le Monde grec antique,* nouv. éd., Paris, Hachette, 1990.

M. CHRISTOL, D. NONY, *Rome et son empire,* nouv. éd., Paris, Hachette, 1990.

P. PETIT, *Histoire générale de l'Empire romain,* Paris, Seuil, 1976.

M. LE GLAY, J.-L. VOISIN, Y. LE BOHEC, *Histoire romaine,* Paris, PUF, 1991.

• La collection U2 est riche de manuels commodes pour les étudiants, avec, fréquemment, des documents :

H. VAN EFFENTERRE, *L'Histoire en Grèce,* Paris, A. Colin, 1967.

J. DELORME, *La Grèce primitive et archaïque,* Paris, A. Colin, 1969.

Cl. MOSSE, *Les Institutions grecques à l'époque classique,* Paris, A. Colin, 1967.

F. VANNIER, *Le IVe Siècle grec,* Paris, A. Colin, 1967.

M. AUSTIN, P. VIDAL-NAQUET, *Economies et sociétés en Grèce ancienne,* Paris, A. Colin, 1972.

Cl. VIAL, *Lexique d'antiquités grecques,* Paris, A. Colin, 1972.

J. ROUGE, *Les Institutions romaines,* Paris, A. Colin, 1969.

R. ETIENNE, *Le Siècle d'Auguste,* Paris, A. Colin, 2e éd., 1989.

P. PETIT, *Le Premier Siècle de notre ère,* Paris, A. Colin, 1968.

A. CHASTAGNOL, *Le Bas-Empire,* Paris, A. Colin, 1969.

M. MESLIN, J.-R. PALANQUE, *Le Christianisme antique,* Paris, A. Colin, 1967.

• Dans la collection Cursus, on utilisera les bons travaux de :

L. BRUIT ZAIDMAN, P. SCHMITT PANTEL, *La Religion grecque,* Paris, A. Colin, 1989.

M. SARTRE, A. TRANOY, *La Méditerranée antique (IIIe siècle av.J.-C. /IVe siècle apr. J.-C.),* Paris, A. Colin, 1990.

Encyclopédies

Chr. DAREMBERG, E. SAGLIO, E. POTTIER, *Dictionnaire des Antiquités grecques et romaines,* Paris, 1873-1919.

A. PAULY, G. WISSOWA, *Real Encyclopädie des klassischen Altertumswissenschaft,* Stuttgart, 1893-1967 (consultation indispensable pour toute recherche commençante, mais articles de valeur inégale, tenir compte en particulier de leur date de rédaction et penser à consulter les suppléments). *Princeton Encyclopaedia of Classical Sites* (utile pour tout sujet archéologique).

H. Temporini, W. Hase, *Aufstieg und Niedergang des römischen Welt,* New York et Berlin, W. de Gruyter, en cours de publication (fournit souvent d'excellentes mises au point).

Atlas

H.-E. Stier, E. Kirsten, Westermanns, *Atlas zur Weltgeschichte,* Teil 1 : *Vorzeit und Altertum,* Berlin, 1963.

H. Bengtson, V. Milojcic, *Grosser historischer Weltatlas,* Teil 1 : *Vorgeschichte und Altertum,* Munich, 1972.

T. Cornell, J. F. Matthews, *Atlas du monde romain,* Paris, Nathan, 1984.

On utilisera aussi Raymond V. Schoder S. J., *Ancient Greece from the Air,* Thames and Hudson, Londres, 1974 (photos aériennes et plans de nombreux sites grecs).

Ouvrages généraux

• La collection *Nouvelle Clio,* Paris, PUF, fournit de bons outils de travail, avec notes bibliographiques abondantes et états des questions :

R. Treuil, P. Darcque, J.-C. Poursat, G. Touchais, *Les Civilisations égéennes du Néolithique et de l'âge du Bronze,* 1 ter, Paris, 1989.

P. Garelli, *Le Proche-Orient asiatique des origines aux invasions des peuples de la mer,* 2, Paris, 1969.

P. Garelli, V. Nikiprowetzky, *Le Proche-Orient asiatique, Les Empires mésopotamiens, Israël,* 2 bis, Paris, 1974.

Cl. Preaux, *Le Monde hellénistique,* 6 et 6 bis, Paris, 1978.

J. Heurgon, *Rome et la Méditerranée occidentale jusqu'aux guerres puniques,* 7, Paris, 2e éd. 1980.

Cl. Nicolet, *Rome et la conquête du monde méditerranéen, 1/ Les Structures de l'Italie romaine, 2/ Genèse d'un Empire,* 8 et 8 bis, 2e éd., 1989 et 1991.

F. Jacques, J. Scheid, *Rome et l'intégration de l'Empire, 1/ Les Structures de l'Empire romain,* 9, Paris, 1990.

M. Simon, A. Benoit, *Le Judaïsme et le christianisme antique,* 10, Paris, 3e éd. 1991.

R. Remondon, *La Crise de l'Empire romain, de Marc Aurèle à Anastase,* Paris, 1964.

• Dans les grandes collections, françaises et étrangères, on utilisera :
– la *Cambridge Ancient History,* 2e éd. :
– vol. I part 2, *Early History of the Middle East,* édité par L.E.S. Edwards, C.J. Gadd, N.G.L. Hammond, 1971.
– vol. II part 1, *The Middle East and the Aegean Region c.1800-1380 B.C.,* édité par I.E.S. Edwards, C.J. Gadd, N.G.L. Hammond, E. Sollberger,1973.
– vol.II part 2, *The Middle East and the Aegean Region c. 1380-1000 B.C.,* édité par les mêmes, 1975.
– vol. III part 1, *The Prehistory of the Balkans ; the Middle East and the Aegean World, 10th to 8th Centuries B.C.,* édité par J. Boardmann, I.E.S. Edwards, N.G.L. Hammond, E. Sollberger, 1982.

- vol. III part 2, *The Expansion of the Greek World, 8th to 6th Centuries B.C.*, édité par J. BOARDMANN, N.G.L. HAMMOND, 1982.
- vol. IV, *Persia, Greece and the Western Mediterranean c. 525 to 479 B.C.*, édité par J. BOARDMANN, N.G.L. HAMMOND, D.M. LEWIS, M.T. OSTWALD, 1988.
- vol. VII part 1, *The Hellenistic World*, édité par F.W. WALBANK, A.E. ASTIN, M.W. FREDERIKSEN, R.M. OGILVIE, 1984.
- vol. VII part 2, *The Rise of Rome to 220 B.C.*, édité par F.W. WALBANK, A.E. ASTIN, M.W. FREDERIKSEN, R.M. OGILVIE, A. DRUMMOND, 1989.
- vol. VIII, *Rome and the Mediterranean to 133 B.C.*, édité par A.E. ASTIN, F.W. WALBANK, M.W. FREDERIKSEN, R.M. OGILVIE, 1989.

Les volumes manquants existent dans la première édition mais remontent aux années 1930 ; ils seront prochainement remplacés.

● La collection *Peuples et Civilisations* est aussi en renouvellement :
- *Les Premières Civilisations,* tome 1, *Des despotismes orientaux à la cité grecque,* sous la direction de P. LEVEQUE, Paris, PUF, 1987.
- *Le Monde grec et l'Orient,* tome 1, *Le Ve Siècle (510-403),* par Ed. WILL, Paris, PUF, 1972 ; tome 2, *Le IVe Siècle et l'époque hellénistique,* par Ed. WILL, Cl. MOSSE, P. GOUKOWSKY, Paris, PUF, 3e éd. 1990.
- *La Conquête romaine,* par A. PIGANIOL, Paris, PUF, 6e éd. 1974.
- *L'Empire romain. Le Haut-Empire de la bataille d'Actium à la mort de Sévère-Alexandre (31 av.-235 apr. J.-C.),* par J. LE GALL, M. LE GLAY, Paris, PUF, 1987.

● La collection *Destins du monde* compte deux ouvrages intéressant l'Antiquité :
- P. LEVEQUE, *L'Aventure grecque*, Paris, A. Colin, fréquemment réédité depuis 1964.
- J. COUSIN, R. BLOCH, *Rome et son destin*, Paris, A. Colin, 1960.

● En allemand, H. BENGTSON, *Griechische Geschichte von den Anfängen bis in die römische Kaiserzeit,* dans I. VON MÜLLER et W. OTTO, *Handbuch der Altertumswissenschaft* (III, 4), Munich, 4e éd., 1969 (fournit une bonne étude des sources, des cartes et une excellente bibliographie).

Ouvrages plus spécialisés

Ed. WILL, *Histoire politique du monde hellénistique*, Nancy, 2e éd., t. 1 – 1979, t. 2 – 1982.

Cl. NICOLET, *Le Métier de citoyen dans la Rome républicaine*, Paris, Gallimard, coll. Tel, 2e éd. 1988.

Sous la direction de Cl. NICOLET, *Des Ordres à Rome*, Paris, Publications de la Sorbonne, 1984.

G. ALFÖLDY, *Histoire sociale de Rome,* trad. fr., Paris, Picard, 1991.

M. CRAWFORD, *Sources for Ancient History. Studies in the Uses of Historical Evidence,* Cambridge, 1983.

M. CRAWFORD, *The Roman Republic,* Londres, 1978.

R. SYME, *La Révolution romaine,* tr. fr., Paris, Tel/Gallimard, 1967.

M. SARTRE, *L'Orient romain*, Paris, Seuil, 1991.

Sous la direction de J.-P. VERNANT, *Problèmes de la guerre en Grèce ancienne,* Paris, 1968.

Sous la direction de J.-P. BRISSON, *Problèmes de la guerre à Rome*, Paris, 1969.

Sous la direction de M.I. FINLEY, *Problèmes de la terre en Grèce ancienne*, Paris, 1973.

Sous la direction de M. DETIENNE, *Les Savoirs de l'écriture en Grèce ancienne*, Presses universitaires de Lille, 1988.

Sous la direction de Ph. ARIÈS, G. DUBY, *Histoire de la vie privée*, tome 1, *De l'Empire romain à l'an mil*, par P. BROWN, E. PATLAGEAN, M. ROUCHE, Y. THEBERT, P. VEYNE, Paris, Seuil, 1985.

Sous la direction de G. DUBY, M. PERROT, *Histoire des femmes en Occident*, tome 1, *L'Antiquité*, sous la direction de P. SCHMITT PANTEL, Paris, Plon, 1991.

F. BERARD, D. FEISSEL, P. PETITMENGIN, M. SEVE, *Guide de l'épigraphiste, Bibliographie choisie des épigraphies antiques et médiévales* (bibliothèque de l'Ecole normale supérieure, Guides et inventaires bibliographiques, II), Paris, 2ᵉ éd., 1989.

Ouvrages d'archéologie et histoire de l'art

• La collection *L'Univers des formes* fournit une série d'ouvrages remarquables, tant par leur texte que par leur illustration pour le monde grec comme pour l'époque romaine.

• On ne manquera pas de consulter également les Guides bleus, souvent fort utiles et la collection *Nous partons pour,* qui comporte un volume sur *La Grèce* par P. LEVEQUE, Paris, PUF, 2ᵉ éd. 1962, un autre sur *Rome* par P. GRIMAL, Paris, PUF, 1962.

Table des encadrés

Une autre Grèce   20
Cité et *Ethnos*   22
La place de la femme dans la Grèce ancienne   24
Progrès technique, esclavage et mépris du travail manuel   40
L'oraison funèbre et le masque funéraire à Rome, d'après Polybe (VI, 53-54)   44
L'apport des inscriptions   59
Titulature impériale et carrière sénatoriale   61
Le traité romano-étolien de 212 av. J.-C.   63
Contrat de bail (256)   67
Les progrès de la recherche archéologique en Epire et en Illyrie méridionale   71
Le peintre de Micali, peintre de la mort ou peintre de la vie ?   75
Athènes. Décret en l'honneur de Kallias de Sphettos, 270/69   82
La population civique à Sparte, du Ve au IIIe siècle av. J.-C.   92
Marathon et Salamine vus par Platon   121
La Macédoine de Philippe II   143
Vie religieuse et acculturation : hellénisme et judaïsme   151
La vie dans les provinces sous la *pax romana*   172
L'interprétation de Peter Brown   177

Table des cartes

L'expansion grecque en mer Egée et en Anatolie   103
Les guerres médiques   115
L'Empire athénien au Ve siècle   137
L'Empire romain sous les Antonins   170

Table des matières

Avant-propos 9

1. L'ORIGINALITÉ DE L'HISTOIRE DE L'ANTIQUITÉ 11

Comment l'aborder ? Une science en mouvement 11
Les écueils à éviter, 11. Un chantier toujours ouvert, 14.

L'extension du domaine considéré 15
Dans le temps, 15. Dans l'espace, 17.

Un monde très diversifié 19

Une économie de subsistance 25

L'espace d'une vie : démographie et cadre familial 27
Une vie courte, 28. Y a-t-il une régulation des naissances ? 29.
L'enfant et la famille, 30. Le mariage, 31.

Une vie sociale aux contrastes très marqués 33
Les classes d'âge, 33. Esclavage et dépendance, 34.
La recherche de la sécurité, 35. Citoyens et non-citoyens, 36.
La chance de Rome ? 37.

Le progrès technique est freiné par des ignorances scientifiques 38

Le sacré est omniprésent 39
Hommes et dieux, une frontière peu définie, 39.
Cité et communauté religieuse, 39. L'au-delà, 41.

Mais un monde qui ne nous est pas totalement étranger 43

2. LES FONDEMENTS DOCUMENTAIRES DE L'HISTOIRE DE L'ANTI-
QUITÉ 47

Les sources littéraires 49
Leur transmission, 49. Leur utilisation, 52.

Les historiens anciens, 53.

Les inscriptions 56
Place des inscriptions dans l'Antiquité, 56.
L'inscription est un témoin direct, 57. La diversité des inscriptions,
58. La difficulté de leur utilisation, 60.

La papyrologie 65
Les papyrus littéraires, 65. Les papyrus documentaires, 66.

L'archéologie 68

La numismatique 72

L'image 73
Une définition, 73. La céramique, 74. L'interprétation de l'image,
77.

L'explication de document 79
La méthodologie, 79. Un exemple : explication du décret en l'hon-
neur de Kallias de Sphettos, 84.

Le rôle de l'historien 89
La rencontre de l'historien et du document, 90.
Le traitement du document, 90. La définition du vrai problème est
capitale, 91.

3. LES GRANDES ÉTAPES DE L'ANTIQUITÉ : PROTOHISTOIRE ET ÉPO-
QUE ARCHAÏQUE 97

Histoire de la Mésopotamie aux IIIe, IIe et Ier millénaires
(chronologie) 97

Histoire de l'Égypte aux IIIe, IIe et Ier millénaires
(chronologie) 99

Les Égéens et les Mycéniens
(chronologie) 101

La Grèce du XIIe au VIe siècle 102
Les âges sombres en Grèce (XIIe-IXe siècle), 102.
La Grèce archaïque (VIIIe-VIe siècle), 105.

Les Phéniciens et Carthage 108
Les Phéniciens, 109. Carthage, 110.

Les Étrusques et la naissance de Rome 111

L'époque dite villanovienne, 111. La naissance de Rome, 111.
(rappel chronologique sur la période archaïque)

4. LES GRANDES ÉTAPES DE L'ANTIQUITÉ : LE MONDE GREC CLASSI-
QUE ET HELLÉNISTIQUE 117

La période·classique (V^e - IVe siècle) 117
Les guerres médiques, 117. Les institutions d'Athènes, à partir de
Clisthène, 123. Sparte : société, éducation et institutions, 127. De
l'alliance à l'Empire athénien ; conséquences de cette évolution,
135. (chronologie des Ve et IVe siècles). Caractères généraux du
IVe siècle, 140.

La période hellénistique 145
(chronologie de la période hellénistique)
La Grèce propre, 147. Les grandes monarchies, 149.
La faiblesse du monde hellénistique, 150.

5. LES GRANDES ÉTAPES DE L'ANTIQUITÉ : LE MONDE ROMAIN ... 153

Traits principaux de la république romaine 153
L'évolution intérieure de la cité romaine, 153.
(chronologie de la république Romaine)
L'extension de Rome : de la cité à l'Empire, 158.

Le Principat d'Auguste 160
Son instauration, 161. Les pouvoirs de l'Empereur, 161.
Les institutions traditionnelles du peuple romain, 163.
L'administration des Provinces, 164.

Le Haut-Empire 165
La question de la succession impériale, 166.
La croissance de l'Empire, 166.
(chronologie de l'Empire romain)
La prospérité de l'Empire, 169.

Le Bas-Empire 171
La menace barbare, 171. Grandeur et faiblesse du Bas-Empire, 173.

La montée du Christianisme 174
De la persécution à l'Empire chrétien, 174.
La définition du message chrétien, 176.

Bibliographie 179

Table des encadrés, Table des cartes 183

Armand Colin Éditeur
103, bd Saint-Michel
75240 Paris Cedex 05
Nº d'éditeur : 10127
Dépôt légal : janvier 1992

Achevé d'imprimer par
IMPRIMERIE FRANCE QUERCY - CAHORS
Dépôt légal : janvier 1992
N° d'imprimeur : 11008A